LA QUÊTE DE SCHINDLER

Thomas Keneally

LA QUÊTE DE SCHINDLER

Traduit de l'anglais (australien)
par Joy Belusini

Directeur de collection : Arnaud Hofmarcher
Coordination éditoriale : Marie Misandeau et Clémence Billault

Titre original : *Searching for Schindler*
Éditeur original : Hodder & Stoughton Ltd
© Thomas Keneally, 2007

© Sonatine, 2015, pour la traduction française
Sonatine Éditions
32, rue Washington
75008 Paris
www.sonatine-editions.fr

en souvenir de Leopold Page
et de Ludmila (Misia) Page

1

L es vents de Santa Ana soufflent du nord et du nord-est dans le bassin de Los Angeles. Ce sont des torrents d'air assoiffés après leur traversée des déserts du Nevada et de Californie. Se ruant vers la mer par-dessus les sierras, accumulant chaleur, poussière et spores dans leur descente, ils se déversent par les cols et les canyons dans la cuvette de cette vaste cité du désert, apportant avec eux un sentiment de dépaysement et emplissant l'air d'une étrange et pernicieuse électricité.

C'était la fin octobre 1980 et pour moi ce vent avait quelque chose d'une curiosité locale, un peu comme l'expérience d'une légère secousse sismique, qui fournit utilement une anecdote à raconter. La chaleur et la force des rafales me poussaient le long de Wilshire Boulevard alors que j'étais sorti faire du shopping dans Beverly Hills en quête d'une mallette à prix raisonnable, sans aucune certitude qu'on puisse trouver dans ce secteur des objets aussi triviaux. Délaissant sur ma gauche l'exorbitant Rodeo Drive, à un pâté de maisons de mon hôtel, je vis, partant vers le sud, une rue qui semblait bordée de boutiques abordables et de voitures familiales portant les marques d'une utilisation quotidienne. Les centres commerciaux n'avaient pas encore siphonné la clientèle de ce genre de quartier et les gens avaient l'air de chercher activement à se garer pour faire leurs achats de tous les jours.

J'avais largement le temps de faire des emplettes. Mon avion ne repartait pour Sydney que le lendemain soir. À cette époque, l'Australie n'était pas une destination glamour, et seuls quelques intrépides voyageurs américains se mêlaient à nous, autochtones, sur les deux ou trois vols hebdomadaires à destination du Pacifique Sud et de mon vaste continent natal, que nombre d'Américains confondaient encore avec l'Autriche[1] et dont le principal titre de gloire sur la scène internationale était la sévère critique de son système patriarcal que dressait l'écrivain féministe Germaine Greer dans son best-seller *La Femme eunuque*.

Je n'avais fait que quelques mètres sur cette rue d'apparence normale, à savoir South Beverly Drive, lorsque, en face d'un Hamburger Haven, je tombai sur un magasin baptisé *The Handbag Studio*. Ses marchandises me narguaient à travers la vitrine, derrière des pancartes annonçant les grands soldes d'automne. Sur celles-ci, il était question de chevreau, de vachette, de peaux de porc, serpent et crocodile, mais surtout de rabais.

J'hésitais, ayant toujours été un acheteur inquiet. Mais le commerçant, sorti de sa boutique, apparut bientôt à mes côtés. Il avait une forte carrure slave et ressemblait à ce grand acteur qu'était Theodore Bikel : quelque chose de tatare dans les pommettes, un torse puissant, de gros bras, un cou de catcheur. Il portait une chemise blanche, une cravate classique et une veste confortable avec une médaille d'Eagle Scout épinglée au revers. Une lueur d'amusement bienveillant brillait dans son regard. Je crois qu'alors déjà je perçus qu'il avait dû participer à des affaires qui dépassaient mon entendement.

« Alors, dit-il, il fait 40 degrés dehors et vous ne voulez pas entrer dans mon magasin climatisé ? Vous croyez que je vais vous manger ?

— Je cherche juste une mallette, répondis-je, sur la défensive.

— J'ai les meilleures, jeune homme. De Hong Kong et d'Italie. Les meilleures ! »

Sur cette affirmation, je me laissai guider dans la boutique où, comme promis, il faisait frais.

───────────

1. En anglais, les noms des deux pays (*Australia* et *Austria*) sont très proches phonétiquement. (*N.d.T.*)

« J'ai une bonne mallette », lui assurai-je sincèrement. C'étaient ma femme et mes filles qui me l'avaient offerte. Mais elle avait perdu une charnière, et l'autre commençait à se détacher à son tour. Le commerçant, tout en respectant mon attachement sentimental à ma vieille mallette, me fit remarquer qu'un tel accident ne risquait pas d'arriver avec celles qu'il me proposait.

« Je ne dis pas que vous pourrez y mettre tout et n'importe quoi. Un camion ? Ce n'est pas un camion, vous savez ! »

Et ses yeux écartés de Tatare se mirent à scintiller.

Il me présenta son vendeur, un dénommé Sol. Ils avaient tous les deux le même genre de comportement excentrique d'Europe de l'Est, mais on voyait tout de suite que, chez Sol, cela tenait plus de la mélancolie que de l'exubérance.

Alors que nous bavardions, le patron me dit soudain :

« Je me dois de vous complimenter, monsieur, sur votre *merveilleux* accent britannique.

— Pas britannique ! répliquai-je avec ce réflexe nationaliste hérité de mes grands-parents irlandais. Australien. »

C'était pourtant vrai, et même fascinant, que les Américains, ignorant à quel point notre accent était mal vu des Anglais, adoraient notre prononciation quasiment sans voyelles.

« Et donc, poursuivit-il, comment un gentleman comme vous a bien pu bousiller sa charnière ? »

J'expliquai que j'étais allé à un festival de cinéma à Sorrente, en Italie.

Cette année-là, l'édition avait pour thème la renaissance de l'industrie cinématographique australienne dans la première moitié des années 1970, avec des réalisateurs comme Peter Weir, Bruce Beresford, Gillian Armstrong et Fred Schepisi. Depuis 1972, je traînais beaucoup avec Schepisi, alors jeune cinéaste de Melbourne, et j'avais même « joué » dans son deuxième film, *The Devil's Playground*, récit très au-dessus de la moyenne d'une enfance catholique et, bien sûr, d'une sexualité émergente se heurtant à la doctrine religieuse. Entre-temps, Fred Schepisi avait aussi adapté au cinéma un de mes romans, *Le Chant de Jimmy Blacksmith*. Le film, comme le livre, racontait l'histoire d'un Aborigène qui, en 1900, s'était livré à un massacre anti-Blancs dans une Australie dont la Constitution, alors sur le point d'être finalisée, omettait toute référence aux droits des Aborigènes. J'avais joué un petit rôle dans ce film également et, comme Fred Schepisi lui-même ne pouvait se rendre à Sorrente pour son festival annuel, cette année-là consacré au cinéma australien, je fus invité à sa place.

Nous étions logés dans des hôtels le long de la côté méditerranéenne ; tout un festival de gens déjà bien établis et qui allaient par la suite connaître une grande renommée : le réalisateur Bruce Beresford, Barry Humphries alias Dame Edna Everage, Judy Davis, Sam Neill, Bryan Brown, Ray Lawrence. Nous étions encore, à la fois en tant qu'industrie cinématographique et en tant que nation, peu habitués à être au centre de l'attention dans les manifestations culturelles européennes, et nous nous réjouissions d'être cette fois-là le « plat de résistance ».

La presse italienne traitait chaque film avec un sérieux enivrant, et les projections nous laissaient le temps de nous régaler de cuisine napolitaine. Mais les Italiens nous remirent également une montagne de paperasse sur leur propre cinéma, et ce n'était pas le genre de documents dont on se débarrasse à la première occasion, à moins d'être un habitué blasé des conférences internationales. Je crois d'ailleurs avoir encore ces pages quelque part dans un carton, que je ne risque pas d'ouvrir dans cette vie et qui ne me sera d'aucune utilité dans la prochaine. Mon empressement à vouloir caser dans mes bagages toute cette documentation était venu à bout de ma mallette, dont une des deux charnières avait cédé, arrachant du tissu au passage.

Je racontai tout ça au patron du magasin, qui se présenta sous le nom de Leopold Page. Je commençais à peine à l'appeler M. Page qu'il m'expliqua qu'il n'aimait pas tellement ce nom. On le lui avait attribué à Ellis Island en 1947, où on l'avait beaucoup inquiété en lui disant que les Américains ne sauraient pas prononcer son patronyme polonais et qu'il lui en coûterait 500 dollars s'il décidait d'en changer plus tard. Aussi m'invita-t-il à l'appeler Leopold ; puis, très vite, je me retrouvai à employer son diminutif, Poldek.

Son véritable nom de famille, originaire de Cracovie, cette magnifique ville de Galicie, était Pfefferberg – « montagne de poivre » – et j'en vins à penser qu'il convenait parfaitement à son inépuisable énergie et à sa bonne volonté fougueuse.

Après avoir tant insisté pour me faire pénétrer dans sa boutique, Poldek paraissait davantage curieux à mon égard que pressé de me vendre quelque chose. Et ce n'était pas du cinéma. Je constaterais par la suite que c'était là sa façon d'être.

« Vous connaissez peut-être des amis à moi », suggéra-t-il. Et il me cita plusieurs noms de personnes d'Europe de l'Est qui habitaient à Sydney et à Melbourne. Non, je n'avais pas eu l'honneur de rencontrer ces gens, répondis-je.

« Ce sont des amis juifs, dit-il. De Cracovie et d'ailleurs. »

Je lui expliquai que la communauté juive de Sydney, bien qu'importante, n'était pas aussi nombreuse que celle de Melbourne.

Tout en bavardant, Poldek me montra une simple mallette à serrure en vachette noire brillante. Elle était grande et possédait plusieurs compartiments. Je décidai de la prendre. J'étais soulagé que cet achat se soit conclu aussi facilement et de façon si agréable ; entre nos discussions, l'affaire elle-même n'avait guère dû nous prendre plus de deux ou trois minutes.

Je donnai à Poldek ma carte bancaire et il chargea Sol de contacter la société de crédit.

Alors que le temps passait sans que ma carte soit acceptée, Sol nous dévisageait avec une moue plaintive.

« Eh bien, essaye encore, Sol ! lui lança Poldek.

— J'essaye, j'essaye, mais ils ne disent rien.

— Passe-moi le téléphone !

— Vous voulez le téléphone alors qu'il n'y a personne au bout du fil ?

— Ça veut dire quoi, *personne* ?

— Ça veut dire qu'ils sont partis vérifier la carte. Ça veut dire qu'il n'y a personne au bout du fil », rétorqua Sol, refusant toute assistance.

Alors Poldek se tourna de nouveau vers moi et, montrant qu'il connaissait sa géographie, me demanda pourquoi je passais par Los Angeles pour rentrer d'Italie en Australie.

J'avais un livre qui venait de sortir aux États-Unis, lui expliquai-je. Chez Viking Press. L'éditeur m'avait demandé, tant que j'étais dans l'hémisphère Nord, de venir pour faire une petite tournée de promotion américaine. Poldek voulut savoir le titre du livre. *Confederates*, lui dis-je, et il s'exclama :

« Mon Dieu ! Sol, ce n'est pas justement le livre sur lequel je viens de lire une critique dans *Newsweek* ?

— Comment voulez-vous que je sache ce que vous lisez ? » répondit le flegmatique Sol.

J'aurais pu douter de la véracité de cette coïncidence, sauf qu'en effet j'avais eu une critique dans *Newsweek*. Avec la fausse modestie de l'auteur étonné, je confirmai que c'était bien ça.

« Et donc, cher monsieur, rappelez-moi votre nom. »

Je le lui rappelai.

« Sol ! Sol ! cria-t-il à son malheureux employé, toujours collé au téléphone. Ce type est un type bien. Enlève-lui dix dollars ! »

Sol grimaça sous sa moustache et fit un geste d'impuissance avec sa main libre.

« Pauvre Sol, me confia joyeusement Poldek. Il a eu la vie dure. »

J'étais désormais quelqu'un de si cher aux yeux de M. Leopold Page qu'il appela son fils Freddy pour lui ordonner de quitter l'entrepôt et de venir me voir. Débarquant quelques minutes plus tard, Freddy s'avéra être un jeune Américain athlétique en costume d'affaires impeccable. Il était extrêmement courtois, il avait la voix douce, et à un moment, alors que Sol poursuivait ses efforts auprès de MasterCard, il murmura quelque chose à son père au sujet d'un client.

« Ah bon, mais qu'est-ce qu'il croit ? grommela Poldek en réponse à son fils. S'il s'imagine qu'il peut les avoir pour ce prix délirant, dis-lui d'essayer Borsa Bella lui-même. Et dire que j'ai commencé par proposer à ce salopard une remise spéciale ! Maintenant il veut que j'y laisse un bras.

— D'accord, p'pa, marmonna Freddy. C'est bon, p'pa, je vais lui parler. »

Il était clair que Freddy avait un tempérament moins explosif que son père.

Leopold Page se tourna à nouveau vers moi.

« Mais où avais-je la tête ? dit-il. Je ne vous ai pas présenté ma *merveilleuse* femme, Misia. »

Au téléphone, Sol eut un nouveau haussement d'épaules résigné.

« Ils disent qu'ils doivent appeler l'Australie. Il y a eu toute une histoire de fraude avec les cartes australiennes, apparemment.

— Passe-moi le téléphone, passe-moi l'appareil, insista Poldek de sa voix de baryton joviale. Tu ne devrais pas dire ce genre de choses devant un gentleman. »

Sol lui tendit le combiné dans un geste qui semblait signifier :

« Eh ben vas-y, gros malin. »

« Allô ? dit Poldek Page/Pfefferberg. Vous vous appelez comment ? Barbara. Barbara, *darling*, rien qu'à votre voix j'entends que vous êtes une jolie femme. Je sais que vous faites votre boulot. Mais ce monsieur dans ma boutique est un gentleman qui vient d'aussi loin que l'Australie ! Vous voulez tuer mon commerce, Barbara ? Je sais bien que non. Mais est-ce que je dois mettre une pancarte disant "Australiens s'abstenir" ? Oui, je sais que vous faites le maximum, mais mon client a un rendez-vous, il doit partir. Vous ne pouvez pas l'aider ? C'est un écrivain, il a un planning serré. Ne le mettez pas dans l'embarras, Barbara, *darling*. Faites au plus vite, c'est tout ce que je vous demande. Je vous repasse Sol maintenant, *darling*. Voilà Sol. »

Il rendit le combiné à son employé mélancoliquement satisfait. Puis il s'avança vers moi, les mains écartées en signe d'apaisement.

« C'est un monde de fous, monsieur Thomas. Enfin bref. Un écrivain, donc. Quelle merveille ! J'étais enseignant avant la guerre. Professeur au *Gymnasium*. Mais un écrivain ! Vous connaissez M. Irving Stone ? Irving Stone est venu un jour dans ce magasin. Nous avons une bonne réputation à Beverly Hills. »

Alors que Freddy attendait que je réponde par quelque aphorisme de mon choix, Poldek me prit à part et m'entraîna vers le rideau de séparation qui menait à l'arrière-boutique, le tout sans s'arrêter de parler.

« Voilà ce dont je voulais vous faire part. Je connais une histoire fabuleuse. Ce n'est pas une histoire réservée aux Juifs, elle est pour tout le monde. Une histoire d'humanité d'homme à homme. J'en parle à tous les écrivains qui passent par chez moi. Des scénaristes de séries télé. Des journalistes du *Los Angeles Times*. J'ai même des producteurs célèbres ou leur femme. Vous connaissez Howard Koch ? C'est lui qui a écrit le scénario de *Casablanca*. Un type charmant. Vous voyez, tout le monde a besoin d'un sac à main, tout le monde a besoin d'un attaché-case. Alors je dis à tout le monde que je connais la plus belle histoire d'humanité d'homme à homme. Certains m'écoutent ; un article par-ci, un reportage par-là. Un *merveilleux* jeune homme que je connais, producteur exécutif de Simon & Simon chez Paramount... il fait ce qu'il peut. Mais c'est une histoire pour vous, Thomas. C'est une histoire pour vous, je vous le promets. »

Tous les écrivains entendent ce genre d'exhortations. Des gens qui n'ont aucune idée du temps qu'il faut pour écrire un livre vous racontent l'histoire amusante d'un oncle ou d'une tante, et finissent toujours par ces étranges propos : « Je pourrais l'écrire moi-même si je n'avais rien d'autre à faire. » La suggestion est parfois faite timidement, parfois avec la certitude sincère que l'écrivain va s'exclamer « Ouah ! », tomber à genoux et s'emparer de ce joyau d'histoire ; qu'il ne lui faudra que quelques semaines de son temps libre pour accoucher du manuscrit final. Les questions du genre : qui aura le contrôle sur l'aspect créatif ? Qui aura son nom sur la page de titre ? Quelle sera la répartition des royalties ? Les enfants de la tante excentrique ne risquent-ils pas de faire un procès ? Quel pourcentage des droits secondaires touchera l'auteur ? Toutes ces questions, et d'autres, n'ont pas effleuré l'esprit de l'âme généreuse qui affirme : « C'est une histoire pour vous, je vous le promets. »

Mais je n'avais jamais entendu ces mots sortir de la bouche d'un homme si vif, si picaresque, si typiquement est-européen, doté d'une voix aux inflexions si subtiles et aussi débordant de vie que Leopold Page/Pfefferberg.

Il attendait que je manifeste une quelconque résistance mais, comme je n'en fis rien, il poursuivit :

« J'ai été sauvé, et ma femme a été sauvée, par un nazi. J'étais un Juif emprisonné avec des Juifs. Et c'est un nazi qui m'a sauvé et, plus important, qui a sauvé Misia, à cette époque ma jeune épouse. Alors, même si c'était un nazi, pour moi c'est Jésus Christ. Je ne dis pas que c'était un saint. Il buvait, il baisait, il faisait du marché noir, d'accord. Mais il a sorti Misia d'Auschwitz, alors pour moi c'est Dieu. »

Freddy écoutait en hochant la tête. C'était l'histoire familiale, aussi centrale qu'un livre de la Torah.

« Venez dans l'atelier, je vais vous montrer. »

Poldek m'entraîna derrière le rideau. Freddy nous suivit. Nous débouchâmes dans une pièce spacieuse avec un bureau ouvert dans le fond. La lumière était beaucoup plus tamisée que dans la boutique. Une femme d'un certain âge, mince et bien habillée, travaillait à un établi qui occupait toute la longueur de la pièce, couvert de sacs à main onéreux dont les fermoirs ou les charnières étaient cassés, de pinces en tout genre et de carnets de commandes.

« Misia, chérie ! » tonna Poldek.

La femme releva les yeux en fronçant légèrement les sourcils, comme une épouse habituée à subir les extravagances de son mari. Poldek me présenta. Il lui dit que j'étais un type *merveilleux*, un écrivain, et qu'il m'avait parlé de Schindler.

C'était la première fois que j'entendais ce nom.

«Oh, sourit Misia. Oskar. Oskar était un dieu. Mais Oskar était aussi *Oskar*.»

Elle esquissa le genre de sourire auquel je finirais par m'habituer de la part de ceux qui avaient été sous le contrôle d'Oskar Schindler dans l'un ou l'autre de ses deux camps pendant la Seconde Guerre mondiale. Le sourire de gens en quelque sorte décontenancés par un phénomène.

«Raconte-lui, Misia!

— Schindler était un homme important, avec de beaux costumes, de la meilleure qualité, dit-elle. Il était très grand et les femmes l'adoraient. Poldek et moi étions dans son camp.

— Mais votre mari me disait que vous étiez à Auschwitz, non?» demandai-je.

Elle acquiesça avec un hochement de tête douloureux.

«Oh oui, cher monsieur, en effet. C'était un accident. Ils ont envoyé notre train dans la mauvaise direction. Quand une des filles s'est hissée à la fenêtre du wagon à bestiaux pour briser la glace qui s'était formée, elle a vu que le soleil n'était pas au bon endroit : nous n'allions pas vers le sud en direction du camp de Schindler, mais vers l'ouest. Oświęcim. Auschwitz. Ça nous a brisé le cœur!

— Mais Oskar vous a fait sortir, m'man, intervint Freddy, le brave fils.

— Oskar a envoyé cette *merveilleuse* secrétaire *Volksdeutsche* pour soudoyer les SS, expliqua son père.

— Poldek! le gronda Misia. C'est juste ce que racontent certains.

— Misia chérie, Pemper me l'a dit!

— Enfin, bon... Je ne sais pas comment, mais il nous a fait sortir.»

Il était pourtant clair qu'elle avait son idée sur la question.

«Le plus beau voyage de ma vie, ajouta-t-elle. La sortie d'Auschwitz. La moitié du camp avait le typhus ou la scarlatine. On est arrivés à Brněnec à l'aube, par un jour glacial, et là on a vu

Oskar debout dans la cour de l'usine avec un petit chapeau, un, un... Poldek, aide-moi.

— Un de ces chapeaux tyroliens, vous savez, avec une plume sur le côté.

— Voilà, un chapeau tyrolien. Il y avait des SS partout, mais on n'avait d'yeux que pour lui. Il était beau. Et il nous a dit qu'il y avait de la soupe.

— Sans ça, conclut Freddy, je ne serais pas là. Pas vrai, m'man?

— Exactement, Freddy *darlink*. »

Tout comme son mari et de nombreux Juifs polonais, Misia avait tendance à mettre un *k* à la fin du mot « *darling* ». Mais je pouvais parler! Ma grand-mère irlandaise, Katie Keneally, était incapable de prononcer le *h* et parlait de « *cat'edrals* » et de « *t'eatre* ». Quant aux Australiens, comme disait un ami, leurs cinq voyelles étaient : i, i, i, i et u. Alors les défauts de prononciation de Misia Page ne suscitaient chez moi aucune moquerie, d'autant plus que les mots sortaient de la bouche d'une femme qui avait connu la grande usine à mort d'Auschwitz.

« Et je n'aurais pas eu ma Misia chérie, ajouta Poldek. Elle est tellement adorable. Bien trop intelligente pour moi. Elle se destinait à devenir chirurgienne.

— Maintenant je fais de la chirurgie sur sacs à main, se consola-t-elle. Et puis j'adore vivre ici. Les gens de Beverly Hills... Il y en a de désagréables, vous savez, mais la plupart sont très gentils. Excusez-moi, monsieur, une seconde. »

Elle s'avança vers Poldek et lui murmura quelques mots au sujet du sac à main d'une certaine Mme Gerschler, disant que Poldek allait peut-être devoir le lui échanger.

« Elle en a d'autres, des sacs, grommela Poldek.

— Non, Poldek, répondit Misia d'une voix douce. Cette pauvre femme a le droit de prendre le sac qu'elle veut. Ça fait vingt ans qu'elle est cliente.

— Et moi ça fait vingt ans que je la supporte, *aï*! Si Gerschler... un homme tellement charmant, marié à cette *shiksa*... Dis-lui que j'essaye de lui en avoir un neuf auprès du fabricant. Qu'il est en route.

— Poldek, comment veux-tu qu'elle le porte au Century City Plaza ce soir s'il est sur un bateau quelque part ? demanda la chétive Misia en prenant une voix gutturale. J'ai appelé l'entrepôt Mason. Ils en ont un en stock. Ils nous l'envoient.

— Misia chérie, c'est trop cher, ça va nous faire un gros manque à gagner.

— On n'a pas le choix, Poldek. »

Misia se tourna vers moi et ajouta :

« Pardonnez-moi. Les affaires, vous voyez. »

Mais, visiblement, le problème était désormais résolu grâce à leur petite routine bien rodée.

« Venez voir, Thomas, me lança Poldek. Vous permettez que je vous appelle Thomas ? Venez voir ce que j'ai là. »

Il me conduisit vers deux placards près du bureau au fond de l'atelier, et haussa la voix pour régler au passage cette affaire de sac à main dont parlaient Misia et Freddy pour savoir qui pourrait le lui livrer. Poldek s'interrompit pour réprimander sa femme d'un ton bourru :

« Misia, j'ai un gentleman avec moi. C'est un écrivain très célèbre. J'ai lu un article sur lui dans *Newsweek*. Tu n'as qu'à appeler Mason et leur dire de le livrer directement à...

— Poldek, ils ne livrent que les magasins, tu le sais bien. Où est Sol ?

— Sol est au téléphone avec un abruti de chez MasterCard. Et de toute façon, il conduit trop mal.

— Je m'en occupe, p'pa, proposa Freddy. Je le déposerai en rentrant ce soir.

— C'est vrai, Freddy chéri, tu ferais ça ? Tu vois, Misia, quel gentil garçon on a fait ? »

Poldek pinça les lèvres et envoya un baiser d'abord à Freddy puis à Misia.

Il ouvrit les deux placards et se mit à en sortir des documents : un article sur Oskar Schindler du *Los Angeles Examiner*, des reproductions de discours faits après la guerre par d'anciens prisonniers juifs en l'honneur de Schindler, des copies carbone de lettres en allemand et d'autres papiers partiellement jaunis, si vieux que leurs agrafes avaient réussi à rouiller même sous le climat aride de la Californie du Sud. Il y avait l'annonce du décès de Schindler en 1974 et du transfert de son corps à Jérusalem un mois plus tard. Il y avait également des photographies d'un camp de prisonniers. Je découvrirais par la suite qu'elles avaient été prises par un certain Raimund Titsch, un vétéran boiteux de la Première Guerre mondiale, courageux directeur autrichien d'une usine dans le terrible camp de Płaszów, au sud-est de Cracovie, où Schindler était venu s'approvisionner en ouvriers pour son propre camp plus petit et moins brutal à l'intérieur de la ville.

Tout en extrayant les documents de différents tiroirs, qu'il ouvrait et refermait avec enthousiasme, Poldek me livrait ses commentaires :

« Ce type, Oskar Schindler, c'était le modèle même de l'Aryen : grand, délicat, et ses costumes… vous auriez vu le tissu ! Il buvait du cognac comme de l'eau. Et je me souviens, la première fois que je l'ai rencontré, il portait un énorme svastika noir et rouge, vous savez, l'emblème nazi. »

Il feuilleta un dossier plein de photos et en sortit une de lui jeune, très avenant sous son chapeau à quatre pointes d'officier polonais, robuste jeune homme en uniforme de lieutenant, avec le même visage confiant et le même demi-sourire qu'il m'adressait à présent.

« Vous avez vu ça ? J'étais *Professor Magister* d'éducation physique au Kościuszko Gymnasium de Podgórze. Les filles m'adoraient. J'ai été blessé près de la rivière San et mon sous-officier catholique m'a sauvé la vie et m'a transporté dans un hôpital de campagne. Je n'ai jamais oublié. J'envoie encore des colis de nourriture à sa famille. Ensuite, quand Hitler a cédé à Staline la moitié de la Pologne, nous, les officiers, avons dû choisir entre l'Est et l'Ouest. J'ai décidé de ne pas aller vers l'est, même si j'étais juif. Heureusement, sinon j'aurais été tué par les Russes avec tous ces malheureux dans la forêt de Katyń. »

De retour à Cracovie comme prisonnier, Poldek s'était servi d'un document délivré par les Allemands, à l'origine destiné à lui permettre d'aller voir ses soldats dans un hôpital militaire plus à l'est, pour embobiner un garde allemand quasi analphabète. Ainsi réussit-il à s'échapper de la salle d'attente de la gare pour attraper un tramway et rentrer chez sa mère.

«Et là, il y avait ce grand gaillard allemand, bel homme, en train de négocier avec elle pour qu'elle refasse la déco de son appartement rue Straszewskiego. C'est comme ça que j'ai rencontré pour la première fois Oskar Schindler.»

Entre-temps, Sol avait réapparu sur le seuil de l'atelier.

«Ils ont fini par répondre. La carte est valide.

— Dieu merci! s'exclama Poldek. Vous voulez qu'on vous emballe la mallette, monsieur?

— Non, dis-je, je vais la prendre avec moi.»

Poldek se tourna vers son fils.

«Reste un peu pour garder la boutique, Freddy. J'emmène M. Thomas faire des photocopies. Vous êtes d'accord, n'est-ce pas, Thomas?

— Où veux-tu faire des photocopies un samedi à cette heure-ci, p'pa?

— Chez Glendale Savings. Ils me doivent bien ça.

— Ouah!» souffla Freddy en secouant la tête.

Je dis au revoir à Misia Page/Pfefferberg et nous revînmes dans la partie boutique. Sur les conseils de Poldek, je laissai là ma nouvelle mallette pour le moment. Je pourrais m'en servir plus tard pour transporter à mon hôtel les photocopies que nous aurions faites. Je saluai Sol et Freddy.

Nous traversâmes la rue pour nous diriger à grands pas vers la banque Glendale Savings à l'angle de Wilshire Boulevard. L'agence était noire de monde en ce samedi midi, et nous fîmes la queue un bon moment devant le guichet Renseignements et Transactions. Quand notre tour arriva enfin, un jeune homme s'occupa de nous. Il s'adressa à mon compagnon en l'appelant

« monsieur Page », confirmant que Poldek était en effet bien connu ici. Poldek lui tendit sa pile considérable de documents. « J'ai besoin de photocopies de tout ça », dit-il.

Le jeune homme ouvrit de grands yeux.

« Monsieur Page, comme vous voyez, c'est une heure de grande affluence. » Poldek fit alors ce qu'il ferait toujours par la suite quand on le contrariait. Il recula d'un pas et leva les mains en l'air dans un geste invoquant des forces supérieures qui allaient au-delà de cette simple affaire.

« Je déjeune avec le président un mardi sur deux et vous n'avez pas le temps de me faire quelques petites photocopies ? C'est ça que vous voulez que j'explique à votre chef ? Ce monsieur est un personnage important, ajouta-t-il en me désignant. C'est un célèbre écrivain australien. »

Ah bon ? Je jetai des regards gênés autour de moi.

« Il n'est là que pour un jour et demi, poursuivit Poldek. Alors on attendra. »

Il était clair à présent pour le jeune homme que ces photocopies, sous la pression de l'Histoire, devaient être exécutées *tout de suite*.

Impressionné par la solennité de Poldek, il répondit que ça risquait de prendre un peu de temps. Alors que je regardais l'employé exposer le problème à deux femmes encore plus jeunes et désemparées que lui, Poldek s'écarta du guichet le temps d'attendre les photocopies et en profita pour me raconter d'autres bribes de son histoire.

Misia avait été déportée de Łódź à Cracovie avec sa mère, le Dr Maria Lewinson, fondatrice d'un des premiers instituts de cosmétologie médicale en Pologne. Misia elle-même avait fait des études de médecine à Vienne, avait assisté à l'entrée triomphale du Führer dans la ville et était retournée en Pologne quand la guerre avait éclaté.

« Elle a vu ce fils de pute en personne, et ensuite il a bousillé sa vie. C'est comme ça que j'ai pu rencontrer une aussi belle fille que

Misia. Et intelligente. Enfin, on était d'une bonne famille, ma sœur et moi. Mais, mon Dieu, les parents de Misia, c'étaient des cerveaux, vous ne pouvez pas imaginer. Les nazis ont déporté sa mère au camp d'extermination de Bełżec en 1942 et on ne l'a jamais revue. Pourquoi ? Parce qu'elle avait un cerveau et qu'elle était juive !»

Il en pinçait pour Misia, me confia-t-il, mais un autre habitant juif du ghetto et ancien officier s'intéressait déjà à elle, et quand on était gentleman on n'essayait pas de courtiser la fiancée d'un copain. Mais l'autre homme renonça à elle et Poldek se présenta dans la petite mansarde des Lewinson afin de convaincre la mère de Misia, qui le prenait pour un vantard. Il lui fallut des heures et des heures de discussion acharnée. Puis la mère de Misia disparut et les deux jeunes gens se marièrent.

Je lui demandai comment il était arrivé en Amérique. Après que le camp de travail de Schindler eut été libéré par un officier russe à dos d'âne, Misia et lui s'étaient retrouvés à l'ouest dans un camp pour personnes déplacées et il avait travaillé au service de l'Administration des Nations unies pour le secours et la reconstruction (l'UNRRA). Il portait un uniforme que lui avait donné un officier américain, et on pouvait en effet imaginer qu'un officier, passant en revue les rangs d'anciens prisonniers nerveux et apeurés, ait repéré chez Poldek quelque chose d'invincible et lui ait passé cet uniforme.

Poldek et Misia, ayant survécu grâce à Schindler, arrivèrent aux États-Unis en 1947 et louèrent une chambre minuscule à Long Island qu'ils partageaient avec d'autres rescapés. Un jour, Poldek vit un réfugié polonais réparer des sacs à main sur un petit stand éphémère à même le trottoir. Il alla lui parler, le regarda travailler et rentra chez lui en déclarant à Misia qu'ils étaient désormais dans le commerce des sacs à main. Ils prospérèrent suffisamment à New York pour avoir de quoi s'installer en Californie dans les années 1950 et ouvrir plusieurs boutiques, comme celle dans laquelle j'étais entré par hasard. Et voilà. Poldek avait l'attitude d'un homme persuadé que la chance était de son côté.

Le jeune employé de banque était revenu au guichet avec les photocopies. Il fit signe à Poldek qu'elles étaient prêtes. «Je vais les payer, proposai-je. — Vous êtes fou, Thomas? me rétorqua Poldek. Je confie tout mon argent à cette banque.» Il prit les photocopies que lui tendait le jeune homme et serra sa main dans la sienne avec passion, comme s'ils avaient livré une bataille ensemble. Puis il salua d'un geste les jeunes femmes qui retenaient anxieusement leur souffle au fond du bureau. «Mesdemoiselles! Vous avez vu ces belles filles de Beverly Hills, Thomas? Merci, mes chéries.»

Je regagnai la fraîcheur climatisée de ma chambre d'hôtel avec la pile de photocopies dans ma nouvelle mallette. J'allumai la télévision pour regarder le match de l'équipe de Notre-Dame. Je ne me souviens plus contre qui ils jouaient, mais je savais vaguement que le frère de mon grand-père, un grand-oncle qui s'était installé à Brooklyn, avait eu un fils dénommé Patrick Keneally qui avait reçu une bourse d'études pour s'enrôler dans l'équipe de football de l'université de Notre-Dame, et cela suffisait à faire de moi un fervent supporter.

Réglant le son au minimum, je me mis à parcourir les documents que m'avait confiés Poldek et fus aussitôt captivé. Il y avait un discours prononcé à Tel-Aviv en 1963 par un des comptables juifs d'Oskar Schindler, Itzhak Stern, sur son expérience de travail avec et pour ce patron d'usine nazi. Il y avait un certain nombre d'autres discours du même genre traduits en anglais, venant de rescapés qui vivaient aux quatre coins des États-Unis et de l'Europe. Et puis il y avait une série de témoignages d'anciens prisonniers, dont Poldek et Misia.

Pour ceux qui ne connaîtraient pas l'histoire de Schindler, la voici brièvement résumée : un jeune Allemand des Sudètes, région du nord de la Tchécoslovaquie où vivaient de nombreux germanophones, robuste, avenant mais pas tout à fait respectable, partit à la conquête de Cracovie en 1939. Cherchant à se lancer dans les affaires, il fit l'acquisition d'une usine qu'il baptisa la Deutsche Emailwarenfabrik (DEF), c'est-à-dire la Fabrique d'émail allemande, surnommée Emalia par les prisonniers qui allaient y travailler.

Tout en aspirant sincèrement à faire fortune, Schindler était un agent de l'Abwehr, le service de renseignements de l'armée allemande, arrangement qui lui permit d'échapper à la conscription. À la DEF, il fabriquait des produits destinés à la fois à l'effort de guerre et au marché noir, et il développa une relation symbiotique avec ses employés juifs. Afin de se fournir en main-d'œuvre, il devait composer avec le commandant du principal camp de travail de la région, le camp de Płaszów. C'est-à-dire qu'il achetait sa main-d'œuvre à bas prix aux SS.

La camp de concentration de Płaszów, dans les faubourgs sud de Cracovie, était tenu par le SS Amon Goeth. Goeth était, en apparence, un homme très semblable à Schindler : du même âge, un buveur et un séducteur. En d'autres circonstances, ils auraient pu passer pour le même genre de personnages : des maris insatis-faits, des businessmen sournois. Mais la ressemblance s'arrêtait là, car Goeth était un tueur qui s'amusait à tirer à vue depuis son balcon sur les prisonniers de Płaszów. Alors que Goeth était dans les cauchemars de toutes les personnes dont je lus les récits en ce samedi après-midi, Schindler apparaissait comme le sau-veur improbable. Ses motivations étaient difficiles à cerner, et il y avait des ambiguïtés à démêler. Mais ses prisonniers s'en fichaient pas mal. Et moi aussi.

Puis, quand l'avancée des Russes en 1944 conduisit à la fer-meture de Płaszów et de la DEF, Schindler décida de fonder un autre camp près de sa ville natale en Moravie, dans l'est de la Tchécoslovaquie, où il continua ses activités de marché noir et de protection moralement ambiguë des Juifs.

Je tombai ainsi sur la liste tapée à la machine des travailleurs du camp de Schindler en Moravie, baptisé *Zwangsarbeistlager*

Brünnlitz (camp de travail forcé de Brněnec), officiellement un des sous-camps dépendant du tristement célèbre camp de Gross-Rosen. En parcourant la liste, je reconnus les noms de Poldek et Misia Pfefferberg. Misia, numéro 195, était répertoriée comme née en 1920 et «*Metallarbeiter*», ouvrière métallurgiste, bien qu'elle n'eût jamais travaillé le métal jusque-là. Leopold Pfefferberg, encore un «Ju. Po.» (Juif polonais), était le numéro 173 et soi-disant «*Schweisser*», soudeur. Il n'avait jamais touché un fer à souder mais il était convaincu de pouvoir apprendre sur le tas. Ce document, éclairé à la lueur de la télévision, représentant un petit arpent de sécurité dans l'immense étendue d'horreur qu'était la Shoah, allait devenir mondialement connu sous le nom de «liste de Schindler». Cette liste était la vie, écrirais-je un jour, puis dirait l'acteur Ben Kingsley, et tout autour régnait l'enfer.

Je trouvai aussi une traduction du discours de Schindler, pris en note par deux de ses secrétaires, adressé le dernier jour de la guerre aux prisonniers et à la garnison SS du camp de Brněnec. Les sentiments qu'y manifestait le Herr Direktor du camp étaient extraordinaires : il annonçait à ses anciens ouvriers qu'ils allaient désormais hériter de ce monde en lambeaux, et il suppliait en même temps les SS qui avaient reçu l'ordre d'exterminer les prisonniers du camp de se retirer avec honneur plutôt qu'avec du sang sur les mains. Poldek me raconterait que, pendant que Schindler prononçait ce discours subtilement mesuré, les gens avaient les cheveux qui se dressaient sur la nuque. Schindler jouait au poker avec la garnison SS, et tous les prisonniers le savaient. Mais ça avait marché. Les SS étaient partis, abandonnant l'usine et le camp de Brněnec et fuyant vers l'ouest en direction des Américains en Autriche.

D'après ces documents concernant Herr Oskar Schindler, je compris que c'était un catholique déchu et un hédoniste. Moi-même aux prises avec le catholicisme, j'avais plus d'affinités pour les gens comme Oskar que pour les médiateurs du Christ ultra-rigides et ultralégalistes qui se prenaient un peu trop souvent pour Dieu en personne. Rudolf Höss, commandant d'Auschwitz, avait été un bon catholique à l'aune des règles en vigueur, et s'était longuement confessé avant sa mort. Pas Oskar. Höss était pourtant un dévoreur d'âmes et de corps, tandis qu'Oskar, soi-disant mauvais mari et coureur de jupons, était un sauveur. Oskar prouvait que la vertu émergeait où elle voulait, et que la sorte d'observance bigote réclamée par les évêques n'était pas la garantie d'une sincère humanité chez quelqu'un. Le légalisme catholique en matière de sexualité suscitait chez certains hommes des névroses. Chez d'autres, il produisait une forme d'exubérance débridée, comme par goût de provoquer le démon. Oskar appartenait clairement à la seconde catégorie, à en croire les témoignages de tous les prisonniers qui l'avaient connu.

Parmi ceux que m'avait confiés Poldek, celui d'une prisonnière exprimait un sentiment que j'entendrais par la suite dans la bouche de beaucoup de ses anciennes ouvrières : « Il était tellement beau et tellement bien habillé, et il avait une telle façon de vous regarder dans les yeux que je crois que, s'il m'avait demandé des faveurs, je n'aurais pas résisté. Mais pourquoi m'aurait-il demandé des faveurs à moi qui pesais 45 kilos, alors qu'il était entouré de belles filles allemandes et polonaises en pleine santé ? »

Certains ont toujours été troublés par l'ambiguïté d'Oskar. Pour moi, ce fut dès le départ tout l'intérêt de cette histoire. Les romanciers adorent les paradoxes. Le sauveur méprisable, le salaud plein d'humanité, l'égoïste soudain généreux, l'idiot devenu malin, et le héros poltron. La plupart des écrivains passent leur vie à écrire sur la malveillance fortuite chez des personnes réputées vertueuses, et sur la vertu fortuite chez des personnes réputées vicieuses. De plus, l'époque d'Oskar était une époque d'inversion de la morale comme du langage. Des termes simples – action de santé publique, traitement spécial, solution finale, aryanisation, repeuplement, protection du sang – voulaient souvent dire le contraire de ce qu'on aurait pu croire.

Mais je doutais de pouvoir écrire un livre là-dessus. Je n'étais pas juif. J'étais une sorte d'Européen, mais de l'autre bout de la terre. « Après nous *the penguins* », disais-je parfois en plaisantant dans un mélange bâtard de français et d'anglais. Mon père avait servi au Moyen-Orient pendant la Seconde Guerre mondiale et en avait rapporté des souvenirs : des galons de *Feldwebel* de l'Afrika Korps, des pistolets de détresse et un holster de Luger frappés du svastika – exactement comme ceux que portaient les nazis dans les films du samedi après-midi au Vogue Cinema à Homebush, en Australie.

Je me souvenais aussi du samedi soir où ma tante Annie était restée garder mon petit frère tandis que ma mère et moi allions voir un film au Vogue ; à l'époque, c'était l'activité la plus sophistiquée possible de mon univers. C'était en mai 1945, mon père n'était pas encore rentré et, à ce qu'on en savait, il devait bientôt être transféré quelque part dans le Pacifique où la guerre continuait. Et là, sur l'écran, apparurent les images d'actualités des camps de Buchenwald et de Bergen-Belsen libérés par les Alliés horrifiés. On voyait les cadavres, fins et rigides comme des planches, empilés tel un tas de bois. Je me souvenais du choc des femmes de cette banlieue résidentielle de Sydney, si loin du théâtre des opérations. La question qui planait était : comment quiconque avait-il pu en arriver à de telles extrémités ?

Tout cela ne suffisait pas à me qualifier pour écrire ce livre. Mais, en même temps, ce qu'il y avait de formidable dans cette matière, et que je vis tout de suite, était qu'Oskar et ses Juifs ramenaient la Shoah à une échelle compréhensible, presque personnelle. Il avait été là, à Cracovie puis à Brněnec, à chaque étape du processus : la confiscation des biens et des commerces juifs, la création et la liquidation des ghettos, la construction des camps de travail – les *Zwanzsarbeitslager* – afin de contenir la main-d'œuvre. Puis les *Vernichtungslager*, les camps d'extermination, avaient jeté leur ombre sur lui et absorbé trois cents de ses ouvrières. Il m'apparut d'emblée qu'en se servant d'Oskar comme d'un prisme pour observer la Shoah on pouvait se faire une idée de toute la machinerie à l'œuvre à une échelle intime et, bien sûr, de la façon dont cette machinerie avait eu un impact sur des gens avec un nom et un visage. C'est terrible à dire, mais on n'est pas bouleversé de la même façon par des chiffres.

J'allais bientôt comprendre pourquoi Leopold Pfefferberg était en possession de tous ces documents, et de bien d'autres encore. Comme il me l'avait dit, je n'étais pas le premier client du *Handbag Studio* à qui il avait tendu une fraternelle embuscade. Au début des années 1960, alors qu'Oskar était encore en vie, la femme d'un célèbre et controversé producteur de cinéma dénommé Martin Gosch avait porté son sac à main à réparer dans la boutique de Leopold. Sans doute avec force minauderies et flatteries sur la beauté de la dame, et avec son sac en otage, Poldek avait insisté pour qu'elle lui obtienne un rendez-vous avec son mari. Mme Gosch avait d'abord trouvé cette requête parfaitement déplacée, mais le pouvoir de persévérance et le charme indéniable de Poldek avaient fini par avoir raison d'elle. Poldek me raconta que, lorsque Martin Gosch l'invita à venir le rencontrer aux studios de la MGM, il commença par le gronder d'avoir autant harcelé sa femme.

«Il faut me pardonner, répondit Poldek, je vous apporte ici la plus formidable histoire d'humanité d'homme à homme.»

Martin Gosch avait récemment essayé de monter un film sur le truand Lucky Luciano, mais la Mafia avait mis une telle pression sur le projet que tout le travail de documentation avait finalement débouché sur un livre, *Lucky Luciano testament*, qui devint un best-seller en 1974. Aussi improbable que ça puisse paraître, Gosch avait également produit un film de la série des «Deux Nigauds» avec le duo comique Abbott et Costello (*Abbott and Costello in Hollywood*, 1945) ainsi que des pièces à Broadway dans les années 1940. En entendant l'histoire de Schindler de la bouche même d'un ancien prisonnier, Gosch fut enthousiasmé et réunit une équipe comprenant le scénariste dont Poldek m'avait déjà parlé, Howard Koch, célèbre pour sa participation au scénario de *Casablanca* et pour avoir figuré sur la liste noire des présumés communistes pendant l'époque du maccarthysme. Au cours de sa longue existence, il allait écrire quelque vingt-cinq scénarios de longs-métrages, tous portés à l'écran, et un dernier qui ne le serait pas, celui de Schindler. Ses films les plus connus sont *Sergent York, Rhapsodie en bleu, Un si bel été, L'Homme qui aimait la guerre, Le Renard*, et le téléfilm inspiré de la célèbre émission radiophonique d'Orson Welles sur l'invasion des Martiens, *La Nuit qui terrifia l'Amérique*. Gosch et Koch entreprirent d'interroger les rescapés de Schindler habitant la région de Los Angeles. Ils voulaient également rencontrer Oskar lui-même, qui à l'époque vivait à Francfort, complètement ruiné en dehors des subsides que lui envoyaient ses anciens prisonniers. Je verrais plus tard dans les archives de Poldek une photo de Gosch, Koch, Poldek et Oskar, fort comme un ours, en train de discuter autour d'une table. La petite cimenterie d'Oskar à Francfort, financée par le Joint Distribution Committee, une institution caritative juive basée à New York, venait de faire faillite au cours du rude hiver 1962-1963, et l'idée de pouvoir toucher les droits d'une adaptation cinématographique avait dû lui apparaître comme une bouée de sauvetage. Gosch, Koch et la MGM décidèrent qu'il fallait envoyer Poldek et Oskar à Tel-Aviv et à Jérusalem pour rencontrer des rescapés de Schindler et réunir plus de documentation.

Poldek devint *de facto* l'archiviste de tout ce qui pouvait être rassemblé, le moindre témoignage, le moindre document. C'est par exemple dans cet esprit qu'il acheta à Vienne les photos de Płaszów prises par Raimund Titsch, directeur de l'usine d'uniformes de Julius Madritsch située à l'intérieur de cet horrible camp. Le brave Titsch, même dix-huit ans après la fin de la guerre, était encore extrêmement nerveux à l'idée des répercussions possibles s'il venait à se savoir qu'il avait conservé des archives photographiques secrètes. Puis ce fut au tour d'Oskar lui-même de fournir des documents à Poldek. D'autres furent enfin récupérés en Israël cette année-là, en 1963, quand Oskar s'y rendit dans le but de revoir nombre de ses anciens prisonniers pour la première fois depuis la guerre.

Il reçut lors de cette visite un accueil extraordinaire. Itzhak Stern prononça un discours dans lequel il détaillait sa perception

intime de l'héroïsme d'Oskar. Des centaines de rescapés de Schindler livrèrent leur témoignage à Yad Vashem, le mémorial de la
Shoah à Jérusalem, et on demanda à Oskar de planter son propre
cèdre dans l'allée des Justes devant le musée. Parmi les documents
rassemblés se trouvait une photo d'Oskar, serré dans son costume,
en train de planter son arbre. Et il y eut encore bien d'autres hommages. Un restaurant roumain près de la plage de Tel-Aviv offrit
des repas gratuits et du cognac Martell en l'honneur d'Oskar.

Poldek avait soigneusement collecté tous les discours pro-
noncés par les anciens prisonniers d'Oskar au cours de ses visites
en Israël, qu'ils soient officiels ou improvisés ; auxquels venaient
s'ajouter toutes les cérémonies de 1963 et les photos prises par
les rescapés ou par Oskar lui-même, pour former au final cette
montagne d'archives que j'allais découvrir dix-sept ans plus tard
au fond de la boutique de Poldek.

Au bout du compte, la MGM acheta les droits de l'histoire de
Schindler pour 50 000 dollars. Dans l'espoir raisonnable de prolonger la vie d'Oskar, ou du moins de lui donner une forme plus
saine, Martin Gosch lui écrivit : « J'espère que le fait que vous ayez
pris un appartement à Francfort ne signifie pas que vous fréquentez
trop de femmes à la fois (une seule suffit ! N'oubliez pas, cher ami,
que nous ne sommes plus aussi jeunes qu'avant !). »

Poldek affirma par la suite qu'il avait pris la généreuse décision
d'envoyer 20 000 dollars sur les 50 000 du contrat à Mme Emilie
Schindler, qu'Oskar avait quittée et qui vivotait tant bien que
mal à Buenos Aires – et je n'ai pas de raison de croire qu'il mentait
–, et qu'il avait donné les trente mille restants à Oskar. Poldek et
les Gosch avaient pris un avion pour Paris depuis Los Angeles,
Oskar depuis Francfort, et tous les quatre s'étaient retrouvés à
l'hôtel George-V.

Le récit que faisait Poldek des événements qui allaient suivre
n'était crédible que si on le connaissait un peu et si on avait
déjà entendu quelques histoires sur Schindler. À cette époque,
en 1963, quand 30 000 dollars pouvaient faire vivre pendant six
ans une famille de la classe moyenne même pas très économe,

n'importe quel homme célibataire et sain d'esprit aurait pu prendre le week-end pour décider que faire d'une telle manne. De toute façon, contrairement à Glendale Savings, les banques parisiennes fermaient à midi le samedi, et Poldek n'avait retrouvé Oskar que dans l'après-midi. Poldek et son ancien Herr Direktor/ravisseur Oskar Schindler se mirent alors à traquer les noms de tous les directeurs d'agences. Ils en trouvèrent un à Clichy et se présentèrent à la porte du pauvre homme alors que ce dernier s'apprêtait à partir en week-end. Ils lui demandèrent de rouvrir son agence et d'encaisser leur chèque. Bien entendu, sa réponse fut d'abord négative. Mais, d'après Poldek, ils se montrèrent si persuasifs que le type quitta son domicile en banlieue pour revenir dans le centre de Paris et encaisser le chèque. Après quoi Poldek, ancien prisonnier-soudeur, et Oskar, ancien Herr Direktor du camp de travail forcé de Brněnec, allèrent se balader sur les Champs-Élysées, Oskar dans une bonne veine financière aussi soudaine qu'inespérée.

Ils s'arrêtèrent devant la vitrine d'un chocolatier dans laquelle se trouvait une énorme boîte en forme de cœur. Elle n'était clairement pas à vendre : c'était un décor. Mais Oskar, avec son exubérance caractéristique, ne voyait pas la différence. « Je voudrais offrir ça à cette chère Mme Gosch », dit-il.

Même pour Poldek, c'était exagéré. « Tu n'es pas obligé, Oskar. Cette boîte fait partie de la vitrine. Tu n'es pas obligé de l'acheter pour qui que ce soit. Ce que tu as fait en 1944 suffit largement. »

Mais Oskar entra dans la boutique et, à la grande stupeur des employés, demanda l'énorme boîte en forme de cœur dans la vitrine. Il la paya et la rapporta à l'hôtel pour Mme Gosch. Celle-ci ne savait que faire de cette avalanche de chocolats. Mais puisque Oskar avait l'air si ravi de ce cadeau, elle était bien obligée de l'être également.

La masse de documents que Poldek avait réunis pour la MGM était ce qui m'impressionnait et me préoccupait le plus en ce samedi après-midi à Beverly Hills. Car le film n'avait jamais été réalisé par la MGM, et cette histoire était donc toujours ignorée du reste du monde. Je ne m'étais pas, contrairement à ce que certains lecteurs penseraient gentiment par la suite, frayé un chemin jusqu'au centre d'un labyrinthe touffu pour en ressortir avec un des récits primordiaux de cet horrible XXe siècle ; j'étais tout simplement tombé dessus. Je ne l'avais pas déniché, c'est lui qui était venu me chercher.

Sur le coup de 17 heures, Poldek me téléphona à l'hôtel pour m'inviter à dîner le soir même avec Misia et lui ainsi que l'avocat de Schindler, Irving Glovin. J'acceptai, non sans une certaine appréhension, comme quelqu'un qu'on presserait un peu trop brusquement. Tout en lui disant qu'il y avait là une matière exceptionnelle, je lui énumérai les raisons pour lesquelles je ne pouvais pas écrire ce livre. Mais, secrètement, il y avait aussi au fond de moi une forme d'insouciance qui n'excluait pas totalement la possibilité de relever le défi, car mes réticences justifiées s'accompagnaient d'un grand enthousiasme devant la richesse et le potentiel de cette histoire. J'avais déjà en tête la façon dont je pourrais m'y prendre. Récemment, j'avais été approché par une éditrice de chez Simon & Schuster, Nan Talese, qui avait exprimé le désir de publier quelque chose de moi. Je pouvais peut-être lui parler de ce projet. Il me faudrait pas mal d'argent pour financer un voyage de recherche, car les événements proprement dits s'étaient déroulés en Pologne et les survivants vivaient en Allemagne, en Autriche, aux États-Unis, en Australie, en Argentine et en Israël.

Poldek passa me prendre vers 18 h 30 dans son élégante Cadillac deux portes. C'était le genre de patriote à toujours acheter américain s'il le pouvait. Nous allions dîner dans un restaurant français à Brentwood.

Contrairement à Poldek, Glovin affichait une gravité toute juridique, mais sa femme Jeannie, ancienne chanteuse et danseuse, pétillait de cette affabilité qu'ont les gens du spectacle. Glovin était devenu l'avocat de Schindler parce qu'il était déjà celui de Poldek, mais il m'apparut au fil du dîner, alors que de faux serveurs français d'Amérique latine s'affairaient autour de Jeannie – qui adorait ça – et de Misia – qui détestait ça –, comme un gardien farouche du temple de Schindler, davantage encore que Poldek. Il ne faisait aucun doute qu'il avait connu et révéré Schindler. Mais si la description qu'en donnait Poldek était pleine de relief, et donc crédible, la sienne paraissait sans équivoque, et les sujets qui m'intéressaient particulièrement semblaient le mettre mal à l'aise : l'ambiguïté et la friponnerie de Schindler ; son côté coureur de jupons ; la vente au marché noir des produits de son premier camp en Pologne, puis à plus grande échelle encore pour pouvoir maintenir à flot son usine dans le camp de Brněnec. Glovin était avant tout ébloui par l'altruisme de Schindler, qu'il considérait comme l'aspect prédominant de cette histoire, et le seul méritant d'être raconté, l'idée étant que, si l'on parvenait d'une façon ou d'une autre à distiller ce qui avait engendré chez Schindler une telle bonté d'âme, si l'on parvenait à en trouver la formule, alors peut-être pourrait-on l'inoculer à l'espèce humaine tout entière. Bien qu'il n'ait pas lui-même fait partie des prisonniers de Schindler, je compris tout de suite qu'il se considérait comme un des rares détenteurs légaux de cette histoire.

Il devint ainsi apparent, alors que nous savourions des mets et des vins délicieux, qu'il allait falloir discuter d'arrangements financiers et se pencher sur la question des droits. Bizarrement, sans doute à cause de mon tempérament fougueux, cela ne faisait que renforcer ma détermination à écrire ce livre. L'enjeu semblait trop important, le récit trop fascinant, pour s'arrêter à des questions d'argent. Il s'agissait de l'histoire de la Shoah, le plus grand massacre de tous les temps, quand la technologie avait permis d'industrialiser la mort. Je savais qu'à eux deux, Glovin et Poldek avaient créé une Fondation Schindler, afin de promouvoir la tolérance universelle en mémoire d'Oskar et de doter une chaire et un fonds de recherche sur l'altruisme. Quels qu'en fussent les mérites, c'était une entreprise de bonne volonté. Je le croyais à l'époque et je le crois toujours.

Poldek se jeta sur l'addition en s'écriant : « Quand on viendra à Sydney, *là* vous pourrez nous inviter ! » Malgré les prétentions de

Glovin à s'attribuer la propriété juridique d'une histoire qui était du domaine public, il se montra ce soir-là d'une grande générosité.

Déjà, après moins d'une journée passée ensemble, je me rendais compte que Poldek avait beaucoup investi de lui-même, en temps et en argent, pour promouvoir le nom d'Oskar et, du vivant de celui-ci, pourvoir à ses besoins matériels. Avec Glovin, cependant, j'étais convaincu que si je lui disais ce qui m'apparaissait comme une évidence – à savoir qu'il n'avait sans doute aucune légitimité à se prétendre détenteur de tous les aspects de la vie d'Oskar –, il irait en justice pour défendre sa position et dissuaderait Poldek de collaborer avec moi. De mon point de vue, Poldek était en droit de réclamer une part des royalties, ce dont je suis encore plus convaincu à présent. Après tout, c'est lui qui avait tous les contacts. J'étais moins enclin à passer le même genre d'accord avec Glovin, mais je savais que l'affronter sur le terrain judiciaire serait difficile et décourageant. J'étais écrivain. Mon métier, c'était de faire des livres, pas des procès.

Un homme plus avisé aurait peut-être renoncé à l'idée d'écrire ce livre. Je me débrouillais généralement assez bien pour trouver de bonnes excuses afin de ne pas faire les livres que je n'avais pas envie de rédiger, et cette stratégie n'avait échoué qu'une seule fois : quand sir William Collins, directeur de la maison d'édition Collins, m'avait persuadé d'écrire un roman destiné à faire partie d'une mini-série dont l'un des autres auteurs était le prolifique et brillant Anthony Burgess. Je m'acquittai de ma tâche docilement, mais sans le moindre plaisir. Ironie du sort, cet ouvrage me valut de meilleures critiques que certains de mes livres dans lesquels j'avais mis toute ma passion.

Mais quand je trouvais une histoire dont je m'entichais et que j'avais envie de raconter à la terre entière, quand je ressentais cet élan impérieux qui fait partie du tempérament de l'écrivain – certains diraient de sa névrose –, alors je pouvais me montrer détaché et philosophe sur les droits d'auteur et les royalties.

2

En octobre 1980, lorsque je fis la connaissance de Poldek, j'étais écrivain depuis déjà dix-sept ans. J'avais quelque peu tardé à entrer de plain-pied dans la vie active, ayant passé six années dans un séminaire de Sydney dans l'optique de devenir prêtre. J'en étais sorti après ce que j'analyse à présent comme une dépression nerveuse et, un peu perdu, j'étais devenu prof dans un lycée de banlieue, vivant chez mes parents à Homebush et écrivant durant mon temps libre. Parallèlement, j'étudiais le droit et, toute ma vie, je resterais une sorte d'avocat manqué. Enfin, comme pour compenser ma maladresse et ma timidité avec les femmes, j'étais aussi entraîneur de rugby.

Dans une chambre que je partageais avec mon frère, alors étudiant en médecine, j'avais écrit mon premier livre au cours des vacances d'été 1962-1963. C'était une époque où les Australiens éprouvaient encore un certain sentiment postcolonial d'infériorité culturelle. Les arts ne semblaient pas vraiment faits pour nous. Je ne connaissais pas d'écrivains. S'il y en avait, que seraient-ils venus faire à Homebush ? À mon insu, un petit nombre d'écrivains héroïques, dont Dal Stivens et Morris West, étaient en train de fonder la Société australienne des auteurs, mais l'événement n'intéressait guère les médias.

Nous autres, Australiens, ne nous considérions pas comme de vrais écrivains potentiels, car l'art était une chose qui se produisait loin de chez nous, en Europe occidentale. Presque tous les livres que j'avais lus venaient d'ailleurs, de paysages qui m'étaient étrangers, de saisons qui étaient l'inverse des nôtres.

Le terme de « littérature australienne », quand il était prononcé à Londres par un humoriste comme Barry Humphries dans son personnage de Dame Edna, déclenchait des torrents d'hilarité parmi le public britannique, et même en Australie nous trouvions ça amusant, comme l'idée d'un chien faisant du vélo. Je terminai pourtant mon roman estival au mois d'avril 1963. Ce sont des choses qu'on arrive à faire en marge de son travail quand on est réellement désespéré, et je voulais désespérément retrouver la place dans le monde à laquelle j'avais renoncé en entrant au séminaire.

Je trouvai le nom d'une maison d'édition londonienne sur la page de titre d'un ouvrage, emballai le manuscrit qu'avait tapé pour moi une jeune femme qui vivait au coin de notre rue et l'envoyai par la poste. Dix semaines plus tard, on vint me chercher au milieu d'un cours pour me transmettre un message de ma mère. Un télégramme de Londres était arrivé à Homebush pour m'annoncer que l'éditeur en question voulait me publier. Cet homme (en ce temps-là, les éditeurs étaient toujours des hommes), sir Cedric Flower de chez Cassell's, était même prêt à me payer 150 livres sterling.

Dans ma naïveté postcoloniale, je voyais là le doigt de Dieu émergeant des nuages et me criant : « Toi ! » Mes contemporains britanniques mieux dégrossis n'auraient pas vu ça d'un même œil : ils venaient de milieux cultivés où on les prévenait aimablement qu'il était impossible de gagner sa vie comme écrivain. Mais, sous le grand dôme de l'apathie générale de l'Australie à l'égard de l'écriture, je n'avais personne pour me mettre en garde, et je m'accrochais donc à l'idée d'en faire mon métier. Ce premier roman serait mon transat à bord du *Titanic*, et je ne doutai jamais qu'en m'y agrippant fermement, le courant m'emporterait jusqu'à des rivages inimaginables.

Ce roman (et les 150 livres qui allaient avec) fut une forme de profession de foi pour me délivrer d'un mauvais départ dans la vie. Ce premier contrat allait me donner la confiance nécessaire pour me lancer à nouveau dans le monde normal, avec son brouhaha, ses luttes et ses aspirations. Entre autres manifestations de ma liberté retrouvée, j'allais sortir et finalement me marier avec une splendide infirmière de la banlieue de Sydney, qui considérait avec une grande générosité que mon intention de devenir romancier à plein-temps tenait parfaitement la route. Elle s'appelait Judith Martin, je l'avais rencontrée alors qu'elle soignait ma mère après une opération au Lewisham Hospital. J'étais stupéfait qu'elle me préfère aux médecins et autres bookmakers qu'elle fréquentait habituellement. Elle m'expliquerait plus tard que j'étais un meilleur baratineur.

Le mariage eut lieu en 1965 et, dans notre petite maison de West Ryde, entre Sydney et Parramatta, je pris l'habitude de me mettre à mon bureau de 8 heures à 13 heures puis de 14 à 17 heures et je m'aperçus vite que, un jour de semaine à 8 heures du matin dans une petite ville de banlieue, écrire pouvait sembler une tâche affreusement difficile, comme de construire un château de cartes sur le modèle de Buckingham Palace. Heureusement pour moi, mes parents m'avaient insufflé le sens du devoir : maintenant que j'étais romancier, je ne pouvais assumer l'ignominie d'échouer à produire des romans.

Un certain nombre d'autres facteurs m'aidaient à avoir de la discipline. L'un d'entre eux était que le gouvernement fédéral australien m'avait versé une bourse de 4 000 dollars – à l'époque l'équivalent d'un salaire – pour l'année 1966. Venant d'une famille où les hommes et les femmes voyaient l'assiduité au travail comme un marqueur essentiel de leur existence, j'étais conscient que cet argent provenait des impôts payés par des gens qui l'avaient gagné à la sueur de leur front, et je me sentais investi d'une confiance sacrée. Cela exigeait que je considère cette nouvelle activité comme une véritable profession, un engagement au quotidien. Je dois avouer que j'ai toujours eu une approche plutôt industrieuse de l'écriture. Je savais que, pour en vivre, je devrais être publié de façon aussi large que possible : en additionnant les maigres revenus que je pourrais tirer d'une édition australienne, d'une édition britannique et d'une édition américaine, j'arriverais peut-être à gagner ma vie.

En 1980, l'année de ma rencontre avec Poldek, j'étais au milieu de ma carrière. La réputation de mes débuts avait commencé à s'effriter quelque peu, du moins aux yeux des commentateurs australiens. J'avais eu le mauvais goût d'oublier que je pouvais déjà m'estimer heureux ; heureux de la bienveillance et de l'accueil des lecteurs et, comme n'importe quel auteur vous le dira, heureux de pouvoir en vivre. Je souffrais du mécontentement égocentrique symptomatique des écrivains, qui d'ailleurs pesait sans doute davantage sur ma famille que sur moi (j'avais alors deux filles adolescentes, et nous habitions une maison qui surplombait une plage au nord de Sydney). Mais nous étions heureux et nous nous en sortions. Et le fait de me retrouver dépositaire d'une histoire que le monde méritait d'entendre – c'est ce que je pensais à juste titre ou pas – était une expérience fabuleuse et euphorisante.

Au moment de pénétrer dans la boutique de Poldek, j'avais été publié au Royaume-Uni et aux États-Unis et j'étais devenu pour un certain nombre de lecteurs une sorte d'« auteur culte ». Bien sûr, j'étais encore dévoré d'ambition et je désirais toujours plus. Ce n'est que plus tard que je me demanderais par quel miracle quelqu'un venu de Homebush, dans le trou du cul du monde, avait eu la chance incroyable d'être lu par des gens aux quatre coins de la planète. À mes yeux, l'arrivée du récit de Poldek dans ma vie faisait partie de cette séquence miraculeuse. Et, dans la mesure où j'essayais plus ou moins d'écrire un livre par an, j'étais à présent habité par cette euphorie annuelle que ne pouvaient connaître les gens qui faisaient des métiers plus utiles et plus routiniers bien que plus lucratifs. Pourtant, le lendemain de ma rencontre avec Poldek, dans la lumière granuleuse du petit matin, je fus saisi de doute. Comment pouvais-je m'estimer légitime pour raconter une telle histoire ?

J'avais lu pas mal de choses sur la culture juive, mais je n'avais assisté qu'une seule fois au shabbat. Je savais que la première fête de Pessah en Australie avait été célébrée avec une ration spéciale de farine et de vin en 1788 par des prisonniers juifs cockneys car un des officiers écossais était tombé amoureux d'une jeune détenue, une certaine Esther Abrahams. C'était une anecdote historique. Mais Poldek et Misia étaient les premiers survivants de la Shoah que je rencontrais, du moins à ma connaissance. Sur le coup de 10 heures, Poldek me téléphona depuis la réception de l'hôtel. Il était passé me chercher pour m'emmener prendre un brunch. Devant une assiette d'œufs brouillés, je lui confiai que j'étais un ingénu vivant dans un pays où, sans cette extrême aridité, on aurait plutôt dû trouver des colonies indonésiennes. C'était un endroit qui avait été une plaque tournante de prisonniers, de petits officiers britanniques, de chercheurs d'or anglais, de réfugiés irlandais et de personnes qui s'étaient exilées après la guerre, cherchant à s'éloigner le plus possible de la pernicieuse Europe. Le peu que je savais des Juifs, je le tenais essentiellement de mes lectures : Philip Roth, Bernard Malamud, Saul Bellow. Bien qu'européen par héritage, comment pouvais-je interpréter cet aspect malade de l'âme européenne, l'antisémitisme retentissant ?

Après chacune de mes objections, Poldek disait : « C'est bien, Thomas, c'est bien. Ça veut dire que vous n'aurez pas d'intérêt personnel à défendre. » Et puis il répétait (constamment) : « Ce n'est pas un livre pour les Juifs, c'est un livre pour les gentils. C'est une formidable histoire d'humanité d'homme à homme. Un Australien sera parfait pour l'écrire. Qu'est-ce que vous avez besoin de connaître ? Vous connaissez les humains, ça suffit. Et puis je vous accompagnerai dans vos recherches, Thomas ! »

Mais l'ampleur des recherches me paraissait soudain bien plus insurmontable que la veille.

Le dimanche, à l'heure du déjeuner, Glovin, Poldek et moi étions réunis pour discuter de ce merveilleux récit rédempteur et de la question plus terre à terre de savoir qui possédait les droits légaux de l'histoire de Schindler. Les choses devenaient plus complexes, sans toutefois être gravées dans le marbre.

Nous convînmes que je rentrerais chez moi ce soir-là en emportant les photocopies que Poldek m'avait confiées ainsi que les adresses de plusieurs rescapés australiens et d'autres personnes ayant connu Schindler. J'étais fasciné par l'idée que, du fait des tragédies de l'histoire, ces gens-là aient pu atterrir dans ma lointaine contrée.

Je prendrais contact avec les survivants australiens, ajouterais leurs récits à ce que j'avais déjà en ma possession et produirais – ça, c'était ma suggestion – deux documents : une présentation de quinze à vingt pages pour mon amie Nan Talese, éditrice chez Simon & Schuster, et un résumé de deux pages pour ceux qui n'auraient pas la patience de tout lire. Après tout, les studios Paramount avaient racheté Simon & Schuster, et je savais que certains dirigeants préféraient bizarrement une version abrégée plutôt que le manuscrit complet. Un réalisateur indépendant du nom de Robert Solo, qui voulait adapter à l'écran mon roman *Confederates*, m'avait organisé un rendez-vous avec un cadre de chez Paramount un mois avant ma rencontre avec Poldek. Le type avait pris le livre sur son bureau, l'avait soupesé dans sa paume avant de lancer : « Un bon pavé, hein ? » Puis il avait chargé une équipe de deux personnes d'en tirer un scénario. Le scénario – plutôt bon – fut écrit mais, comme la grande majorité, il rejoignit la pile de ceux qui ne deviennent jamais des films.

Poldek insista bien évidemment pour m'accompagner à l'aéroport le soir même, et il insista également pour qu'on s'arrête en chemin dans un restaurant casher où, déjà gavé de nourriture californienne ultracalorique, je dus ingurgiter des galettes de pommes de terre sous l'injonction de Poldek qui m'assurait que « ce qu'on vous sert dans les avions, c'est du poison ! » Je n'avais pas encore compris que, quand vous n'étiez pas d'accord avec lui, la seule façon de vous en sortir était de crier aussi vite et aussi fort que lui. J'aurais dû lui rétorquer : « Vous voulez que

j'aie une indigestion pendant tout le vol jusqu'en Australie ? »
Mais une molle résistance, et ce que les Anglo-Saxons appellent
la politesse, n'avait aucune chance contre lui.

« Je crois qu'Irving Glovin ne m'apprécie pas beaucoup, dis-je
en mangeant. Il trouve déjà mon approche trop irrévérencieuse.

— Irrévérencieuse ? Qu'est-ce qu'il connaît à l'irrévérence ?
Écoutez, j'ai vu de mes yeux Schindler baiser des femmes
SS dans les réservoirs d'eau de l'usine de Brněnec. Ça, c'était
irrévérencieux. »

Les vols pour l'Australie quittent Los Angeles tard dans
la soirée, et il arrive souvent qu'un petit problème technique
repousse le départ après minuit. Mais ce soir-là nous décollâmes
plus ou moins à l'heure. Les derniers mots que m'avait adressés
Poldek à la porte d'embarquement étaient : « Thomas, qui le fera
si ce n'est pas vous ? Vous croyez que j'ai une liste d'attente ? »

L'avion se mit à rouler de plus en plus vite sur la piste, dépas-
sant la pancarte qui annonçait « Virage interdit avant l'océan »,
laquelle m'avait toujours perturbé dans la mesure où je pensais
que tout pilote digne de ce nom était censé le savoir sans qu'on
le lui rappelle. Puis nous fûmes propulsés au-dessus du Pacifique, croisant à diverses reprises au cours de la nuit les zones de
turbulences habituelles dans ces régions du globe, ces grandes
masses d'air et de nuages capables de s'élever plus haut que la
trajectoire d'un 747. La fatigue, le vertige et la perspective de
retrouver ma femme et mes filles quelque treize heures plus tard
me donnèrent un certain optimisme.

Je me rendis compte durant ce vol nocturne et agité qu'il y
avait une évidence romanesque dans l'histoire de Schindler.
Pendant la guerre, Poldek et les autres dépendaient entièrement d'Oskar. À la fin des années 1950, après avoir abandonné sa femme en Argentine, c'est lui qui devint dépendant
d'eux, de ces hommes tels que Zuckermann, numéro 585, ou
Pantirer, numéro 205, des promoteurs immobiliers du New

Jersey qui saupoudraient les banlieues qu'ils construisaient de rues et de places portant le nom de Schindler. Autrefois, c'était lui le père et eux les enfants ; après la guerre, il devint le fils prometteur mais perpétuellement fantasque qui semblait ne jamais réussir rien de ce qu'il entreprenait et qui devait trouver certains des gens qu'il avait sauvés un peu trop embourgeoisés à son goût. Si bien qu'après avoir passé quelque temps avec eux en Israël ou en Californie il s'en retournait pour une saison à Francfort, dans son pauvre appartement près de la gare, un quartier de bars tapageurs, de prostituées et d'âmes en perdition. « Ah ! s'exclamaient les survivants dans les documents que j'avais en ma possession. Le Herr Direktor n'a pas changé. »

J'étais en vérité tellement excité par ce que j'avais entendu de la bouche de Poldek et de Misia et par la documentation que je transportais avec moi, même si elle ne constituait qu'une fraction de la matière qu'il me faudrait pour faire un livre, que lorsque nous arrivâmes en vue de la côte et des toits rouges familiers de Sydney, que j'eus récupéré mes bagages, passé les douanes et retrouvé ma femme et mes filles, je leur dis : « Écoutez, avant qu'on rentre à la maison, est-ce qu'on peut aller prendre un café quelque part ? J'ai une merveilleuse histoire à vous raconter. Vous voyez cette mallette ? Je suis désolé, j'ai dû abandonner celle que vous m'aviez offerte, mais je l'ai laissée dans une suite très chic du Beverly Wilshire. »

Mes filles avaient pris l'habitude de me décrire avec une certaine condescendance comme un « vieux farfelu », mais elles acceptaient, et parfois même partageaient, les enthousiasmes de leurs parents. Et Sydney est une excellente ville pour le café : une aubaine due à une forte immigration du sud de l'Europe. Après avoir passé commande, je leur affirmai, ayant été contaminé par la verve de Poldek, que j'étais tombé sur l'histoire la plus merveilleuse qu'on puisse imaginer, que je ne savais pas si je serais capable de l'écrire, mais que j'avais bien envie d'essayer.

Réveillé – artificiellement – par cette injection de café noir, je leur racontai tout. J'ouvris ma nouvelle mallette – qui faisait aussi partie de l'histoire – et leur montrai quelques-uns des documents. C'est seulement plus tard dans ma vie que je mesurai la grande bienveillance de ma femme à l'égard de mes projets. Judy n'était pas née de la dernière pluie. Elle avait de véritables prisonniers irlandais parmi ses ancêtres et, pendant la Seconde Guerre mondiale, son frère aîné, à l'âge de vingt-trois ans, avait déjà accompli quatre-vingt-quatre missions en Europe en tant que pilote et avait reçu de multiples décorations. Mais j'insiste sur le fait qu'elle n'avait jamais considéré ma profession, toute périlleuse était-elle d'un point de vue économique, comme une excentricité. Je leur montrai la liste. Judy et les filles furent captivées par cette feuille de papier, par son aspect bureaucratique, par le fait qu'y figuraient les noms de gens que j'avais désormais rencontrés en chair et en os.

Le café terminé, nous rentrâmes à la maison. En contrebas, la plage était vierge de toute construction ou de tout aménagement et on pouvait y accéder, depuis notre jardin, par un petit sentier d'une cinquantaine de mètres. Mon bureau se trouvait au rez-de-chaussée, juste au-dessus de ce chemin. Il était meublé d'une table, d'étagères et d'un billard que j'avais racheté à un groupe de joyeux surfeurs qui avaient loué la maison voisine. Son revêtement en feutrine verte allait s'avérer être la surface idéale pour pouvoir étaler mes documents de recherche. Il m'arriverait souvent d'écrire là, debout, ne rangeant mes pages que pour faire une partie de billard à l'occasion. Et pendant ce temps, sur la plage, des surfeurs inconscients de la cruauté de l'Ancien Monde exécutaient calmement leurs acrobaties dans les vagues.

Je commençai par prendre contact avec les rescapés de Schindler résidant à Sydney. Mon premier rendez-vous fut avec un médecin généraliste, le Dr Roman Rosleigh, qui donnait ses consultations dans un bungalow de Rose Bay, dans la banlieue est de Sydney. Rosleigh était un bel homme imposant, de l'âge de

Poldek, un survivant de Płaszów et de son terrible commandant Amon Goeth. Il avait été médecin à l'hôpital du camp et se montra très généreux en informations. Quand il était arrivé en Australie en tant que réfugié, il avait d'abord travaillé dans une usine de pneus en attendant de passer les examens de certification que les autorités imposaient aux médecins immigrés. Il avait fondé une famille australienne; par la suite je croiserais souvent son fils au Sydney Football Stadium, vêtu d'un maillot l'Easts FC, ne portant aucun stigmate ni de Płaszów ni d'Amon Goeth. Quant à la fille du Dr Rosleigh, Monica, elle est désormais directrice du département de médecine nucléaire dans un hôpital de Sydney.

Le Dr Rosleigh n'était pas sur la liste de Schindler pour Brněnec, mais il l'avait souvent observé alors qu'il se déplaçait dans le camp de Płaszów et il avait beaucoup de respect pour lui, me dit-il. Il connaissait personnellement de nombreux *Schindlerjuden*. Il avait connu Stern, le comptable de Schindler, réputé avoir eu une très grande influence sur lui. Il avait vu, depuis son poste à la clinique, Amon Goeth arpenter les routes intérieures du camp ou les parcourir sur son cheval blanc, chaque prisonnier sur lequel son œil se posait craignant d'être sa prochaine cible. Même mort, Goeth hantait les cauchemars du Dr Rosleigh, comme ceux de tous les survivants de Płaszów.

Alors que nous buvions le thé chez lui après ses heures de consultation, Rosleigh sortit un trésor de sa bibliothèque. C'était la retranscription en polonais du procès d'Amon Goeth : le récit complet par des témoins du comportement de Goeth, commençant à l'époque où il était arrivé de Tarnów à Cracovie avec pour mission de liquider le ghetto de cette ville. On y évoquait son habitude d'exécuter des prisonniers au hasard depuis son balcon, le nombre de Polonais, juifs ou non, massacrés à Hujowa Górka, une ancienne fortification autrichienne située à l'extrémité sud-ouest du camp, sa relation ambiguë de haine et de désir pour sa servante Helen Hirsch, ses menaces de mort envers le jeune prisonnier Lisiek qu'il finit par assassiner d'une balle dans la tête... tout cela encore frais dans la mémoire de ces témoins qui, en 1946, contribuèrent à faire condamner Goeth à la pendaison.

Le Dr Rosleigh, qui pourtant n'avait pas beaucoup de temps, m'aida patiemment à déchiffrer cette transcription, me traduisant des passages entiers en anglais.

Le document contenait aussi de nombreuses photos, dont une de Goeth, en costume plutôt ordinaire, pendu à une potence sur l'emplacement même du camp de Płaszów, lieu de ses crimes.

Le Dr Rosleigh possédait un sérieux professionnel qui manquait à Poldek, et le fait d'entendre les mêmes histoires dans la bouche de ces deux hommes, si éloignés l'un de l'autre géographiquement, m'impressionna énormément. Il avait donc bel et bien existé un dénommé Oskar Schindler, faillible, grand buveur devant l'Éternel, qui avait sauvé des gens, mais en buvant avec un autre homme faillible et pourtant profondément pervers du même âge que lui, l'*Obersturmführer* (premier lieutenant) Amon Goeth.

Poldek m'avait également donné l'adresse à Sydney de la famille Korn : Leosia et Edmund, ou Edek. À Brněnec, second camp de Schindler situé en Tchécoslovaquie, Edek avait été soudeur avec Poldek, et il avait lui aussi la carrure que je retrouverais souvent chez les survivants de la Shoah : plus d'un mètre quatre-vingts, un tronc compact et une grande force physique. Leosia était différente : une femme délicate, comme Misia. Comme Misia également, elle avait été inscrite sur la liste de Schindler pour Brněnec mais s'était retrouvée par accident, avec les autres femmes de la liste, au beau milieu de cette mégapole du massacre qu'était Auschwitz. Il était fascinant de la voir dans cette jolie maison de la banlieue est, sur les hauteurs des falaises de grès de Bondi.

Quand, après trois semaines passées à Auschwitz, Leosia avait été évacuée avec les autres vers Brněnec, apparemment par miracle, elle pesait moins de 44 kilos, elle était atteinte de la scarlatine et n'avait pas la résistance nécessaire pour la combattre. Elle fut alitée dans la salle des chaudières au sous-sol de l'usine de Brněnec, où Mme Emilie Schindler la nourrit à la petite cuillère de semoule qu'elle s'était procurée au marché noir. Leosia fut capable de quitter son lit à la fin d'un des hivers les plus terribles que l'Europe ait connus, à la veille de la capitulation allemande. Pourtant elle aussi figure sur la liste, tout comme la frêle Misia, en tant que *Metallarbeiter*. Il y avait peu d'autres endroits à part cette chaufferie où elle aurait pu survivre. Ces grands-parents, Edek et Leosia, emmenaient à présent leurs enfants et leurs petits-enfants à la plage de Bondi, et ils étaient devenus des habitants chauvins de cette banlieue de Sydney comme Poldek l'était de Beverly Hills.

L'histoire de l'immigration des Korn était un peu similaire à celle de Poldek et Misia. En arrivant à Sydney après la guerre, ils avaient été stupéfaits de découvrir que la principale lutte identitaire n'était pas entre les gentils et les Juifs mais, à l'époque, entre les protestants et les catholiques. « J'ai dit à un ami, me raconta Leosia : "Ici les catholiques sont les Juifs !" » Les Australiens qui, avec une xénophobie éhontée, baptisaient tous les étrangers « négros » ne faisaient pas de distinction entre catholiques polonais ou Juifs polonais et les maltraitaient tous avec la même férocité. Enfin l'égalité, pensaient les Korn.

Au début, Edek avait travaillé dans une usine de pneus. Dans l'immédiat après-guerre, la pénurie de logements était si criante en Australie que, pour pouvoir louer le moindre appartement, vous étiez contraint de payer à l'agent et/ou au propriétaire une taxe spéciale baptisée le « prix de la clé », à savoir un bakchich. Les collègues d'Edek à l'usine, qui avaient appris à le connaître, organisèrent une collecte afin de lui fournir cet argent. C'est un ouvrier australien qui le lui remit en lui disant : « Tiens, sale négro. Et fais en sorte de nous rembourser en totalité, hein ! »

« C'était comme ça avec les Australiens, me raconta Edek Korn avec une certaine admiration : quand vous veniez de débarquer, qu'ils ne vous connaissaient pas et ne vous aimaient pas, ils vous traitaient de sale négro, et quand ils apprenaient à vous connaître et à vous apprécier, ils vous traitaient encore de sale négro ». C'était une des caractéristiques d'une société largement constituée des descendants endurcis de réfugiés économiques et politiques que les hommes y expriment leur profonde haine et leur plus sincère affection par les mêmes mots, et avec quasiment la même intonation.

Dès qu'ils le purent, Edek et Leosia achetèrent des machines à coudre, louèrent l'étage d'une maison de banlieue et se mirent à confectionner des pantalons. Une des choses que la Shoah avait apprises à ses survivants – ainsi que l'expérience d'être un *Schindlerjude* – était une grande flexibilité professionnelle. Ils étaient prêts à faire n'importe quoi pourvu que ça leur garantisse un espace où respirer librement sur cette terre.

À l'époque où je fis leur connaissance, les Korn étaient devenus des fabricants aisés, mais Leosia me confia qu'elle ne pouvait pas quitter la maison pour aller faire des courses, même au grand magasin chic David Jones, sans emporter un croûton de pain avec elle. C'était une manie que j'allais rencontrer chez beaucoup de *Schindlerfrauen*. La raison leur disait qu'entre Dover Heights et Sydney, ou entre le New Jersey et Manhattan, il y avait peu de chances pour qu'on les embarque à l'improviste dans un camion et qu'on les envoie en exil, mais l'expérience de la faim était tellement gravée dans leur esprit qu'elles ne pouvaient se déplacer sans la peur irrationnelle que le bus ou le taxi à bord duquel elles se trouvaient ne soit arrêté, que les camions du tyran ne leur bloquent le passage et qu'elles ne se fassent emmener à la suite d'une rafle dans un endroit où elles n'auraient aucune garantie de survie, encore moins du prochain repas. Alors que je racontais cette histoire à une table de survivants dans un restaurant new-yorkais, plusieurs femmes avouèrent, presque avec honte, qu'elles faisaient la même chose et sortirent des croûtons de leur sac à main pour le prouver.

Les Korn avaient deux filles, l'une jeune maman, l'autre sur le point de devenir une éminente criminologue. À travers le prisme de cette famille, on avait une idée de la somme de talent anéantie dans les chambres à gaz.

Je dus aussi me rendre à Melbourne, où j'avais rendez-vous avec la famille Rosner, installée là-bas. Les frères Rosner avaient eu l'étrange privilège d'être les musiciens d'Amon Goeth à Płaszów. Avant la guerre, Leo Rosner, accordéoniste, se produisait dans les plus grands hôtels de Cracovie avec son frère Henry, violoniste. Même dans le ghetto, ils jouaient dans des cafés, et les nazis faisaient parfois appel à eux pour animer leurs fêtes. Puis, dans le camp de Płaszów, on les obligeait à endosser leurs beaux habits au milieu des baraquements insalubres afin de monter jusqu'à la villa de Goeth où ils jouaient pendant les déjeuners et les cocktails. Ils s'habituèrent à assurer l'ambiance musicale quel que soit ce qui se produisait pendant ce temps dans le salon et sur le balcon de Goeth. Désormais, Leo et Henry ne vivaient plus sur le même continent : Henry habitait dans le Queens, à New York, et j'espérais le rencontrer un jour.

Depuis qu'on a découvert de l'or près de Melbourne il y a cent cinquante ans, cette ville est la grande rivale de Sydney, et je fus amusé de constater que Leo Rosner, rescapé de Schindler et accordéoniste, n'était pas en reste dans cette compétition. « Vous devriez vivre à Melbourne, me dit-il en m'accueillant chez lui dans la banlieue d'Elsternwick. On a de meilleures routes. Les gens de Sydney sont tellement malpolis. Heureusement que j'ai atterri à Melbourne ! » Son intense chauvinisme était caractéristique des Melbourniens, dont l'orgueil surpassait de loin celui des Sydnéens, plus relax. D'une façon fort sympathique, Leo Rosner avait survécu à la guerre pour devenir un Melbournien typique. Un patriote de cette ville dorée, comme Edek Korn l'était de Sydney, et Poldek de son cher Beverly Hills.

Comme Edek Korn également, Rosner se révéla être un petit homme costaud. Il était toujours musicien professionnel, très demandé pour les mariages et autres fêtes dans tout l'État de Victoria, capable de jouer autant une chanson folk australienne entraînante qu'un morceau hongrois plaintif d'avant-guerre d'amour malheureux. Son frère, me dit-il, jouait régulièrement du violon au Sign of the Dove à New York. « Poldek vous y amènera », me promit-il. C'était une bonne idée, car il émanait de Rosner la même ténacité que de Poldek. Mais je me rendis compte aussi que nombre de ceux qui possédaient ce genre de qualité avaient jadis pris le mauvais chemin l'espace d'une seconde et avaient été fauchés par une balle ou forcés d'inhaler le gaz létal. C'était chez les femmes, par exemple chez son épouse Helena, qui avait survécu à la Shoah sans être sauvée par Schindler, qu'on trouvait la fragilité, la prudence, la douceur et une forme d'invincibilité plus subtile.

Au cours d'une de mes visites chez les Rosner, je fis la connaissance d'un autre rescapé de Schindler, cette fois d'origine argentine, un certain Edward Heuberger, un homme bronzé et nonchalant, qui lui aussi me raconta ses souvenirs de Płaszów, de l'usine DEF (Emalia) et de Brněnec. Il avait fait partie des jeunes prisonniers qui, à la fin de la guerre, avaient accompagné Schindler vers l'ouest pour pouvoir témoigner en son nom si par malheur il était capturé. Ils étaient finalement tombés sur une patrouille américaine juste après la frontière autrichienne. Heuberger, qui n'était pas allé au cinéma depuis des années, avait été surpris de constater que les Américains mâchouillaient tous du tabac ou du chewing-gum dans une mastication ostentatoire alors qu'ils reprenaient l'Europe à la Wehrmacht.

Il me raconta en détail cette expédition vers l'ouest, y compris la confiscation de la Mercedes bourrée de diamants de Schindler par la Résistance tchèque et pour finir son arrestation par les Alliés à Constance, près de la frontière suisse. Il fut rapidement libéré sur la foi d'une requête signée par ses anciens prisonniers.

De retour chez moi, dans mon bureau surplombant la mer, je me mis à rédiger un compte rendu des activités de Schindler sur

la base d'un possible contrat avec Nan Talese. Je voyais les surfeurs athlétiques chevaucher les vagues en contrebas. La plage où
nous vivions était réputée pour ses rouleaux.

En décembre 1980, je retournai à Los Angeles afin de fina-
liser les arrangements et le projet d'un voyage de recherche avec
Poldek et Glovin, laissant derrière moi une famille qui s'était
entichée de cette histoire au point qu'elle faisait régulièrement
l'objet de nos conversations à table. Nan Talese m'avait proposé
une avance de 60 000 dollars, une coquette somme pour les
standards de 1980. Elle devait me permettre de faire affaire avec
Glovin et d'emmener Poldek en voyage avec moi, mais aussi
de vivre pendant que j'écrirais le livre. Mon agent britannique,
une femme splendide qui de naissance était une baronne autrichienne, Tessa Sayle (anciennement von Stockert), prit la présentation détaillée et le résumé que j'avais faits pour les montrer à
une maison d'édition anglaise appelée Hodder & Stoughton, en
particulier à un joyeux éditeur barbu du nom de Ion Trewin. Si
bien que Hodder & Stoughton s'intéressait désormais également
au livre pour une publication au Royaume-Uni et en Australie,
et me donna aussi une avance.

Tout à coup, j'étais embarqué dans l'aventure. Et cela me
convenait très bien, pour être honnête. J'avais soif de nouvelles
histoires d'horreur et de délivrance à la fois. Et je ne me posais
pas la question de savoir ce que ça voulait dire sur ma nature. Les
écrivains ne se posent pas ce genre de questions.

3

En Californie, Poldek m'attendait à l'aéroport. « Thomas, mon frère! On est frères pour la vie, maintenant. C'est formidable!»

Je pourrais me moquer plus tard de sa prononciation, mais même maintenant ça me met un peu mal à l'aise, car moi aussi j'avais la sensation que nous étions comme deux aventuriers-frères, que ce voyage irait beaucoup plus loin que la seule somme de nos efforts, et la certitude que son polonais était fantastique et le mien inexistant.

Les jours suivants, je fus amené à rencontrer de nouvelles personnes qui avaient connu Schindler; par exemple l'impressionnant rabbin Pressman dans la synagogue duquel – Beth Am – Schindler avait jadis été reçu et avait prononcé un discours. Dans le bureau de Glovin à Glenwood, je laissai échapper – peut-être naïvement – que je n'avais jamais rencontré de Juif australien jusqu'à mes vingt ans. Car, bien que les forces australiennes pendant la Première Guerre mondiale aient été dirigées par le brillant fils d'un couple de Juifs prussiens, le général sir John Monash, qui depuis avait donné son nom à des villes de banlieue et à une université australiennes, je ne pris conscience que Monash était en réalité Monasch qu'à vingt ans passés. Cet aveu de ma part sembla encore accentuer un certain malaise chez Glovin qui ne comprenait pas l'enthousiasme de Poldek à mon égard.

Entre les visites et les entretiens extraordinaires que j'eus avec des rescapés de la Shoah et des connaissances de Schindler,

Poldek et Misia entretenaient la tradition héritée de leur enfance paisible d'offrir à tous leurs invités un thé selon les habitudes polonaises. De somptueuses pâtisseries étaient offertes dans leur appartement sur Elm Drive, à Beverly Hills, dont les murs étaient couverts de paysages de fermes polonaises et de rues enneigées de Cracovie, ou de peintures de danseurs hassidiques. Poldek racontait des histoires fabuleuses et exsudait de bonne humeur. Misia évoquait d'une voix douce ses souvenirs incroyables de Brněnec ou d'Auschwitz, quand elle retenait son souffle, qu'elle avait à peine la force de se tenir debout ou qu'elle se frottait les joues de betterave pour se donner bonne mine alors que les médecins SS, sardoniques et blasés, passaient les femmes en revue pour le tri. Je savais déjà que je voulais écrire ce livre dans l'esprit de Tom Wolfe, ou de ce que Truman Capote appelait « *faction* », mélange de « *fact* » et de « *fiction* ». Je savais aussi que j'allais devoir recouper les choses que me disaient les personnes interviewées avec les archives historiques, le contexte de l'époque et les souvenirs d'autres anciens *Schindlerjuden*.

Une anecdote que Poldek m'avait racontée la première fois et qu'il me répéta, mais pas en présence de Misia, concernait l'obligation, imposée par les SS, d'avoir une unité d'épouillage dans chacun de leurs camps, y compris celui de Schindler. Ces fils de putes de nazis, m'expliqua Poldek, que ça ne dérangeait pas du tout de voir les Juifs mourir du typhus, étaient en revanche très inquiets que l'infection puisse interférer sur le bon fonctionnement de la production et, surtout, des risques de contamination pour eux-mêmes. Le camp principal de Gross-Rosen, en Basse-Silésie, dont Brněnec était un satellite, avait ordonné à Schindler de construire une telle unité dans son camp-usine. S'étant autodésigné comme soudeur pour pouvoir entrer à Brněnec, Poldek dut travailler avec Edek Korn, l'homme que j'avais rencontré à Sydney, et fabriquer un système d'épouillage pour les vêtements des prisonniers, les couvertures, et autres sources d'infection potentielle. Les soudeurs y travaillèrent jour et nuit car ils avaient peur que le camp et l'usine ne soient fermés par les ingénieurs SS de Gross-Rosen par manque d'équipement approprié.

Après une nuit entière de travail, me raconta Poldek, alors que le camp était sous la neige mais qu'il faisait une chaleur épouvantable dans l'usine et que les vapeurs d'acétylène leur tournaient la tête, Edek et lui décidèrent d'escalader les passerelles qui couraient le long du toit pour pouvoir accéder à un des réservoirs d'eau et s'y rafraîchir. En arrivant, ils tombèrent sur Schindler qui faisait trempette en compagnie d'une charmante femme SS ; ils *s'ébattaient* joyeusement, aurait-on pu dire. Tels Poséidon et Amphitrite. «J'ai dit : "Pardon, Herr Direktor!", et avec Edek on a fait demi-tour. Le Herr Direktor n'avait pas l'air gêné, il n'a même pas rougi. Mais du moment qu'il nous sauvait de ces fils de putes, ça nous allait. Il pouvait bien avoir plus de femmes que le roi Salomon!»

Je découvrais à présent d'autres documents : le contenu entier des placards au fond de l'atelier de Poldek fut photocopié, y compris l'horrible télégramme SS de Gross-Rosen qui parvint à Brněnec le matin du 28 avril 1945, adressé non pas à Schindler mais au commandant SS, l'*Untersturmführer* (second lieutenant) Liepold, qui avait pour mission de garder le camp de Schindler. Liepold reçut l'ordre de liquider le camp, et le terme «liquider» impliquait de tuer les prisonniers. Un jeune courageux, Mietek Pemper, le secrétaire de Schindler, qui avait pendant toute la guerre fait des copies de nombreux documents incriminants de ce genre, remit une copie du télégramme entre les mains de Schindler dès le petit matin. C'était le jour de son anniversaire – bien qu'il fût très tôt, il était déjà au cognac! –, et il donna à Pemper l'assurance que les prisonniers auraient la vie sauve.

Alors que nous parcourions Los Angeles ensemble, Poldek mentionna en passant qu'il venait de subir un pontage. C'était beaucoup moins courant en 1980 qu'aujourd'hui, mais il m'expliqua que son cardiologue avait jugé l'opération nécessaire, à quoi il avait répondu : « Alors faisons-le tout de suite et qu'on n'en parle plus ! » J'étais stupéfait qu'un homme aussi fringant ait récemment subi une intervention cardiaque, et pas des moindres pour l'époque.

Il me parla aussi – sans faire le lien, simplement comme un autre épisode de sa vie de prisonnier – du sous-officier SS qui le battait régulièrement à coups de matraque dans les baraquements de Płaszów. Sans qu'il sache pourquoi, Poldek avait visiblement attiré l'attention de cet homme irascible. Le SS s'était mis en tête de le briser. Lors d'une de ces séances, Poldek sentit soudain un disque céder dans son dos, mais il eut l'intuition que s'il criait, l'homme l'achèverait sur-le-champ. Il garda donc le silence tandis que son cerveau hurlait de douleur. Le matraquage cessa et, à partir de là, le sous-officier ne leva plus jamais la main sur lui et considéra Poldek comme son ami – faiblesse contre laquelle Himmler avait pourtant mis en garde les SS. Alors que le camp de Płaszów allait fermer, le sous-officier vint trouver Poldek un soir, lui donna une bouteille de vodka et lui conseilla de se faire inscrire sur la liste de Schindler. Puis il fondit en larmes en disant qu'il avait fait des choses que sa mère ne croirait pas. Il espérait être transféré dans la Waffen-SS et mourir au combat. D'après Poldek, c'est d'ailleurs ce qui dut arriver, car le nom de cet homme n'apparut jamais sur les listes de criminels de guerre et ne figurait pas non plus dans les dossiers du Centre Simon-Wiesenthal.

Poldek et moi décidâmes d'entamer notre voyage de recherche pour aller interroger les rescapés et collecter de la documentation à la fin du mois de février. D'ici là, nous travaillerions chacun de notre côté à établir une liste de contacts. L'un d'entre eux était l'épouse abandonnée de Schindler, Emilie, à Buenos Aires.

De retour à Sydney, je commençai à écrire le plus possible, en me basant sur les documents que Poldek m'avait donnés avant Noël et sur les interviews et autres matériaux que j'avais moi-même réunis depuis. J'avais aussi accumulé quelques livres de référence fort utiles sur la Shoah, parmi lesquels *The War Against the Jews, 1933-1945*, de Lucy Dawidowicz (traduit en français sous le titre *La Guerre contre les Juifs, 1933-1945*), *The Holocaust*, de Nora Levin (non traduit), l'encyclopédique *The Destruction of the European Jews*, de Raul Hilberg *(La Destruction des Juifs d'Europe)*, contenant énormément de documents nazis, *The Terrible Secret : Suppression of the Truth about Hitler's Final Solution*, de Walter Laqueur *(Le Terrifiant Secret : la « solution finale » et l'information étouffée)*, *Atlas of the Holocaust (Atlas de la Shoah)* et *Auschwitz and the Allies* (non traduit), de Martin Gilbert, *Patterns of Jewish Leadership in Nazi Europe, 1933-1945*, texte d'une conférence d'histoire à Yad Vashem, la retranscription du procès d'Amon Goeth ainsi que de nombreux autres ouvrages, dont *Counterfeit Nazi*, de Saul Friedländer *(Kurt Gerstein : l'ambiguïté du bien)*, l'incroyable biographie de l'ingénieur SS Kurt Gerstein qui avait à la fois fourni le Zyklon B des chambres à gaz et tenté d'alerter l'Occident sur le processus d'extermination.

L'e-mail n'était pas encore courant à l'époque et je pris contact par courrier avec certains rescapés, dont l'ancien secrétaire d'Oskar, Mietek Pemper, et Moshe Bejski, un juge de la Cour suprême israélienne qui avait autrefois fourni de faux papiers à Schindler.

J'avais également écrit à Emilie Schindler à Buenos Aires par l'intermédiaire de son avocat, Juan Caro, dont Poldek m'avait donné l'adresse. L'épouse délaissée d'Oskar, elle-même une héroïne à part entière de cette histoire, vivait à San Vicente, une banlieue de la capitale. Poldek m'avait dit qu'un petit groupe dévoué de rescapés argentins et d'autres Juifs de la communauté avaient permis à Mme Schindler de continuer à vivre dans un confort modeste depuis que l'élevage de ragondins qu'elle avait lancé avec Oskar avait fait faillite à la fin des années 1950. Juan Caro me répondit que Mme Schindler était malade, trop malade pour être importunée par une visite. Mais elle était prête à m'envoyer des réponses par écrit si je lui faisais parvenir mes questions, accompagnées d'une somme d'argent adéquate. Je lui postai donc une liste de questions et un mandat.

Je n'avais pas bien compris alors qu'elle vivait son abandon par Oskar comme un acte de trahison, sans doute le plus grand qu'elle ait subi de toute sa vie, et que le fait de voir Oskar porté aux nues alors qu'il l'avait humiliée en faisant d'elle une femme trahie était encore à ses yeux le principal problème, la blessure non cicatrisée, de l'histoire d'Oskar. Dans mes questions, je lui demandais de me décrire avec autant de précision qu'elle le souhaitait le milieu dont Oskar et elle venaient, les circonstances de leur mariage et le rôle qu'elle-même avait joué dans les activités de son époux. Je lui disais que j'avais déjà entendu plusieurs récits sur sa propre bravoure, par exemple quand elle avait nourri à la petite cuillère des femmes comme Leosia Korn. Je l'assurais que je comptais lui donner toute la place qu'elle méritait dans mon livre.

Elle répondit à mes questions peut-être à contrecœur, mais de façon assez complète. Oskar et elle étaient originaires de Svitavy (autrefois Zwittau en allemand), située dans le nord-est de Tchécoslovaquie, une ville à majorité allemande près de Brněnec, où Oskar finirait par avoir son second camp. Elle n'exprimait pas de rancœur à son égard pour les épreuves qu'il lui avait fait traverser au gré de l'histoire. Elle me parla particulièrement des femmes moribondes comme Leosia et Misia qui avaient été extirpées d'Auschwitz et ramenées à Brněnec, ou bien de ces deux wagons qui avaient atterri à la gare de Brněnec au milieu du dernier hiver de la guerre.

J'avais déjà entendu cette histoire épouvantable par la bouche de Poldek et d'Edek Korn, qu'on avait chargés de scier les cadenas gelés. À l'intérieur de chaque wagon gisait un tas de prisonniers mourants ou morts qui arrivaient des carrières de Goleszów, une annexe d'Auschwitz. Ils avaient été trimballés deux semaines à travers l'Europe de l'Est durant ce terrible hiver.

Dans ses réponses, Frau Schindler ne prétendait pas, comme certains de ses amis le feraient par la suite, qu'elle était la force motrice derrière la mansuétude d'Oskar envers ses ouvriers juifs.

On comprenait cependant qu'elle était une femme autonome et que, depuis Brněnec, elle organisait elle-même la vente d'articles au marché noir afin d'acheter de la nourriture et des médicaments pour les femmes qui étaient arrivées d'Auschwitz et les hommes de Goleszów. D'après les autres prisonniers, elle s'était comportée à l'égard de ces rescapés avec une générosité stupéfiante, bien plus qu'il ne lui en aurait fallu pour échapper au risque d'être jugée comme criminelle de guerre si cet hiver avait dû être le dernier avant la défaite nazie.

Je reçus le contrat de Simon & Schuster et je le signai sur ma table de billard, au milieu de toute la documentation Schindler que j'avais rassemblée jusque-là, avant de le renvoyer par la poste. Février 1981 arriva vite. La plage sous notre maison était très fréquentée, noire de monde certains jours. Mes filles allaient se baigner et regardaient à la télévision l'Australie jouer contre la Nouvelle-Zélande en série test. C'était un agréable mois d'été à Sydney, l'année scolaire venait de commencer.

Nouvelle traversée du Pacifique : les lumières de Sydney disparurent rapidement et il n'y eut plus rien à voir jusqu'à ce que, au lever du jour, les premiers rayons du soleil éclairant l'île de Santa Catalina d'un côté de l'appareil, l'avion ne s'engouffre dans le grand trafic aérien autour de l'aéroport de Los Angeles.

Poldek et moi eûmes encore le temps d'organiser quelques entretiens en Californie avant d'entamer notre grand voyage. Je rencontrai à cette occasion une femme d'une cinquantaine d'années, journaliste à la radio et rescapée des camps, qui insista sur un point particulier : elle tenait elle aussi à être considérée comme une *Schindlerjude* bien qu'elle n'ait pas été à Brněnec. Mais la province tchécoslovaque de Moravie, me dit-elle, n'avait accueilli aucun camp de travail pour Juifs en presque cinq années de guerre. C'était la concession du Reich aux souhaits de la population locale d'Allemands des Sudètes, et c'était également le souhait du chef de la police de Moravie, Otto Rasch.

Tous les prisonniers semblaient tenir pour acquis que Schindler avait soudoyé Rasch à coups de pots-de-vin pour qu'il l'autorise à ouvrir son propre camp de travail dans la province. Une fois le précédent établi, il y avait la place pour d'autres camps.

Selon cette femme, beaucoup de jeunes Juifs, qui auraient perdu la vie d'une façon ou d'une autre dans la liquidation d'Auschwitz alors que l'Armée rouge se rapprochait de la Vistule et que les usines allemandes étaient déplacées d'Auschwitz-Monowitz, furent alors envoyés dans les nouveaux camps de travail de Moravie. Cette femme, très californienne, bien coiffée, chèrement vêtue, me raconta qu'elle avait été prisonnière dans un camp-usine de la Luftwaffe en Moravie qui n'aurait jamais existé si Schindler n'avait pas ouvert la voie en créant son usine le premier. Plus tard, je retrouverais ce même argument dans des documents rédigés par le comptable de Schindler, Itzhak Stern, et que m'avait fournis sa veuve. Stern affirmait que jusqu'à vingt mille prisonniers juifs avaient été sauvés par l'initiative de Schindler en Moravie.

En plus de me présenter à des survivants de la Shoah au 1939 Club – un club de rescapés de Beverly Hills que Poldek avait contribué à fonder, dont les membres n'avaient pas forcément été dans le camp d'Oskar mais avaient côtoyé ce dernier après la guerre, en Californie ou en Israël –, Poldek me racontait quantité d'anecdotes sur Goeth, Oskar, les SS et les prisonniers qu'il avait connus, et répondait à mes questions. Je prenais des notes par écrit ou sur un dictaphone. Son flot de paroles ne s'interrompait que lorsqu'il s'arrêtait pour saluer des amis dans les rues de Beverly Hills, nombre d'entre eux étant d'anciens prisonniers ou des personnes qui avaient rencontré Oskar, voire les deux.

Au supermarché Gelson de Beverly Hills un dimanche matin, il s'immobilisa brusquement au rayon fruits et légumes comme un homme frappé par une révélation et tendit la main à une vieille dame qui semblait hésiter à choisir un melon. « Janka, *darling*! Comment as-tu fait pour devenir encore plus belle qu'avant? » Ils s'embrassèrent sur les deux joues, à l'européenne, et Poldek me présenta. « Oui, *darling*, il va y avoir un livre. Et un film. Bien sûr qu'il y aura un film. Pourquoi pas? Une telle histoire d'humanité d'homme à homme... », etc. Il lui demanda encore de lever le menton et s'exclama à plusieurs reprises : « La même qu'avant! Quelle beauté! » puis il la salua en lui envoyant des baisers, après quoi nous pûmes terminer nos achats et retourner à la voiture.

À part le fait que cette femme était effectivement superbe pour son âge, la flatterie de Poldek marchait parce que ce n'était justement pas de la flatterie : il croyait dur comme fer à ses exubérantes affirmations. Pour lui, la beauté était présente à tous les coins de rue.

« Tu sais, me dit-il, que cette femme splendide a tué ce fils de pute de *Gauleiter* de Riga? » Les *Gauleiter* étaient les gouverneurs des provinces du Reich. « Elle avait de faux papiers aryens. Elle a séduit ce fils de pute et elle a fait entrer des résistants dans sa chambre pour le liquider. Une vraie bombe! »

Cette question des papiers aryens ressurgirait sans cesse. Les jeunes femmes juives de la classe moyenne étaient généralement celles qui avaient usé de ce stratagème : obtenir par quelque procédé que ce soit – le charme ou l'argent – de faux papiers qui les déclaraient *Volksdeutsche* – « d'ethnie allemande » –, ou au moins polonaises non juives. Il y avait encore des femmes en Europe, d'après Poldek, qui vivaient sous couvert de leur fausse identité, même trente-cinq ans après la fin de la guerre. « Et elles ont bien raison, disait Poldek, vu la haine qu'il y a eu contre elles. » Certains hommes avaient fait pareil, mais c'était plus difficile : si vous étiez circoncis et vouliez vous faire passer pour aryen, il vous fallait un certificat médical disant que les médecins avaient été obligés de vous circoncire parce que vous aviez contracté la blennorragie.

Je me rendais compte que de nombreux rescapés juifs pensaient, à tort ou à raison, que si les nazis avaient placé autant de camps de concentration dans la Pologne catholique, c'était à cause de l'antisémitisme latent qui régnait là-bas. Mais Poldek n'avançait, lui, aucune hypothèse de la sorte. Il était resté un patriote polonais dans la droite ligne de Tadeusz Kościuszko, à un point qui pouvait parfois agacer certains autres survivants. Il soutenait Solidarność, adorait Lech Wałęsa et envoyait des colis alimentaires à plusieurs familles du syndicat via un transitaire de Chicago. Il était aussi outrageusement fier du « pape polonais », un pape qui pourtant mettait beaucoup de catholiques que je connaissais – et même beaucoup de prêtres – mal à l'aise, et qui semblait vouloir ramener l'Église vers l'austérité doctrinale et le légalisme qui prévalaient avant le concile Vatican II et Jean XXIII.

« J'ai été nommé officier de l'armée polonaise, me dit-il, sur le Rynek de Varsovie en 1938 par le maréchal Piłsudski en personne. » Il avait aussi obtenu son diplôme d'éducation physique à l'université Jagellonne de Cracovie et, passionné par celle-ci, il vantait à l'envi son impressionnante histoire (elle avait été fondée en 1364). « À côté de la Jagellonne, plaisantait-il, Harvard et Yale sont des bébés ! » Pourtant, à l'époque où il avait étudié là-bas, dans la Pologne de Piłsudski, l'université comptait un certain nombre de bancs bien placés, sur lesquels les Juifs n'avaient pas le droit de prendre place.

4

Prenant un vol de nuit pour gagner du temps, Poldek et moi arrivâmes à New York avec une longue liste de personnes à interviewer. Elles avaient toutes accepté de répondre à mes questions car c'est Poldek en personne qui le leur avait demandé. L'air glacé de la ville contrastait avec la chaleur caniculaire de ce mois de février australien, mais paraissait en quelque sorte plus adapté au genre de recherches que nous menions. C'était moins balnéaire que Sydney, moins futile que Los Angeles, et par ce climat je n'avais pas besoin, par exemple, de me réserver un moment de la journée pour aller nager.

Dans le quartier des diamantaires, au dernier étage d'un building pile à l'angle de la Ve Avenue et de la 47e Rue, une famille de *Schindlerjuden*, à présent dénommés les Fagen (mais qui apparaissaient sous le nom de Feigenbaum sur la liste de Schindler), tenait une florissante affaire de vente en gros de diamants et bijoux. Ce quartier des diamantaires m'avait toujours intrigué, avec ses bijouteries en rez-de-chaussée et ses grossistes, tels que les Fagen, dans les étages supérieurs. Par je ne sais quelle bizarrerie génétique, j'avais hérité d'une passion pour les bijoux, hélas constamment frustrée par manque de moyens. J'avais toujours offert à ma femme et à mes filles les bijoux dont elles disaient avoir envie, et parfois davantage. Pourtant je n'en portais pas moi-même. Je venais d'une longue lignée d'hommes australiens tristement austères.

Sur la 47e Rue, je regardais avec fascination les juifs hassidiques sous leurs grands chapeaux noirs faire du porte-à-porte pour vendre aux boutiques les diamants qu'ils avaient reçus en dépôt-vente. Je m'étonnais que les hassidims puissent se déplacer ainsi les poches pleines de diamants dans cette dangereuse mégapole, et c'était un mystère sur lequel je songeais enquêter peut-être un jour. De façon sans doute assez compréhensible, je n'avais jamais pleinement saisi comment s'organisait le circuit entre les grossistes du haut, les hassidims et les boutiques avec pignon sur rue. Même aujourd'hui, bien que le site Internet du « Diamond District » reconnaisse la place des hassidims, leur fonction précise n'est pas explicitée.

Là-haut, après avoir pénétré dans le bureau des Fagen par une porte sécurisée, je fis la connaissance du plus jeune de la famille, Lewis, ou – comme l'appelait Poldek – Lutek, un type mince, sympathique, élégant, qui avait passé une partie de son enfance et de son adolescence dans les deux camps de Schindler. Ses parents, Necha et Jakob, figuraient aussi sur la liste, ainsi que sa sœur qui, atteinte d'un cancer, avait pu être transférée à Brněnec où elle était morte dans la dignité, à l'abri des brutalités nazies.

Sur la liste du camp de Brněnec, Lutek Fagen était décrit comme sachant manœuvrer un tour et calibrer, mais la machine sur laquelle il travaillait l'avait déconcerté. Le chef de la garnison SS, l'*Untersturmführer* Liepold, l'avait accusé d'avoir saboté une presse à métaux. Schindler avait fait mine de prendre la chose à la rigolade : « Il m'a giflé pour me sauver la vie. J'avais deux sortes de larmes dans les yeux. De gratitude, et aussi parce qu'il avait de la force. » Après quoi il avait réussi à se débarrasser de Liepold en le baratinant sur le fait que les prisonniers étaient tous plus incompétents les uns que les autres mais qu'on ne pouvait pas tous les fusiller.

Un des épisodes les plus marquants de son passage dans le camp de Brněnec concernait Mme Schindler. Lutek avait cassé ses lunettes en les faisant tomber, et Emilie Schindler lui avait dit : « Donnez-les-moi, et la prochaine fois que j'irai à Cracovie, je passerai voir votre ophtalmo et je lui demanderai de les refaire à votre vue.» Cela avait été un moment crucial pour Lutek. Voilà un garçon qui, depuis son adolescence, était considéré par décret comme un *Untermensch*, un sous-homme. Et pourtant une femme allemande des Sudètes était prête à le reconnaître comme un jeune homme ayant besoin de lunettes et à lui offrir la dignité d'une paire de rechange, alors même que les SS avaient confisqué en masse les lunettes des Juifs, des Tsiganes, des dissidents et autres innocents. Elle s'était aussi portée au chevet de sa sœur mourante avec ce qui apparaissait comme un cadeau miraculeux en ce milieu d'hiver : une pomme. Bien entendu, Emilie n'avait mentionné aucun de ces deux présents dans ses réponses à mes questions. Pour Lutek Fagen, ils constituaient les deux rares gestes d'humanité de sa traversée de la guerre. Pour elle, ils étaient sans doute noyés sous les souvenirs de services plus notables.

Un soir à New York, peu de temps après avoir rencontré Lutek et sa très élégante épouse, nous prîmes le train pour Long Island en compagnie d'un ingénieur new-yorkais, un rescapé de la Shoah qui s'était marié avec la maîtresse d'Oskar, Ingrid. Cet homme avait survécu à Mauthausen puis à une marche de la mort des prisonniers vers l'ouest. Il avait réussi à s'évader du cortège un jour, à atteindre un bois et à trouver une ferme un peu plus loin, mais il s'était fait rattraper dans une grange par un SS envoyé à sa poursuite. Le jeune soldat, un des conscrits un peu moins fanatiques de Hitler sur lesquels les SS avaient dû se rabattre dans les derniers mois du Reich, lui avait dit : « La guerre est presque finie, et il est trop tard pour que je commence maintenant à tuer des gens. Mais fais bien attention à rester caché un long moment après qu'on sera partis.» Sur ce, il était ressorti et avait déchargé son fusil en l'air avant de rejoindre la colonne de la mort. Parmi les amis des *Schindlerjuden*, beaucoup avaient été sauvés par de tels actes individuels de clémence, même si un plus grand nombre encore ne l'avaient pas été.

Lorsque nous arrivâmes dans le bungalow de cette banlieue prospère où habitait l'ingénieur, j'étais excité à l'idée de rencontrer sa femme, que beaucoup de prisonniers évoquaient dans leurs récits comme une présence bienveillante et coopérative. Oskar avait entretenu une liaison avec elle pendant toutes ses années à Cracovie, puis l'avait emmenée avec lui dans son nouveau camp plus au sud, bien que celui-ci fût situé dans la région natale d'Emilie Schindler et que cette dernière dût partager désormais les appartements de son mari, ce qui n'était pas le cas à Cracovie. Même après la guerre, quand il s'était enfui à Munich, le foyer d'Oskar se composait de lui-même, d'Emilie et d'Ingrid. Le mari d'Ingrid, cet homme juif qui avait survécu à la marche de la mort de Mauthausen par le bon vouloir d'un jeune conscrit SS et s'était retrouvé lui aussi à Munich, avait fait là-bas la connaissance d'Oskar et de son ménage à trois, et il racontait qu'un soir Oskar lui avait dit : « Pourquoi vous n'épousez donc pas Ingrid ? Emilie s'est lassée de cet arrangement. »

Puisque tout le monde semblait toujours obéir aux désirs d'Oskar, Ingrid finit bel et bien par épouser cet ancien prisonnier, un sacré revirement pour cette robuste Aryenne qui avait été si longtemps la dame de compagnie d'Oskar. Depuis, c'était devenu une grand-mère généreuse mais inquiète. Elle nous avait préparé un repas polonais, mais elle avait peur que ses enfants et ses petits-enfants n'en apprennent un peu trop sur sa liaison avec le volage Oskar Schindler. C'est pourquoi je continue ici à la désigner sous le pseudonyme d'Ingrid.

Il est intéressant de noter que ce couple avait également joué un rôle considérable dans la vie d'Emilie et était resté en contact avec elle au point que, plus tard, en visite à New York, Emilie avait logé chez eux. Comme si les intentions d'Oskar, pas toujours des plus honorables, avaient été désamorcées par les intéressés eux-mêmes.

À New York, sous l'égide de l'oncle Poldek, je commençai à rencontrer mes premiers *Schindlerkinder*, des enfants qui avaient eu affaire à Oskar. Il m'apparut tout de suite que c'étaient eux qui avaient été le plus profondément marqués et hantés par la guerre. Je fis la connaissance de Ryszard Horowitz, un des plus jeunes rescapés d'Auschwitz, dans son atelier à Manhattan.

Après la guerre, avant que sa famille n'émigre en Amérique, il avait obtenu son diplôme à l'Académie des beaux-arts de Cracovie aux côtés de son ami d'enfance, Roman Polanski. « L'héritage le plus important que j'aie gardé de mon pays, dit-il un jour au sujet de la Pologne, c'est une certaine compréhension de l'art, de la peinture en particulier. »

Ses compositions colorées et surréalistes montrent un grand appétit pour repousser les frontières du monde normal, tridimensionnel, afin de se créer des échappées fantastiques. On pourrait aisément penser que c'est là sa victoire sur les murs cruels placés autour de sa liberté durant son enfance. Quoi qu'il en soit, Ryszard était l'un des grands photographes de son époque.

Il était difficile, en observant son visage bronzé et avenant, mais en même temps profondément pudique, d'imaginer pourquoi le Reich avait voulu tuer le petit garçon qu'il avait été.

Même pour faire plaisir à l'oncle Poldek, il avait du mal à évoquer les souvenirs du processus d'extermination auquel sa famille et lui avaient été soumis. Il n'hésitait pas à dire à quel point sa vie quotidienne avait été entravée et limitée par cette cruelle expérience, par cette fluctuation impitoyable dans laquelle les gens en qui vous aviez investi votre amour disparaissaient presque du jour au lendemain sans explication ou, toujours sans explication, étaient massacrés sous vos yeux.

Petit à petit, nous fûmes amenés à rencontrer d'autres membres de la famille de Ryszard qui avaient été eux aussi sauvés par Schindler : ses parents, Regina et Dolek Horowitz, sa tante Manci et son époux Henry, frère de l'accordéoniste Leo Rosner que j'avais vu à Melbourne. Les Horowitz étaient liés de façon indéfectible aux Rosner par le mariage, par la sociabilité des parents et par l'expérience commune du malheur et du danger. Nous fîmes ainsi la connaissance d'un autre des musiciens d'Amon Goeth, Henry Rosner, un homme robuste et joyeux, au regard espiègle, violoniste du Queens qui désormais se produisait devant la clientèle moins morbide du Sign of the Dove.

Manci, sa femme, s'exprimait avec une lucidité impressionnante, et sa solide capacité à parler du passé fut d'une grande aide. Ce que les deux sœurs avaient gardé de cette époque était le souvenir d'un immense chagrin, même au moment de leur salut. Sauvées des abattoirs d'Auschwitz avec les autres femmes de la liste de Schindler, alors qu'elles attendaient un train pour Brněnec sur le quai d'Auschwitz, les deux sœurs avaient repéré le jeune Ryszard Horowitz, le fils de Regina, et son cousin plus âgé, Olek (Alec), le garçon adoré de Manci, qui leur faisaient au revoir derrière les barbelés des baraquements pour hommes. Ces deux enfants étaient censés être à Brněnec avec leurs pères ! Les femmes se cachèrent sous un camion pour pouvoir leur parler. « Qu'est-ce que vous faites ici ? » demandèrent-elles.

Voilà ce qui s'était passé : un jour où Oskar était absent de Brněnec, le petit Ryszard avait été aperçu en train de jouer par terre dans l'usine par un inspecteur SS en visite depuis le camp de Gross-Rosen. Ryszard avait alors été expédié dans un convoi pour Auschwitz en compagnie de son cousin Olek, découvert dans les quartiers des prisonniers. Aussi bien Dolek Horowitz que Henry Rosner, leurs pères respectifs, avaient demandé à les accompagner. Ils avaient voyagé sous bonne garde dans un train de passagers, dont les mines exténuées leur étaient apparues comme le signe que la guerre était en train de basculer du côté des Alliés. À leur arrivée à Auschwitz, on leur avait tatoué un numéro, ce qui voulait dire qu'ils seraient sauvés d'une exécution immédiate. Les deux garçons montrèrent fièrement leur tatouage à leurs mères, après quoi les femmes furent obligées de monter à bord du train en abandonnant sur place leurs enfants, qu'elle croyaient promis à une mort imminente.

Chez la plupart des enfants rescapés, les horreurs du passé continuaient à planer sur leur vie d'adulte. Le cousin de Ryszard, Olek, un ingénieur du son accompli qui possédait sa propre société, l'ancien petit garçon qui s'était caché dans le trou des latrines pour échapper à une sélection sanitaire à Płaszów, me conforta dans cette idée. « Nous avons grandi en ne faisant confiance à personne, me dit-il. Dès que nous nous attachions à quelqu'un, on nous l'arrachait. Même nos pères nous ont été arrachés quand nous avons été déplacés dans les baraquements pour enfants à Auschwitz I.» Les deux jeunes papas survécurent pourtant à la guerre, car on les avait envoyés en travail forcé à Auschwitz II plutôt que dans les chambres à gaz.

Après la guerre, la Croix-Rouge et l'Administration des Nations unies pour le secours et la reconstruction parvinrent à réunir Olek et ses parents, les Rosner, mais ne purent fournir aucune information sur Ryszard aux Horowitz. Regina Horowitz regardait des actualités filmées de la libération d'Auschwitz dans un cinéma de Cracovie lorsqu'elle reconnut Ryszard escorté par une bonne sœur polonaise le long des barbelés du camp vers la sortie. «Il est vivant!» hurla-t-elle. Elle fut obligée de quitter le cinéma, mais Ryszard était retrouvé.

C'était aujourd'hui encore un souvenir trop douloureux pour demander à Ryszard et à Olek ce qu'ils avaient ressenti, alors petits garçons, lorsque leurs mères étaient montées dans le train – n'ayant pas d'autre choix, bien sûr, mais les enfants ne le comprennent pas toujours. En général, cependant, Poldek savait se montrer insistant pour que les gens nous accordent un entretien. Il téléphona à un autre couple qui vivait à Long Island. La femme était une ancienne sprinteuse qui avait représenté la Pologne aux Jeux olympiques de 1936 à Berlin ; sept ans plus tard, elle s'était retrouvée à courir en long et en large sur l'*Appelplatz* (la place d'appel) boueuse du camp de Płaszów afin de prouver qu'elle pouvait encore servir et qu'elle n'était pas prête pour l'extermination.

Je comprenais très bien que ces gens qui avaient jadis été désignés par décret comme *Untermensch* et *Unterfrau* n'avaient pas envie à présent de revisiter leurs souvenirs pour les beaux yeux d'un prétendu écrivain venu des antipodes (et goy, par-dessus le marché) qui avait l'intention de retranscrire leurs histoires. Ils étaient en droit de se poser des questions du type : 1) Que va-t-il y comprendre, de toute façon, quoi que je lui raconte ? 2) Pourquoi devrais-je me replonger dans tout ça pour le bon plaisir d'un inconnu ? Mais Poldek n'encourageait ni n'autorisait ce genre de refus.

« Thomas et moi ne sommes à New York que pour deux jours encore, annonça-t-il à ce couple de Long Island, les Kinstlinger, et on peut vous interviewer demain soir à 19 h 30. »

À quoi ils répondirent : « Poldek, nous sommes invités à dîner. »

C'était sans aucun doute la vérité. Mais Poldek rétorqua : « Alors comme ça, Schindler vous sauve la vie, mais ça n'est pas assez important pour que vous annuliez un dîner à la noix ? C'est ça que je dois dire à Pemper à Munich ? Et à Bejski en Israël ? »

Et c'est ainsi que je rencontrai l'ancienne sprinteuse et son mari. À vrai dire, quelques jours après cet entretien, lors de notre dernière soirée à New York, Poldek insista pour que, avant de nous envoler vers l'Europe, nous partagions leur généreuse table et dînions copieusement de mets polonais. Cette fois encore, je pus constater que Poldek avait pour règle de ne jamais prendre l'avion le ventre vide. « Ces compagnies aériennes, gloussait-il en me forçant à finir mon assiette, elles vous font manger du carton. »

M. Kinstlinger avait une attitude envers Herr Direktor Schindler moins fraternelle que Poldek, les Rosner, Ingrid et sa famille, les Horowitz et d'autres *Schindlerjuden* de New York que j'avais interviewés.

« Écoutez, il s'est fait plein de fric sur notre dos, ce type.

— Mais il t'a sauvé, Henry.

— Ouais, ouais. Ça l'arrangeait de nous laisser respirer. Mais il s'est quand même fait plein de fric sur notre dos. Ce n'était pas un saint.

— Tu aurais préféré que ce soit un fils de pute qui nous affame et nous tabasse ?

— Ok, il ne nous affamait pas, il ne nous tabassait pas. Mais il nous a utilisés.

— Qu'est-ce qui te rend amer ? lui demanda Poldek.

— Je ne suis pas amer, mais je te le répète, il s'en est mis plein les poches.

— Et il a tout perdu !

— Pas par notre faute. »

Je me sentais déjà aussi saturé d'histoires que de *pierogi* polonais, mais nous avions encore beaucoup de kilomètres à parcourir, et une nuit d'avion à supporter. À minuit passé, nous étions à l'aéroport de JFK dans la queue pour embarquer sur un vol de la Lufthansa à destination de Francfort, où nous pourrions sûrement rencontrer l'ancien secrétaire d'Oskar, Mietek Pemper, et bien d'autres. Un jeune juif hassidique remontait la file d'attente en dévisageant les passagers ; une pratique assez répandue à New York où les hassidims choisissent quelqu'un qui a l'allure d'un juif laïque pour essayer de le convaincre de mener une vie plus orthodoxe. À ma grande surprise, il s'arrêta devant moi.

« Excusez-moi, monsieur, me demanda-t-il très poliment. Vous êtes juif ? »

Poldek, nullement décontenancé dans une queue où se trouvaient beaucoup d'Allemands, rugit : « Non, espèce d'idiot ! C'est moi, le Juif. Lui, il est australien. »

Ses mots résonnèrent dans le hall, et nous embarquâmes sans plus attendre.

5

Du fait de la destruction de la vieille ville pendant la Seconde Guerre mondiale, Francfort-sur-le-Main s'avéra être un endroit relativement anonyme, truffé d'architecture moderniste. Et d'ailleurs elle en avait tiré un surnom : « Mainhattan ». Il n'y avait pas beaucoup de *Schindlerjuden* à Francfort, mais celui dont je me souviens le mieux était Adam Garde, numéro 656, qui vivait avec sa femme dans un petit appartement superbement aménagé. Garde avait eu la main écrabouillée pendant la construction du jardin d'hiver de Goeth à Płaszów. Par crainte d'être envoyé dans un camp d'extermination à cause de ce handicap, il avait dû dissimuler sa blessure. Bien qu'un des médecins juifs de Płaszów lui ait posé un plâtre, il le découpa pour s'en débarrasser. Il était ravi de travailler dans l'usine d'Oskar à Cracovie et d'atterrir dans le camp situé dans la cour. Tant et si bien qu'il suivit Oskar dans son nouveau camp à Brněnec.

Ingénieur, Garde était resté en Allemagne après avoir été libéré d'un camp de personnes déplacées, et il avait une vision positive de la société allemande. Contrairement à beaucoup de rescapés partis vivre dans d'autres pays, il considérait que le nazisme était une chose qui pouvait se produire n'importe où, le fruit d'un échec de la civilisation, une maladie de l'âme universelle plutôt qu'un phénomène spécifique à l'Allemagne.

Il me raconta son expérience en tant qu'ingénieur pour Oskar. Il m'affirma qu'aussi bien à Emalia qu'à Brněnec Oskar lui faisait légèrement décalibrer les machines pour que les tests de production de ses cartouches échouent. Il ne fut pas le seul à me dire que, afin de passer un test vers la fin de la guerre, Oskar avait commandé un stock de cartouches d'un autre fabricant. Les usines d'assemblage se plaignaient de la mauvaise qualité des cartouches produites par Oskar, et les prisonniers eux-mêmes auraient voulu que l'usine de Brněnec ait meilleure réputation de façon que ses opérations soient maintenues. Mais c'est le système qu'Oskar voulait flouer, pas ses ingénieurs comme Garde. Et ce fut lui encore qui ricana en recevant un télégramme d'une usine d'assemblage se plaignant de la mauvaise qualité des cartouches.

En Allemagne, Poldek débordait toujours autant d'énergie. Après le Musée historique de la Ville et la Vieille Synagogue, nous visitâmes la gare centrale, la *Hauptbahnhof*, un endroit étrange rempli d'âmes perdues et de bars tapageurs. En marchant vers le nord à partir de la gare, nous passâmes devant des clubs de strip-tease et d'autres bars, puis nous arrivâmes devant la façade décrépie de l'immeuble du XIXᵉ siècle dans lequel Oskar habitait, quand il n'était pas aux États-Unis ou en Israël, comme pour se remettre de la respectabilité de ceux qu'il avait sauvés. Le hall d'entrée puait la pisse et l'escalier semblait miteux, mais c'était là, longtemps après la guerre, qu'Oskar avait vécu sa dernière liaison amoureuse, avec l'épouse d'un chirurgien allemand. La première fois qu'il avait parlé à cette femme, Ann-Marie, c'était à l'hôtel King David lors d'une visite en Israël. Et c'était dans ce même appartement qu'Oskar, lui-même une sorte de personne déplacée, méprisé par les antisémites et les hitlériens refoulés, s'était écroulé en 1974 avant d'être transporté à l'hôpital où il était décédé le 9 octobre.

Poldek considérait toutes ces visites et ces recherches comme un simple prélude à la rencontre de l'ancien secrétaire d'Oskar, Mietek Pemper, qui vivait et travaillait comme comptable à Munich. Pourtant, même pendant le voyage en avion entre les deux villes, Poldek, assis à côté de moi, avait continué à m'abreuver d'anecdotes, et moi à prendre des notes. Tout ce que j'avais entendu ces derniers jours m'empêchait de dormir ; j'étais bourré d'endorphines. Une force similaire nous poussait, moi à écrire sans arrêt, et Poldek à parler sans arrêt.

À l'aéroport de Munich, nous fûmes accueillis par le sobre et réservé Pemper, un homme instruit qui avait été le secrétaire d'Amon Goeth, commandant de Płaszów, puis celui d'Oskar Schindler. Au péril de sa vie, mais au nom de l'Histoire, et en guise d'éléments à charge contre Goeth, il faisait des copies carbone de tous les documents du camp, qu'il cachait ou fournissait à Schindler. Les SS, obsédés par l'accomplissement de leur plan et l'éradication d'une « race », ne prenaient pas en compte les gens comme Pemper, car selon leur logique, il était programmé pour disparaître lui aussi.

Pemper semblait encore posséder le tempérament discret et solitaire qui lui avait sans doute permis de collecter des copies de la correspondance de Goeth. Alors que nous allions jusqu'à sa Mercedes noire garée dans le parking de l'aéroport, je compris soudain que si Poldek avait jamais révéré quelqu'un, c'était cet homme. Pemper nous emmena au Musée national de Bavière et me présenta des documents importants sur les SS. J'avais le sentiment qu'il me testait, pour voir si j'étais la bonne personne et si je savais utiliser les sources. Il y avait une tendance chez certains rescapés, quand, pendant une réunion, Poldek s'absentait un moment, à me mettre en garde contre ses récits exubérants. Ils craignaient que ne soient publiés des éléments sujets à caution. J'étais moi-même conscient que, malgré mon propre enthousiasme, je devais être prudent, mais eux ne pouvaient pas le savoir. Cependant, lorsque trois ou quatre rescapés me racontaient la même histoire, et que cette histoire était corroborée par des documents... eh bien, dans ce cas, il me semblait qu'elle avait gagné le droit de figurer dans la version définitive.

L'érudit Pemper me proposa – ou plutôt me demanda, car ses bonnes manières faisaient qu'on avait du mal à distinguer l'offre de service d'une exigence – de lire mon manuscrit avant publication. Dans un cas comme dans l'autre, il serait capable d'y dénicher les exagérations et les erreurs, et j'étais très content qu'il soit disposé à le faire. C'était d'ailleurs une proposition/demande que beaucoup d'autres rescapés me feraient, de façon tout à fait légitime, et la validité de leur démarche serait la garantie que le livre s'inscrirait d'autant plus dans la tradition de Capote et des premiers Tom Wolfe.

À l'hôtel ce soir-là, après notre entretien avec Pemper, Poldek me montra un badge relativement quelconque. Il m'annonça avec fierté : « J'ai acheté ça pour 200 dollars à New York.

— Deux cents dollars ? C'est un badge spécial ?

— *Un badge spécial !* répéta-t-il en se moquant gentiment de moi. C'est le badge officiel d'Orbis, l'agence de voyages du gouvernement polonais. Ça ouvre des portes. »

Ses yeux brillaient d'espoir à la perspective des avantages que ce petit morceau d'émail pourrait nous valoir en Pologne.

Le lendemain, Pemper m'apporta un certain nombre des documents qu'il possédait sur Schindler, afin que je puisse les photocopier et les ajouter à mes archives ; puis, après me les avoir commentés en détail, il nous raccompagna à l'aéroport de Munich où nous prîmes un vol pour Varsovie. L'avion de la LOT paraissait un peu décrépit, et nous arrivâmes en début de soirée sous un ciel maussade. Le général Jaruzelski, Premier ministre de l'époque, avait interdit le mouvement Solidarność et s'apprêtait à déclarer la loi martiale sous la pression du maréchal Koulikov, commandant en chef russe du Pacte de Varsovie qui tenait vingt divisions de l'Armée soviétique prêtes à envahir la Pologne si le Kremlin l'estimait nécessaire. Les troupes soviétiques ne tarderaient pas à entrer en Pologne de toute façon puisque Koulikov avait insisté pour que les deux armées, russe et polonaise, se livrent à des exercices communs.

À l'aéroport mal éclairé de Varsovie, les agents des douanes et de l'immigration paraissaient menaçants. À vrai dire, la méfiance et l'hostilité régnaient partout dans le pays. L'habitude de réprimer la faim et la colère marquait les visages d'une tristesse indélébile.

Rien n'était fait pour réserver un accueil chaleureux aux voyageurs et, malgré une affiche çà et là pour le ski dans les Carpates ou de la vieille ville de Varsovie, ce n'était pas vraiment une destination touristique.

Comme tous les visiteurs, nous fûmes contraints d'annoncer combien d'argent et de bijoux nous avions sur nous. Des agents en uniforme armés et bourrus nous avertirent que nous devions exclusivement convertir nos dollars dans les bureaux de change officiels du gouvernement, et nous firent signer un document par lequel nous nous engagions à respecter cette règle et à présenter la preuve que nous l'avions fait au moment du départ. Ils nous remirent à cet effet un formulaire que nous devrions faire tamponner chaque fois que nous changerions nos dollars contre des złotys.

Après toutes ces formalités pénibles, une fois nos bagages récupérés, nous fûmes soulagés de franchir les portes coulissantes de la sortie et de découvrir dans le hall des arrivées un petit homme coiffé d'une casquette en cuir, tel un jockey, qui nous attendait avec un grand sourire. C'était notre chauffeur de taxi, Marek, dont Poldek entretenait la famille en lui envoyant des colis alimentaires et de l'argent. Il y eut de nombreux «*dzień dobry*» («bonjour») échangés alors que Poldek, refusant de se laisser intimider par la morosité ambiante, saluait son ami d'une voix tonitruante et l'embrassait bruyamment.

«Ce petit gars-là! s'exclamait-il en pinçant la joue de Marek entre ses doigts. C'est un bon Polonais. Il connaît Wałęsa. Il est de Solidarność. Il a travaillé sur le même chantier naval que Wałęsa!»

Le fait que Marek ne semble pas terrorisé par l'enthousiasme démonstratif de Poldek me remonta le moral, bien qu'il lui fît un geste de la main pour lui demander une certaine discrétion. En réponse de quoi Poldek se tourna vers moi et me dit à voix basse :

« Ne parle pas trop fort, Thomas. Il vaut mieux faire attention, au cas où un de ces fils de putes nous écouterait. »

Marek nous conduisit jusqu'à l'endroit où son taxi était garé.

Il insista pour porter nos lourdes valises, mais je gardai à la main la mallette que j'avais achetée à Poldek au mois d'octobre. Elle contenait désormais une mine d'or d'entretiens et des copies de documents que Mietek Pemper m'avait données. Je préférais ne pas m'en séparer, si bien que je la pris avec moi sur la banquette arrière de la Mercedes de Marek tandis que Poldek montait à l'avant pour pouvoir discuter en polonais avec son ami de la situation du pays.

Les avenues que nous parcourions semblaient toutes bordées des mêmes immeubles staliniens. C'était une ville sans joie, mais Poldek tenait malgré tout à se montrer joyeux. Un retour au pays, m'expliqua-t-il. « *Polonia* ! Mais Marek me dit que c'est plein de soldats russes, maintenant. »

Marek répondit quelque chose en riant. Poldek me traduisit la blague : « Si tu sens une odeur de pisse partout, c'est à cause des Russes. Ils se lavent les mains dans les WC et pissent sur le carrelage. Ils ne savent pas ce que c'est que des toilettes. »

Marek continua de raconter à Poldek la tragédie polonaise. Même si une épaisse couche de lassitude semblait recouvrir toute la ville, une flamme de patriotisme animait ces deux hommes dans un taxi en route pour l'Orbis-Europejski Hotel sur la rive ouest de la Vistule. Poldek me traduisait avec enthousiasme l'essentiel de leur discussion.

« Mon ami Marek était dans le Nord quand les frappes ont commencé sur le chantier naval, et les ouvriers sont restés assis sur les quais à saluer les gens qui passaient devant eux en voiture ou en tramway. *Saluer* ! Ça fait des années que personne ne se salue plus dans ce pays ! »

Je devinais au scapulaire miniature accroché à son rétroviseur et à la médaille miraculeuse fixée sur le tableau de bord que Marek était catholique, mais Poldek était visiblement solidaire avec lui dans leur identité polonaise. Contrairement à beaucoup d'anciens déportés, il ne voyait pas dans les décennies de malheur polonais après 1939 un juste retour des choses. Il les considérait comme la grande tragédie qu'elles étaient.

Avant de rejoindre nos chambres, nous prîmes congé de Marek, non sans avoir organisé avec lui notre emploi du temps pour les jours suivants. Nous n'aurions pas besoin de lui le soir même car nous allions dans la vieille ville où les véhicules étaient interdits.

Dans le hall étonnamment bien éclairé de l'hôtel, le bureau de change gouvernemental se trouvait juste à côté de la réception. Le taux officiel était fixé à 37 złotys pour un dollar. Pendant que Poldek nous enregistrait à la réception, je m'avançai vers le guichet pour changer mon argent. Mais Poldek me rattrapa par la manche.

« Trente-sept złotys pour un dollar ? C'est ridicule ! Quelle bande de voleurs ! Je peux nous avoir au moins le triple dans la rue.

— Au marché noir ? chuchotai-je timidement.

— Pas besoin de le crier sur tous les toits, Thomas, mon ami », me rétorqua-t-il avant de retourner conclure ses affaires à la réception, où l'employé paraissait aussi impressionné par son badge Orbis que Poldek l'avait prédit.

Pendant tout notre voyage en Pologne, venant corroborer son air assuré à toute épreuve, ce badge lui conféra une autorité immédiate et insoupçonnée auprès des employés d'hôtels, provoquant chez eux un certain émoi. Poldek s'empressait alors de les mettre à l'aise, les complimentant en polonais sur leur bonne mine avant de répéter des « *bardzo dziękuję* » (« merci beaucoup ») à l'envi. Là encore, ce n'était pas du cinéma. C'était sa façon de célébrer la survie du peuple polonais. Il inondait ses interlocuteurs d'une joie sincère et, en complimentant les Polonaises inquiètes de 1981, il chantait la gloire oubliée des filles de 1939, juives et catholiques, sur les têtes desquelles était suspendue sans qu'elles le sachent l'épée de Damoclès.

Nous allions passer plusieurs jours à Varsovie, non parce que nous devions y rencontrer beaucoup de survivants, mais parce que c'était le cœur des vies perdues des *Schindlerjuden*, la grande ville trépidante de leur jeunesse. C'était dans son vaste ghetto que s'était produite la principale insurrection. Même si, durant l'Occupation, elle avait été placée sous une autre juridiction que Cracovie, c'était un lieu essentiel.

Sur ordre de Hitler, Varsovie avait été entièrement dynamitée dans un dernier geste de châtiment culturel avant le retrait de ses troupes. Mais la vieille ville avait été reconstruite d'après photos et d'après les célèbres vues peintes par Canaletto. D'ailleurs de nombreuses rues de la vieille ville, accessible à pied depuis notre hôtel, étaient encore en travaux, et là encore Poldek en tira une joie toute patriotique : il était émerveillé qu'une nation pillée par les Allemands, puis économiquement et politiquement opprimée par le stalinisme, trouve la force de rétablir sa majesté d'antan, y compris le fascinant château royal, la cathédrale Saint-Jean et l'église des Jésuites. Sur la place du Marché de la vieille ville (Rynek Starego Miasta), Poldek resta un long moment à discourir. Les gens le contournaient à bonne distance. Avec Solidarność assigné à la clandestinité, ses membres arrêtés et tabassés par la police, seul un fou ou un puissant pouvait se permettre de pérorer si fort en public. Au bout du compte, il finit aussi par se taire. Se tenant immobile, il salua les morts de l'histoire, dont cette ville avait fourni d'innombrables bataillons.

Il y avait pas mal de restaurants dans les parages, et Poldek me fit ingurgiter une soupe à l'orge et aux boulettes, puis un délicieux plat de tripes farcies, considérées comme des déchets dans les pays plus riches mais cuisinées ici avec talent et succulentes. Nous terminâmes par des crêpes en buvant du vin rouge hongrois.

Même si le mouvement *Sanacja* du maréchal Piłsudski avait fait alliance, après la mort du vieil homme en 1935, avec le Camp de l'unité nationale (OZN), un groupe antisémite, Poldek considérait ces pavés, sur lesquels lui-même avait été élevé au rang d'officier, comme un territoire sacré. Quelques années après sa promotion, la division de Poldek avait entamé une amère retraite devant l'envahisseur allemand, depuis Wrocław en passant par Katowice pour finalement tenir une position à Cracovie. Mais les Allemands avaient contourné Cracovie, et la division de Poldek s'était de nouveau lancée sur les routes en direction de Lwów, sous les bombardiers voraces, jusqu'à prendre une dernière position le long de la rivière San, où Poldek avait été blessé, avait perdu son adjudant bien-aimé et avait été transporté à l'hôpital de Przemyśl par un sous-officier. Peu de temps après, la ville avait été envahie par l'armée allemande et Poldek, convalescent, avait été capturé. C'était pendant un transfert entre deux trains à Cracovie, alors qu'il était dans un convoi de prisonniers pour l'Allemagne, qu'il avait réussi à s'enfuir et à sauter dans un tramway pour aller se réfugier chez sa mère, rue Grodzka.

Poldek n'éprouvait guère de honte militaire quant à la défaite de 1939. Il semblait croire sincèrement, comme l'ensemble du monde libre à l'époque, que la Pologne avait été punie précisément pour son courage et son panache par une cruelle machine totalitaire qui ne respectait aucune des règles de la bravoure.

Quand nous rentrâmes à pied de la vieille ville pour regagner l'atmosphère moins exubérante de notre hôtel, le portier et tous les employés de la réception saluèrent respectueusement le badge Orbis de Poldek.

6

Pendant notre séjour à Varsovie, alors que les aubes plombées de l'automne cédaient la place à des journées de lumière grise sous laquelle la population terrorisée gardait la tête basse, Poldek m'emmena, dans un but pédagogique, à la prison de Pawiak. Cet établissement, une série de caves transformées en sordides cellules d'interrogatoire, avait hébergé des milliers de partisans polonais capturés, de Juifs se faisant passer pour des Aryens, et autres personnes de ce genre perçues comme des menaces pour l'équilibre de la civilisation. Autrefois, il y avait au-dessus des caves un bâtiment imposant, le tout formant une prison plus conventionnelle, mais elle avait été dynamitée par les nazis, et le zèle nationaliste polonais ne s'était pas encore attaqué à sa restauration.

Les dernières pensées ou presque de certains prisonniers étaient restées griffonnées sur les murs de Pawiak et étaient traduites en anglais dans un petit guide pour les visiteurs. Nombre de ceux qui avaient été fusillés sur place ou envoyés dans les camps de concentration étaient, comme Poldek, les enfants les plus passionnés de la Pologne. Des graffitis tels que « La Pologne est immortelle ! » étaient courants, ainsi que des phrases de défi affirmant qu'il faudrait plus que des balles pour vaincre le peuple polonais. Celui dont je me souviens le mieux, cependant, disait : « Oh, Dieu, comme ils m'ont frappé ! »

Entre-temps, Marek nous avait rejoints et il nous emmena faire le tour de l'ancien ghetto juif, occupé désormais par de mornes immeubles d'habitation, puis nous traversâmes la Vistule et nous enfonçâmes dans la campagne pour aller acheter du beurre au marché noir, à la fois parce que la famille de Marek en manquait mais aussi parce qu'il voulait nous montrer combien il était plus facile pour les paysans de supporter le rationnement alimentaire sous la tyrannie actuelle.

Poldek et moi n'avions pas réglé notre différend quant à la façon de changer nos dollars. Un matin, il me surprit dans le hall de l'hôtel alors que je me dirigeais subrepticement vers le guichet du bureau de change.

« Thomas, qu'est-ce que tu fais ? me demanda-t-il, incrédule.

— Je voudrais acheter une bouteille de vodka à la boutique. »

Tous les grands hôtels possédaient des boutiques où, au grand dam du petit peuple polonais, les touristes et les dignitaires du régime pouvaient s'offrir des produits de luxe, y compris les meilleures vodkas polonaises, la Wyborowa et la Pieprzówka, deux marques normalement réservées à l'exportation vers l'URSS.

« Écoute, je le fais simplement pour essayer, lui dis-je, même s'il savait désormais que j'étais un plus gros buveur que la plupart des Juifs et qu'un bon verre de vodka ne serait pas de refus le soir.

— Donne-moi ton argent, grogna Poldek, je vais te le changer, pour trois fois plus que le taux officiel ! Pourquoi tu vas dans ces bureaux de change débiles ? Combien tu as là ? Cent dollars ?

— Poldek, répondis-je, je n'aime pas ça. Tu es grand-père, bon sang ! Pourquoi tu ne me laisses pas faire ça de façon légale ?

— *Légale ?* Dis-moi ce qui est légal. Ce que veulent ces fils de putes de Russes ? Donne-moi ça. Je sais comment ça marche ici.

— Et comment ça va marcher à l'aéroport quand je vais me faire arrêter ?

— Thomas, mon cher ami, pourquoi tu t'inquiètes toujours à l'avance ? Tu crois que je te laisserai avoir des ennuis ? Toi ? Mon frère ?

— Même toi, tu n'y pourras rien. Je vais faire le change légalement. »

Il devint lugubre.

« Alors comme ça tu cèdes devant Jaruzelski ? Tu ne me fais pas confiance ?

— Arrête, voyons. Bien sûr que je te fais confiance.

— Alors donne-moi cet argent.»

Et la dispute continua ainsi. C'est l'impression que notre discussion commençait à attirer l'attention à la fois des employés de la réception et du caissier derrière le guichet du bureau de change gouvernemental qui me fit céder et lui confier mes billets.

«Laisse-moi t'accompagner.

— Ne sois pas idiot, me rétorqua-t-il.

— Tu n'es plus tout jeune, Poldek. J'insiste.

— Je t'aime comme un frère, Thomas, mais tu n'as pas assez d'expérience de la vie. Tu donnes toujours trop d'informations, à ton insu, et tu parles trop fort. Tu n'aurais pas duré deux semaines avec les nazis. Ils adoraient tuer les gens comme toi. Les poètes.

— Et si ton contact du marché noir est un policier en civil? murmurai-je. Un agent provocateur?

— Parce que tu crois que je ne sais pas faire la différence?»

Poldek, brave citoyen obéissant de Beverly Hills, ne voyait aucune raison de respecter les lois de la Pologne telles qu'elles étaient en cette fin d'hiver 1981. Il fut bientôt de retour avec les złotys promis et je pus acheter ma bouteille de Wyborowa auprès d'une vendeuse dont les yeux fatigués semblaient indiquer qu'elle-même aurait bien eu besoin d'un petit remontant.

Lorsque Poldek me proposa une excursion à Łódź, une ville industrielle à l'ouest de Varsovie, il avait un objectif affiché : aller se recueillir sur les tombes des grands-parents de Misia et de son père, le bon docteur. La mère de Misia, le Dr Maria Lewinson, avait une sépulture anonyme quelque part dans l'Est. Les grands-parents et le père de Misia étaient des Juifs assimilés à la réussite éclatante et ils avaient été enterrés avec les honneurs à la fin des années 1930 à l'issue d'une vie normale, avant le cataclysme. C'était parce qu'ils avaient entendu les histoires de membres du Camp de l'unité nationale, qui s'opposaient à l'entrée des Juifs à l'université en balafrant le visage des jolies filles juives, que les parents de Misia l'avait envoyée faire ses études à Vienne, une ville à l'antisémitisme plus feutré. En outre, les universités polonaises avaient un *numerus clausus* pour les étudiants juifs, ce qui rendait compliqué l'accès aux études pour Misia dans son pays natal.

Je savais qu'un bref voyage à Łódź serait intéressant pour moi dans la mesure où beaucoup de ceux qui s'étaient retrouvés dans le ghetto de Cracovie faisaient partie des deux cent cinquante mille habitants juifs de Łódź. Cette ville était également fascinante à mes yeux à cause de tout ce que j'avais lu sur un personnage étonnant nommé Chaim Mordechai Rumkowski, chef du *Judenrat* (Conseil juif) du ghetto de Łódź, qui travaillait en étroite collaboration avec les dirigeants nazis. Rumkowski avait cru que le ghetto pourrait devenir un espace semi-souverain où les Juifs pourraient mener des activités fructueuses en se rendant utiles au régime nazi dans la zone occupée du gouverneur général Frank. C'était un faux espoir que beaucoup de *Judenräte* avaient eu au début de la création des ghettos par les nazis. Sur la base de ce rêve, Rumkowski s'était profondément mépris sur son rôle et s'était lui-même attribué le titre grotesque de Son Altesse royale le prince Rumkowski du ghetto de Litzmannstadt (Litzmannstadt étant le nom allemand de Łódź). Il avait créé une monnaie à son effigie, ainsi que des timbres pour le service de courrier du ghetto, qu'il avait baptisé *Judenpost*. Sans doute était-il un homme vaniteux, ce roi des Juifs à l'intérieur du ghetto de Łódź. Mais il est vrai que les Juifs d'Europe n'avaient jamais rencontré une telle volonté d'anéantissement que celle des SS, et ils pensaient sûrement que, comme par le passé, ils pourraient négocier leur sort, en sacrifiant peut-être quelques-uns d'entre eux mais en assurant la survie de la majorité de la communauté.

Rumkowski avait fini par exhorter son peuple à l'été 1944 : «Juifs du ghetto, revenez à la raison! Portez-vous volontaires pour les convois!» Quand le ghetto fut libéré en janvier 1945, il restait moins de neuf cents Juifs en vie. Rumkowski lui-même avait été contraint de monter dans un convoi et avait disparu.

Marek nous conduisit à Łódź. C'était censé être le printemps, mais si la plupart de la neige avait fondu, la douceur printanière n'était pas encore arrivée. La forêt paraissait froide, les fermes recroquevillées et secrètes. Quelque part au milieu des arbres ruisselants près de Łódź, Poldek demanda à Marek de s'arrêter et de prendre un peu de repos pendant qu'il m'emmenait jusqu'à un paisible cimetière délabré d'avant la guerre, doté de sa propre petite gare où l'herbe poussait entre les rails et sur le quai. Le gardien roux émergea de sa loge miteuse. Il avait l'allure hirsute d'un chasseur. Poldek m'expliqua qu'il laissait toujours de l'argent à cet homme pour qu'il entretienne les tombes des grands-parents et du père de Misia. Seuls visiteurs ce jour-là, nous nous promenâmes dans les allées tapissées de feuilles mortes en déchiffrant les noms polonais et hébreux et en admirant les splendides monuments funéraires. Poldek trouva les sépultures des grands-parents et du père de Misia, marmonna que le gardien ne s'était pas foulé pour les entretenir et observa avec moi un silence recueilli. Puis il toussota.

« Fais ton truc catholique, me dit-il.

— Quel truc catholique ?

— Fais le signe de croix, Thomas. Ça ne les dérangera pas. »

Bien qu'il ait surestimé ma dévotion, je ne voyais pas de raison pour ne pas le faire et je lui donnai donc satisfaction. Après quoi, de retour à la loge, Poldek paya le gardien en dollars américains pour une nouvelle année d'entretien.

Nous visitâmes les rues grises de l'ancien ghetto, puis Marek prit la route vers le sud en direction de Cracovie. Un maigre soleil se risqua à éclairer les champs, qui parurent soudain jolis, éternels et tenaces. En approchant de Częstochowa, Marek se mit à ralentir derrière des camions entiers de conscrits russes avant de les doubler. Ils avaient l'air mornes et impassibles, tous semblables et extrêmement jeunes alors qu'ils nous observaient par le hayon de leurs véhicules. Nous étions encore en train de les doubler lorsque nous contournâmes le clocher sombre de la forteresse-église de Jasna Góra, sanctuaire de la Vierge noire miraculeuse. Je fus frappé par la proximité sinistre de cet endroit sacré avec Auschwitz, où d'autres femmes juives n'avaient pas été vénérées du tout. Mais, encore une fois, Poldek semblait impressionné par le culte puissant de la Vierge noire, et il observa un silence respectueux pendant que Marek se signait et effleurait les perles du chapelet ainsi que le scapulaire qui pendaient à son rétroviseur. « Le pape polonais a une grande dévotion pour la Vierge noire », me dit-il.

Je commençai à sentir l'excitation de Poldek monter alors que nous approchions de Cracovie par l'ouest. Même l'idée que son père et sa mère avaient été assassinés dans la ville voisine de Tarnów au cours d'une expérimentation précoce du monoxyde de carbone, et sa sœur dans un autre camp d'extermination, ne semblait pas ternir ses retrouvailles avec sa ville natale. Dans son esprit, les morts avaient été vengés par l'histoire, et il savait que sur terre ils n'obtiendraient pas davantage.

Nous devions loger dans le seul Holiday Inn de toute l'Europe de l'Est, dont le directeur était un très bon ami de Poldek et un autre destinataire de ses colis. J'étais un peu déçu que nous ne logions pas à l'hôtel Europa, pile sur la place du marché en plein centre-ville, ou bien au Cracovia. C'étaient deux grands hôtels délabrés qu'Oskar avait beaucoup fréquentés à leurs beaux jours. Le Holiday Inn se trouvait cependant à proximité de tous les lieux que nous voulions visiter, et son architecture était plus plaisante qu'on aurait pu l'imaginer. Le jeune directeur vint nous accueillir en personne dès notre arrivée, et son respect combiné au badge Orbis nous facilita grandement les formalités à la réception. Après avoir récupéré la clé de nos chambres, nous prîmes congé de Marek, l'ami de Walesa, à grand renfort d'embrassades et de meilleurs vœux fraternels. Pour la suite de nos aventures, nous avions l'intention de louer une Fiat, qui était, sous ses différents modèles, la voiture la plus répandue dans les rues des villes polonaises.

Alors que nous nous apprêtions à gagner nos chambres, Poldek me mit en garde : si de jolies femmes polonaises venaient toquer à ma porte pour s'offrir à moi au beau milieu de la nuit, il ne fallait surtout pas que j'accepte, il s'agirait sans nul doute d'« agents provocateurs ».

7

Cracovie, peu bombardée, prise sans gros dégâts par les Allemands en 1939 et pareillement envahie par les Russes en 1945, était sortie relativement intacte de la guerre. Alors que nous étions sortis faire un tour le premier soir, Poldek me chanta les louanges de cette ville en ignorant ses fantômes. Il me montra sur la Grand-Place (Rynek Główny) l'ancienne halle aux draps, la merveilleusement décorée Sukiennice, ainsi que la basilique Sainte-Marie (Mariacki), avec l'enthousiasme d'un enfant du pays. Et en effet, tout ici paraissait gracieux, construit pour une vie plus heureuse et plus élégante que l'histoire ne l'avait décidé.

Cracovie comptait un grand nombre d'églises, romanes et gothiques, et toutes étaient pleines de monde même au beau milieu de la journée. Mais elle possédait aussi d'anciennes synagogues, certaines datant du XVe siècle, dont beaucoup, en 1981, étaient à l'abandon et menaçaient ruine. Les vieilles rues résidentielles autour de la place rappelaient tantôt le style rococo de Vienne, tantôt l'architecture austro-hongroise du XVIIIe et du début du XIXe siècle. Malgré cela, à cause de l'effet de la pollution sur ses façades, la ville n'avait pas cette ambiance cinématographique du vieux Prague, et Poldek m'expliqua qu'elle s'était détériorée depuis la période de l'occupation nazie, lorsque le paradoxal Schindler vivait dans un bel appartement de la rue Straszewskiego. Après la guerre, la ville nouvelle et le grand complexe métallurgique imposés par Staline à Nowa Huta dans la banlieue est de Cracovie couvrirent de suie les gargouilles de Sainte-Marie, les pierres de la halle aux draps et les contreforts de la cathédrale sur la colline du Wawel, rongés par les pluies acides. Poldek pensait que c'était une politique délibérée du Kremlin que d'étouffer l'ancienne fierté de l'éclatante Cracovie sous la crasse toxique du stalinisme. Malgré cette crasse, la Grand-Place m'apparaissait immense, belle et antique, ce qu'elle était effectivement. Les gens la surnommaient «le salon de Cracovie». Mais, bien sûr, Staline adorait prendre le contre-pied de ce genre de prétentions bourgeoises.

Poldek, comme s'il essayait de me réconcilier avec la religion, insistait gentiment pour que nous visitions toutes les églises et se montrait empreint d'un recueillement solennel dans les vastes chœurs ou les minuscules chapelles. J'étais conscient que beaucoup d'autres rescapés voyaient la basilique Sainte-Marie non pas comme un glorieux exemple de l'art du Moyen Âge et de la Renaissance, mais plutôt comme une chaire depuis laquelle, pendant des siècles, les Juifs avaient été dénoncés comme les assassins du Christ.

Après les églises, et après avoir admiré les œuvres d'art et les étoffes en vente dans la Sukiennice, nous marchâmes vers le sud en direction de la Vistule pour pouvoir contempler le château situé au sommet d'une colline qui s'élevait depuis la rive. Nous commençâmes à grimper. C'était le Wawel, siège de la monarchie polonaise, puis résidence du SS *Obergruppenführer* (gouverneur général) Hans Frank, l'ancien ministre sans portefeuille du Reich qui avait été nommé par Hitler gouverneur général des Provinces polonaises occupées, avec Cracovie pour capitale. C'était sous sa juridiction que les plus grandes expériences de colonisation et de réimplantation des populations allemandes avaient eu lieu, et que le «problème juif» avait été abordé le plus directement. Sous Frank, également, l'intelligentsia et la résistance polonaises avaient été massacrées, comme la quasi-totalité des Juifs de Pologne. Malgré cela, encore une fois, le rescapé Leopold Pfefferberg m'emmena dès le premier jour, et par la suite à de nombreuses reprises, au Wawel, en dissertant sur ses diverses splendeurs, en particulier sa cathédrale.

Il y avait aussi, juste en face, un immense donjon : l'église du « pape polonais » de Poldek quand il n'était encore que l'archevêque de Cracovie. L'architecture du donjon et la décoration de ses appartements étaient outranciers à souhait et exprimaient le pouvoir plus que n'importe quel réalisateur de film ne pouvait en rêver. Une histoire raconte que, à la préhistoire, le Wawel était la tanière d'un dragon ; on peut encore visiter sa grotte dans la colline en contrebas. Avec Frank, bien sûr, le démon avait fini par sortir au grand jour. Il était très facile d'imaginer sa limousine d'apparat noire rutilante rouler sur les pavés de l'esplanade du château. Il avait continué à faire parler de lui même après la guerre, pendant sa captivité, pour s'être converti au catholicisme et avoir déclaré, dans un élan de repentance qui arrivait bien tard : « Il s'écoulera mille ans que la culpabilité de l'Allemagne ne sera pas encore effacée. »

Mais là encore, Poldek semblait voir en ce lieu la gloire retrouvée de la Pologne. « Le Wawel était polonais il y a un millénaire, disait-il, et il est de nouveau polonais aujourd'hui. » Nous entrâmes dans la cathédrale pour admirer le tombeau de Stanislas de Szczepanów, saint patron de la Pologne, puis le sarcophage gothique du roi Casimir le Grand, fondateur de l'université Jagellonne, où Poldek avait fait ses études. Je me demandais parfois ce qui arriverait si Poldek arrêtait de regarder ces merveilles d'un œil aussi positif : serait-il accablé par le sens qu'elles avaient pour sa famille disparue et lui-même ?

Depuis le Wawel, nous redescendîmes jusqu'à la rue Straszewskiego, au numéro 7 de laquelle avait vécu Schindler, dans un immeuble à l'architecture un peu outrancière, à la mode du XIXe siècle, mais situé dans un bon quartier de la ville. Son appartement avait été confisqué à une famille juive de la classe moyenne nommée les Nussbaum, qui allait finir sur la liste de Schindler.

Avant la guerre, la famille Pfefferberg vivait dans un plus vieil immeuble de style austro-hongrois, mais tout aussi confortable, au 48 de la rue Grodzka, de l'autre côté de la Grand-Place. Planté devant la façade – peinte de couleur crème, comme le voulait son style architectural –, Poldek était à présent submergé par les souvenirs de son père, de sa mère, la décoratrice d'intérieur, et de sa jeune sœur, tous les trois radiés de l'Europe.

À la fin des guerres napoléoniennes, quand le congrès de Vienne avait créé une petite république de Cracovie souveraine, une ville libre un peu comme Dantzig avant la Seconde Guerre mondiale, les Juifs assimilés étaient autorisés à habiter dans les mêmes rues que les gentils. Sous les Autrichiens, les ancêtres de Leopold Pfefferberg vivaient encore dans les quartiers bourgeois de Cracovie, non loin de l'ancien ghetto juif de Kazimierz. L'immeuble crème de Poldek, semblable à ceux qu'on retrouve à Prague ou à Vienne, incarnait la tension qu'avaient subie les juifs à travers l'histoire, entre assimilation laïque et mémoire orthodoxe. Cette question n'avait sans doute jamais été aussi centrale pour les Juifs allemands et polonais qu'à la fin du XIXe siècle. Les Juifs assimilés dans des métiers ou des quartiers de gentils espéraient prouver, grâce à leur compétence professionnelle et à leur loyauté civique, associées à une pratique modérée de leur religion, qu'ils pouvaient être de bons citoyens européens, et vaincre ainsi l'éternel antisémitisme. Les familles juives issues du milieu des Pfefferberg pensaient enrichir, et non diminuer, leur judaïté par le fait de vivre au sein d'une culture plus large. C'est ainsi que Poldek, avec une joie légèrement ternie à présent et moult références légitimes à « ce fils de pute de Hans Frank » et autres nazis dont il se souvenait, se tenait devant l'immeuble familial où sa mère avait eu son cabinet de décoration d'intérieur. Il était clair que Poldek considérait sans équivoque cet endroit comme sa maison et, en même temps, se rendait compte qu'il en avait été séparé par traîtrise. C'était là, fuyant ses gardes à la gare de Cracovie, qu'il avait rencontré Oskar pour la première fois, quand Herr Schindler était venu consulter Mme Pfefferberg sur la décoration de son appartement.

Sur ce trottoir en 1981, alors que des hommes nous dépassaient en nous jetant des regards obliques sous leur casquette, avec leur méfiance perpétuelle, Poldek me raconta une histoire qui montrait à quel point l'expropriation des biens juifs, des objets à valeur symbolique de la maison, résonnait encore dans ses rêves. Lorsque son père, sa mère, sa sœur et lui avaient été expulsés de cet appartement en décembre 1939 et forcés de déménager dans le ghetto, ils avaient dû abandonner leurs meubles. Parmi les pièces auxquelles les Pfefferberg tenaient le plus, il y avait un plateau tournant en argent finement travaillé par des orfèvres et hérité d'ancêtres ayant vécu au XIXᵉ siècle; un détail dans la masse des confiscations SS, mais dépositaire de l'esprit d'une famille. C'était l'objet, me confia Poldek, qu'il cherchait toujours sur les marchés aux puces parisiens, chez les antiquaires de Londres, de Prague ou de New York. Il croyait encore qu'un jour ses yeux tomberaient dessus et qu'il le récupérerait pour sa sœur, rendant ce qui lui appartenait à cette jeune fille qui, prise avec son mari en possession de faux papiers aryens à Varsovie et exécutée à la prison de Pawiak, avait été privée de tout dans la mort.

Les parents de Poldek n'étaient pas identifiés comme des juifs orthodoxes mais, même s'ils habitaient une rue bourgeoise, nous n'étions qu'à une courte distance du quartier juif de Cracovie, un ghetto plus ancien et moins dur que celui de Podgórze créé ensuite par les nazis. Ce vieux quartier juif de Kazimierz, ainsi nommé en l'honneur du roi Casimir le Grand en 1335, était à l'époque séparé de Cracovie par un bras de la Vistule, mais depuis, l'expansion de la ville avait fini par l'englober. Quand nous le visitâmes, je découvris un lieu empreint de mélancolie, où seules quelques anciennes synagogues rappelaient son passé juif disparu. Poldek et moi remontâmes la rue Szeroka et grimpâmes les marches de la Vieille Synagogue (Stara Boznica), abandonnée et fermée, qui datait de la fin du XVᵉ siècle. Le silence résonnait douloureusement sous son porche et sur la place qui l'entourait. C'était un bâtiment fascinant, d'allure romane, et bien que ce soit désormais un site touristique à l'heure où j'écris ces lignes, c'était loin d'être le cas en 1981 au moment de l'austérité et de la faim. Pour Poldek, cette synagogue évoquait son enfance, car c'était là que ses parents l'emmenaient pour Yom Kippour.

Elle avait également un lien étroit avec Schindler. Itzhak Stern, le comptable, raconterait que Schindler l'avait prévenu à l'avance des premières exactions commises par les SS à Kazimierz. Un groupe composé de SS d'un *Einsatzgruppe* (une unité d'élite pour les opérations spéciales) et de policiers du SD, le *Sicherheitsdienst* ou « service de la sécurité », qui était également le service de renseignements du parti, avait débarqué pour mener le premier grand raid sur le vieux ghetto juif en décembre 1939. Les appartements juifs furent pillés mais, comme c'était la première fois, les gens pensèrent qu'ils étaient en droit de protester contre de telles confiscations. C'était l'heure de la prière à la Vieille Synagogue, et on y conduisit un certain nombre de familles juives qui ne participaient pas au culte. Toutes furent fusillées, puis la synagogue fut incendiée, mais ne brûla pas entièrement.

Plus loin dans la rue Szeroka, Poldek m'emmena jusqu'à la synagogue Rem''ou, datant du XVIᵉ siècle. Elle était également désaffectée, hormis la présence d'un vieux gardien juif orthodoxe. Dans le cimetière attenant s'entassaient les unes contre les autres des pierres tombales gravées d'inscriptions en hébreu, dont les dates allaient de 1551 aux alentours de 1800. Le long des allées et des buissons étaient disposées les stèles qui avaient été fendues par les tirs des nazis le soir du massacre de décembre 1939, ou récupérées dans la vieille synagogue Jerozolimska de Płaszów. Les fragments de tombes de Jerozolimska avaient été utilisés par les SS à des fins à la fois symboliques et techniques pour paver la route qui menait jusqu'au camp de concentration de Płaszów. Rapportés ici après la guerre, ceux qu'on n'avait pu recoller ensemble avaient été intégrés à un petit mur circulaire. D'autres fragments similaires étaient posés le long des hauts murs du cimetière, lui conférant un air d'endroit abandonné, de morts oubliés, de tombes jamais visitées.

Cracovie. Cette ville merveilleuse avait été le terrain de jeu d'Oskar Schindler pendant la guerre. Il ne se rendait pas sur la

Grand-Place pour admirer la magnifique halle aux draps vieille de sept cents ans, mais pour y fréquenter les hôtels, les bars et les clubs de jazz, ces derniers ouvrant malgré la condamnation officielle de cette musique jugée par les nazis comme décadente et négroïde. Beaucoup des compatriotes allemands de Schindler à Cracovie – dont Ingrid, que j'avais interviewée à Long Island – étaient des *Treuhänder*, des officiels mis en place par le Reich pour gérer les affaires confisquées aux Juifs. Schindler, cependant, s'était toujours vanté auprès des rescapés – et c'est ce qu'il avait affirmé dans un document rédigé à la fin des années 1950 – d'avoir repris une fabrique d'émail en faillite baptisée Rekord, pour ne pas se limiter à diriger une entreprise en tant que *Treuhänder*, sous la houlette autoritaire et corrompue de la German Trust Agency.

Je me suis demandé depuis, davantage qu'à l'époque où j'ai écrit le livre, si *tout* l'argent que Schindler avait rassemblé pour acquérir et relancer cette usine ne provenait pas secrètement d'investisseurs juifs dont les liquidités étaient officiellement gelées. On sait d'après plusieurs témoignages qu'une partie émanait en tout cas de telles sources. Mais une autre partie pouvait venir de l'Abwehr.

À en croire l'excellent documentaire de l'Anglais John Blair suscité par la parution de mon livre, Schindler, en tant qu'agent de l'Abwehr, avait largement contribué à fournir aux Allemands un prétexte pour envahir la Pologne. Blair était parvenu à retrouver Majola, la maîtresse de Goeth, ce que Poldek et moi n'avions pas réussi. Elle était en train de mourir d'un emphysème au moment où Blair avait tourné son documentaire en 1983 et elle donne à l'écran une image pitoyable, suffoquant devant la caméra. « Nous étions tous de bons nazis, souffle-t-elle d'une voix rauque, si proche de la mort qu'elle n'a plus peur d'affirmer ce genre de choses. Oskar était un bon nazi.» Elle racontait aussi que, dans les semaines précédant le déclenchement de la guerre, une note avait été envoyée à tous les bureaux de l'Abwehr, demandant si quelqu'un avait la possibilité de se procurer des uniformes de l'armée polonaise. Bien entendu, rien n'indiquait la raison de cette requête, mais Schindler qui, en tant que représentant de commerce pour une marque de tracteurs, voyageait régulièrement en Pologne et dont le bureau de l'Abwehr était basé pile à la frontière tchéco-polonaise, à Ostrava dans les Sudètes, se proposa d'en acquérir. Ces uniformes, affirmait Majola à tort ou à raison, étaient ceux portés par les soldats allemands qui attaquèrent une radio de langue allemande juste de l'autre côté de la frontière germano-polonaise et tuèrent tous ses employés *Volksdeutsche*. Ces meurtres furent aussitôt utilisés par Goebbels et Hitler pour justifier l'entrée des troupes allemandes en Pologne afin de protéger leurs compatriotes.

Si Majola disait juste, alors Schindler devait avoir un sérieux crédit auprès de l'Abwehr, et on pouvait penser que sa carrière industrielle avait été en partie financée par elle. D'ailleurs ses adjoints de l'Abwehr, le lieutenant Eberhard Gebauer et le lieutenant Martin Plathe, étaient souvent vus en compagnie de Schindler, qui les considérait comme de braves types, ce qu'ils étaient apparemment. Devenu espion et homme d'affaires à Cracovie, Schindler transmettait désormais au bureau de l'Abwehr à Wrocław des rapports sur les plans et le comportement de leurs rivaux dans la SS, y compris ce qu'il savait sur le développement des programmes d'extermination. La Cracovie de Schindler était une ville compliquée, mais il s'y plaisait.

Le camp de Schindler, le ghetto juif et Płaszów se trouvaient de l'autre côté de la Vistule, plus au sud. Poldek et moi nous y rendîmes en tramway en longeant la rue Lwowska, qui jadis coupait le ghetto en deux. Nous arrivâmes dans un quartier lugubre de bâtiments semi-industriels qui n'avait rien à voir avec la splendeur de la vieille ville autour de la Grand-Place. Nous marchâmes jusqu'au 4 de la rue Lipowa, où se trouvaient les bureaux de Schindler ainsi que les bâtiments de la Deutsche Email Fabrik, ou Emalia, comme la surnommaient les Juifs de Cracovie. Je reconnus d'emblée le lieu d'après une photo que

Poldek m'avait montrée, sur laquelle on pouvait voir Oskar et ses employés de bureau devant l'entrée de la DEF. Oskar se tenait au milieu du groupe, quasiment de profil. On apercevait les fenêtres des bureaux au premier étage, où se prenaient toutes les décisions stratégiques. Parmi les personnes autour d'Oskar se trouvait Victoria Klonowska, sa secrétaire polonaise, une rousse magnifique avec qui il avait entretenu une liaison au même moment que sa relation avec Ingrid. Il y avait aussi certains de ses comptables juifs. Un drapeau nazi flottait aux deux extrémités de la grille derrière eux, suffisamment large pour laisser passer des camions plein d'émail. Sur l'auvent qui la surplombait, quelqu'un avait peint l'inscription « 4 JAHRE D.E.F.» (4 ans de DEF). Cette impressionnante photo avait été prise au printemps 1944, le dernier d'Emalia, et Spielberg allait finir par la reconstituer, comme plusieurs autres photos du Płaszów d'Oskar et de Raimund Titsch, dans son film dont personne, à part Poldek, n'avait jamais rêvé.

Sur cette photo, on devine derrière les personnes réunies, derrière la silhouette massive d'Oskar, la présence et le dur labeur des travailleurs-esclaves d'Emalia à l'intérieur des baraquements qu'Oskar leur avait fait construire au-delà de l'usine pour les mettre à l'abri des dangers qu'ils couraient en faisant l'aller-retour avec le tristement célèbre camp du commandant Goeth à Płaszów, six kilomètres au sud dans la campagne.

Dans la morne rue Lipowa, Poldek et moi contemplâmes la façade du bâtiment. Elle était, comme Oskar le disait lui-même, influencée par le style de Walter Gropius, avec de grandes fenêtres donnant sur la rue. C'était désormais une usine de composants téléphoniques. Le seul homme tapageur de toute la Pologne, Poldek, entra avec moi dans le bâtiment et se lança dans une grande discussion avec le gardien, au pied de l'escalier qui menait à ce qui était jadis le bureau d'Oskar. Ces marches, Oskar les avait montées et descendues moult fois. De même qu'Itzhak Stern, son comptable, et Abraham Bankier, un membre de la famille liée à l'usine en faillite qu'Oskar avait rachetée. Ces personnages, désormais familiers, étaient en train de devenir des figures mythiques à mes yeux et leur passage dans ces murs conférait à ce lieu banal une aura de légende.

Poldek conclut enfin sa discussion avec le gardien, qui décrocha son téléphone pour appeler quelqu'un à l'étage. C'était précisément dans cet endroit, aussi bien en vrai que dans le film, que Mlle Regina Perlman, une jolie jeune fille juive qui essayait de survivre avec de faux papiers aryens, était venue supplier Oskar de sauver ses parents de Płaszów en les faisant venir à la DEF.

Poldek demanda à parler au directeur. Un officiel descendit à notre rencontre et Poldek nous présenta. L'homme parlait anglais avec un accent américain. Il était hors de question de nous faire visiter l'usine, expliqua-t-il, entre autres parce qu'elle fabriquait des pièces à destination des armées polonaise et soviétique. Poldek expliqua alors d'une voix pleine de respect et de flagornerie que nous faisions des recherches sur le sort de l'usine pendant la Seconde Guerre mondiale ; est-ce qu'il serait possible de voir simplement le bureau du directeur ? L'homme finit par céder. Nous le suivîmes à l'étage jusqu'à une grande salle d'attente où étaient exposés des conducteurs et des bouts de câbles qui avaient l'air de piètre qualité, la partie non secrète des activités de l'usine. De hautes fenêtres donnaient sur l'atelier, où les ouvriers ne semblaient pas spécialement pressés de livrer le matériel nécessaire aux armées du Pacte de Varsovie. Le découragement et le manque d'énergie qui venaient d'une mauvaise alimentation et de l'absence de liberté sautaient aux yeux, et Poldek m'assura que les employés d'Emalia travaillaient bien plus dur de leur plein gré.

Pour son bureau personnel, Oskar, en bon phallocrate qu'il était, ne sélectionnait que les plus belles secrétaires polonaises. Toujours dépensier, il leur offrait à Noël et à Pâques des jambons et autres produits de luxe acquis au marché noir, de sorte que même sur cette photo de 1944, au plus fort de la disette, elles paraissaient en pleine forme. Et c'est dans ce même bureau qu'Itzhak Stern apportait les noms des vieillards, des jeunes filles et des enfants qui avaient particulièrement besoin d'être sauvés de Płaszów.

Ayant fait ami-ami avec notre accompagnateur, Poldek se mit à promettre des choses extravagantes à tous les officiels présents dans le bureau. Il allait y avoir un livre extraordinaire sur l'héroïsme polonais pendant la guerre ! Et il y aurait aussi un film. Est-ce que chacun des dirigeants voulait bien avoir l'obligeance de lui laisser sa carte ? J'avais déjà remarqué cette propension à la collecte de cartes de visite, comme si chaque nom supplémentaire lui donnait un peu plus d'autorité auprès des Polonais.

À ma demande, nous revînmes rue Lipowa à plusieurs reprises pendant notre séjour à Cracovie. Parmi toutes ces avenues à l'austère architecture industrielle polonaise, elle conservait sa singularité grâce à la couleur crème de ses façades et au porche qui en marquait l'entrée, mais elle n'avait aucun autre signe distinctif aux yeux d'un badaud à moins qu'il ne connaisse son histoire exceptionnelle.

Un peu plus loin vers l'est, nous arrivâmes dans la banlieue de Podgórze, emplacement du nouveau ghetto qui avait été instauré par décret le 3 mars 1941. Les Juifs étaient censés s'y installer avant le 20 mars, et tous ceux qui ne l'auraient pas fait à temps pouvaient s'attendre au pire. Les Juifs de Cracovie et d'un certain nombre d'autres villes, dont Tarnów et Łódź, vinrent s'y entasser progressivement, une famille ou deux, voire trois ou cinq par pièce, dans un secteur d'environ six rues sur quatre. Des murs furent érigés le long de la rue Lwowska afin d'empêcher les passagers du tramway de voir le ghetto. Ils furent décorés de festons d'inspiration moyen-orientale, plutôt égyptiens en apparence, pour aller avec la grille de style moyen-oriental de ce quartier que les SS avaient baptisé *Judenstadt*, la « ville juive ». Encore en 1981, si longtemps après la « liquidation » du ghetto, certains de ces murs-écrans étaient encore en place sur la rue Lwowska.

Comme à Łódź, l'attribution des logements dépendait du *Judenrat*, qui tentait d'adoucir la situation en coopérant avec les autorités, surtout maintenant qu'il croyait que le pire – la confiscation des appartements et des sociétés – était passé. Et, toujours comme à Łódź, le *Judenrat* obéit aux demandes des nazis : il sélectionna un certain nombre de gens pour qu'ils soient transportés hors du ghetto, commençant par accepter le sacrifice de quelques individus pour le bien commun avant de comprendre petit à petit que le système était un ogre qui finirait par tous les dévorer. À chaque nouvelle déportation, les personnes devant être acheminées vers l'est étaient surveillées pendant qu'elles montaient dans les camions par la police juive du ghetto, l'*Ordnungsdienst* (OD). Ceux-là étaient eux-mêmes passés de l'innocence à la collaboration et aimaient croire que leur propre voyage vers l'oubli pourrait ainsi être évité.

Le jour où Poldek m'emmena rue Jósefińska en 1981, l'ancien ghetto était essentiellement peuplé de Polonais catholiques. Mais l'endroit ne respirait pas la joie collective. Les habitants n'ignoraient rien de la bêtise et des dangers de l'histoire. On pouvait voir dans les cours des enfants emmitouflés souffler des nuages de condensation dans l'air et jouer avec de vieux tricycles sur le sol glacé tandis que leur mère étendait du linge. Poldek me montra le 2 de la rue Jósefińska où Misia et lui avaient habité, jeunes mariés. Il y avait aussi l'entrepôt de bois où, pendant la dernière liquidation du ghetto au début de l'année 1943, il s'était brièvement caché des SS, jusqu'à ce qu'il entende les limiers approcher et qu'il émerge juste à temps pour voir les SS et leurs chiens tourner le coin de la rue dans sa direction.

Il m'emmena dans une arrière-cour de la rue Limanowskiego où, dans une cave au temps du ghetto, un vieil homme fabriquait du vin pour le Séder et pour la consommation générale ; lors d'une descente des SS appuyés par la police polonaise, il avait été fusillé sur place. Poldek discourait sur cette tragédie avec sa grosse voix habituelle quand, en levant les yeux, nous vîmes des gens qui nous observaient timidement par la fente de leurs rideaux. «Ils doivent croire qu'on est du KGB ou quelque chose comme ça, me dit Poldek. On est trop bien habillés.» Mais soudain il reconnut une des femmes qui nous épiaient ainsi. Il se mit à lui crier en polonais : «Regina, *darling*! Dzień dobry. Przepraszam!» Puis il se tourna vers moi : «C'est une fille merveilleuse que je connaissais quand j'étais petit. On était au *Gymnasium* ensemble.»

Et c'est ainsi que nous entrâmes dans une cage d'escalier qui puait la pisse et que nous grimpâmes les marches quatre à quatre. Arrivé là-haut, Poldek lança : «Regina, c'est moi. Poldiu Pfefferberg.» Et enfin une porte s'entrebâilla. «Tu te souviens de Poldek Pfefferberg, ma chère amie? Je suis devenu le professeur magister Leopold Pfefferberg au *Gymnasium*. Mais avant, nous étions enfants ensemble.» La porte s'ouvrit complètement.

Nous pénétrâmes dans l'appartement et Poldek contempla avec tendresse la Polonaise aux cheveux blancs qui se tenait dans le vestibule, dans une attitude empreinte à la fois de nervosité et de dignité. Elle s'écarta pour nous laisser entrer, et quand nous fûmes à l'intérieur un vieil homme coiffé d'une kippa émergea de la pénombre et ferma la porte derrière nous. Nous passâmes du vestibule au salon. En des temps plus heureux, cet appartement avait été bien conçu afin de recevoir le soleil en hiver, mais à présent tous les rideaux étaient tirés. Personne ne semblait vouloir regarder en face le soleil perfide. Regina et le vieil homme parlaient à voix basse, et ils accueillirent Poldek avec chaleur mais une certaine retenue, si bien que mon compagnon de voyage se mit lui aussi à chuchoter.

J'appris que l'homme n'était pas le mari de Regina mais un autre rescapé de la Shoah. Regina et lui faisaient partie des deux cents Juifs qui restaient à Cracovie. Le gouverneur général Frank, qui avait rêvé d'une Cracovie *Judenrein* – «nettoyée de ses Juifs» – n'était pas loin d'avoir réussi son pari.

Regina alluma la lumière dans la pièce sombre et je m'aperçus alors que c'était un véritable petit musée. Sur les tables le long des murs se trouvaient d'antiques coupes de kiddouch, des chandeliers et des plateaux de shabbat. Il y avait encore d'autres ustensiles en argent qui m'étaient vaguement familiers : une couronne de Torah cabossée, un bougeoir pour la havdalah. On pouvait voir aussi des morceaux de parchemin ainsi qu'un rouleau complet de la Torah portant un texte enluminé rédigé dans une écriture ancienne. Enfin des fragments d'une arche de la Torah, et plusieurs petites baguettes en argent, les *yadim*, terminées par une minuscule main permettant au rabbin de suivre le texte sacré sans l'abîmer.

Tous ces objets, à l'heure où j'écris, ont probablement été regroupés dans le musée de la Vieille Synagogue de Kazimierz, qui n'existait pas encore en 1981. Ils appartenaient à la Vieille Synagogue de 1570, à la petite synagogue Rem''ou du XVIe siècle, jouxtée par son extraordinaire cimetière, et à la synagogue Popov, de construction plus récente, c'est-à-dire les trois synagogues du vieux quartier juif de Kazimierz.

Regina insista pour nous faire de la *herbata* (du thé), et sortit du miel et du sucre. Quelques jours plus tôt, à Cracovie, j'avais visité une épicerie d'État où les seuls articles en vente étaient des cornichons, du savon et de l'eau minérale. Quand arrivait une cargaison de confitures, de sucre ou de thé, expliqua Regina à Poldek, c'était uniquement par le bouche-à-oreille qu'elle le savait. Une fois sur place, il fallait faire la queue pendant des heures. Qui plus est, la moindre transaction était compliquée. Tout article nécessitait un récépissé, une précaution contre le marché noir. Le vieux monsieur à la kippa abondait par des hochements de tête. La simple survie était une épreuve.

Alors que nous prenions congé, Poldek couvrit Regina de compliments sur sa beauté et, malgré ses vives protestations, lui fourra une liasse de dollars dans la paume en lui disant que c'était pour l'entretien du musée et son propre bien-être.

8

Parmi la collection de photos de Poldek s'en trouvait une d'Oskar en tenue d'équitation, prêt pour une de ses excursions dans les bois autour de Cracovie. Après la guerre, Oskar avait raconté qu'en juin 1942, alors qu'Ingrid et lui se promenaient à cheval dans un petit parc vallonné baptisé Bednarskiego, au sud du ghetto, ils avaient assisté à une des premières et des plus féroces *Aktionen*, une rafle visant à déporter les enfants, les vieux et ceux qui n'avaient pas leurs documents de travail, les *Blauscheine* et les *Kennkarten*. C'était le jour où la petite Genia, membre de la famille Dresner, était sortie dans son manteau rouge pétant.

Oskar avait laissé entendre qu'il avait eu vent à l'avance de cette *Aktion* et qu'il s'était volontairement positionné sur cette colline. Bien qu'un historien ait affirmé par la suite qu'Oskar n'avait pu, de ce point de vue, assister à la rafle, lorsque Poldek m'y emmena en 1981, je constatai qu'en se promenant entre les arbres nus on avait vue sur les rues du ghetto orientées nord-sud (mais pas sur les perpendiculaires), et je pouvais très bien imaginer le chaos et la sauvagerie visibles par Oskar à tous les carrefours en 1942, quand les jeunes soldats de la SS, de bons fils de famille pervertis par la licence qui leur était permise, traquaient les mères qui essayaient de cacher leur bébé, attrapaient les nourrissons par une cheville et les écrasaient contre les murs.

Je n'ai jamais cru que les SS étaient fous ; au contraire, Himmler expliqua qu'il faisait très attention à éliminer les hommes porteurs de pulsions meurtrières. Pour convaincre ses jeunes recrues saines d'esprit de la nécessité et des mérites du meurtre, il modifiait le sens des mots, appelant par exemple le corps chargé du massacre des Juifs, placé en première ligne, les *Einsatzgruppen*, un titre noble.

« Voilà ce que je voulais te montrer », disait Poldek après chacun de nos arrêts dans le ghetto. Il y régnait une telle intimité avec l'horreur ! Poldek m'indiqua l'emplacement de l'hôpital d'urgence, où les patients incapables de se lever avaient été tués dans leur lit sous les yeux du personnel médical, lui-même sur le point d'être assassiné. À l'hôpital général, sur la frontière ouest du ghetto, les médecins et les infirmières avaient charitablement fait avaler aux malades une dose de strychnine afin que les SS ne trouvent que des cadavres.

La place Zgody, la place de la Concorde, était un peu plus loin à l'est, après le petit musée de Regina. En 1981, c'était un coin tranquille. Mais à l'époque du ghetto, c'était là et dans l'usine Optima voisine que les personnes sélectionnées lors des *Aktionen* étaient chargées de force dans des camions. Sur la place Zgody, quarante ans avant notre visite, le moindre geste de résistance venait ajouter des cadavres aux piles déjà accumulées sur le trottoir.

Les milliers de gens qu'Oskar avait vu rafler ce jour d'été de 1942 furent, apprit-il plus tard, gazés au monoxyde de carbone dans le camp de Bełżec à l'est de Cracovie, ou dans des véhicules Renault spécialement conçus à cet effet. Apparemment, il prit conscience de ces exécutions massives dans le cadre de son travail pour l'Abwehr, qui souhaitait garder un œil sur ces actes inimaginables. Le gazage des prisonniers avait commencé, mais son nom de camouflage était, même au début de l'année 1943, quand le ghetto fut finalement liquidé, « traitement spécial », *Sonderbehandlung*. Le tri entre les personnes destinées à l'extermination et celles qui pouvaient encore travailler s'appelait *Gesundheitsaktion*, « action de santé ».

Sur la place Zgody, avais-je entendu dire par tous les survivants que j'avais interviewés jusque-là, se trouvait la pharmacie de Tadeusz Pankiewitz. C'était un pharmacien non juif à qui on avait permis de rester dans le ghetto et, malgré une pénurie de médicaments de plus en plus criante, il avait servi les Juifs de façon héroïque. Son officine existait toujours en 1981 et une plaque sur sa façade honorait cet homme qui s'était précipité au-devant des SS armés pour tenter de porter secours aux personnes exécutées sommairement lors des rafles et dans les dernières heures du ghetto. Poldek disait qu'il avait bien connu Pankiewitz au cours de ses propres allers-retours dans le ghetto. Avec ses hautes pommettes slaves, Poldek pouvait facilement passer pour un Polonais catholique et le *Judenrat*, ou d'autres, le chargeaient souvent de diverses courses.

Une des raisons qu'avait Poldek d'entrer et de sortir du ghetto, en traversant la place Zgody et en franchissant la grille d'inspiration orientale qui donnait sur la rue Lwowska, où l'on pouvait prendre un tramway pour le centre-ville, était la création par les nazis d'une nouvelle monnaie interdite aux Juifs. Au prix de risques personnels considérables, il transportait en ville les fonds d'organisations et d'individus du ghetto, et il les échangeait contre cette nouvelle monnaie plus sûre au meilleur taux qu'il parvenait à négocier avec les changeurs non juifs, autorisés à utiliser les deux devises. Pas étonnant que les trafics de monnaie au marché noir ne lui fassent pas peur ! J'avais déjà entendu ça dans la bouche d'autres rescapés, que Poldek était doué pour ce genre de missions, qu'il conduisait sans porter son étoile jaune et donc sous la menace d'une exécution sommaire.

Poldek parlait avec affection d'un policier allemand qu'il rencontrait souvent à la grille, Wachtsmeister Oswald Bosko, fervent catholique contrairement à Oskar, qui laissait passer de la nourriture et des médicaments de contrebande dans le ghetto sans exiger de pots-de-vin en contrepartie. À une période où les gens ne savaient pas si leurs enfants étaient plus en sécurité à l'intérieur ou à l'extérieur des murs, Bosko laissait passer les enfants en cachette dans les deux sens, car ils risquaient d'être raflés ou exécutés s'ils entraient ou sortaient à la vue de tous. Ryszard Horowitz, futur photographe de renom, avait ainsi été ramené dans le ghetto depuis l'endroit où il se cachait en dehors pour rejoindre ses parents qui lui manquaient ; son camarade Roman Polanski avait au contraire été sorti en cachette. Oswald Bosko finirait par être arrêté en raison de ses activités projuives, jugé et exécuté. Il a été honoré par Yad Vashem à Jérusalem ; malheureusement, il n'existe aucune photographie de cette belle âme.

Nous avions presque fini d'arpenter le ghetto, attirant à tous les coins de rue des regards suspicieux alors que Poldek m'entraînait dans des cours et le long de trottoirs striés d'urine. Il me montra quelques lieux emblématiques comme l'ancienne Caisse d'épargne polonaise, où les gens venaient retirer les certificats dont ils avaient besoin pour leur survie. Un jour, on ne lui avait pas remis de *Blauschein* et il avait failli être embarqué dans un camion, simplement parce que son activité de l'époque, précepteur des enfants de Symche, le chef m'as-tu-vu de la police du ghetto, n'était pas considérée comme essentielle.

Quand un prisonnier avait survécu au ghetto et à sa liquidation par l'officier SS Amon Goeth, il se retrouvait dans le nouveau camp de Płaszów. Płaszów se situait à l'époque dans la campagne proche de Cracovie, à six kilomètres au sud-est de la ville sur la route de Lwów. En 1981, c'étaient encore de grands espaces vides, bien que partiellement grignotés par de nouvelles constructions. Ce que les prisonniers appelaient la « villa » du commandant était toujours debout, entourée par celles de ses officiers supérieurs. En ce jour pluvieux de printemps où Poldek et moi passâmes devant, elles étaient bien sûr de nouveau occupées par des Polonais. Dans leur stuc ordinaire, la « banalité du mal » – selon la célèbre expression d'Hannah Arendt – était encore visible.

Le cœur de ce qui avait jadis été le camp était un vaste champ avec, d'un côté, la ville qui gagnait du terrain, et de l'autre l'ancienne fortification autrichienne qui gardait autrefois la route de Lwów, un monticule surnommé par les gens du coin Hujowa Górka, «la colline de la bite». Dans cet endroit à l'écart avaient été menées à bien les exécutions de milliers de Polonais et de Juifs.

On y avait massacré ou enterré des Juifs qu'on avait pris avec de faux papiers aryens, des membres de la Résistance juive, l'OJC, des partisans polonais, à la fois juifs et non juifs, sans compter ceux exécutés sommairement, fusillés ou pendus à l'intérieur du camp, tels que Lisiek, le jeune domestique et garçon d'écurie de Goeth, qui avait été tué d'une balle dans la tête pour avoir soidisant mal positionné la selle de ce dernier. Comme les Russes se rapprochaient plus vite que les SS ne l'avaient calculé, de nombreux gardes et prisonniers encore valides furent employés pour exhumer les corps des fosses et brûler les restes sur des bûchers. Une scène qui, alors que les morts se redressaient et semblaient même danser dans les flammes, fit temporairement perdre la raison à plusieurs personnes, dont un sous-officier SS. Poldek était là, se démenant comme un fou pour éviter d'être la cible d'une balle, il voyait les corps gesticuler dans les flammes et respirait les fumées malgré son masque de chiffon, en pleurant.

Non loin, sur une petite butte, se dressait un monument érigé après la guerre en mémoire des victimes et représentant cinq figures géantes sculptées, des blocs de pierre fendus de forme humaine stylisée. Il s'était répandu assez de souffrance dans ces champs verdoyants pour faire de Płaszów un synonyme de cruauté, si ce n'est que, en plus de Płaszów, les SS avaient conçu et mis en place le camp de destruction ultime, dont Auschwitz était l'archétype.

Poldek se montra exceptionnellement sobre et réservé en m'indiquant l'endroit où se trouvaient autrefois les baraquements ukrainiens; le *Puffhaus* – bordel – pour les SS; le camp des femmes; celui des hommes; l'*Appelplatz* où des exécutions aléatoires avaient également lieu pendant l'appel. Je pris des photos de tout, mais elles ne se révélèrent pas nécessaires. Encore aujourd'hui, j'ai à l'esprit le plan du camp, le lit de verdure du fort où les courageux et les aventureux ont laissé leur vie, et la dureté de ces émouvants piliers de pierre partiellement fracturés, les pluies acides de Nowa Huta continuant sur eux leur lent travail d'érosion. Cette géographie est restée gravée dans mon cerveau par la force de événements que l'on m'a racontés là-bas. J'étais étonné par la capacité de Poldek à revenir sur ces lieux, à prendre de la distance, à se comporter en visiteur solennel de son propre passé tragique.

Lorsque les SS fermèrent le ghetto de Cracovie et envoyèrent tous ses habitants soit dans des camps de travail *(Zwangsarbeitslager)*, soit dans des camps d'extermination *(Vernichtungslager)* pour « traitement spécial », on proposa à Schindler, comme ceux qui ont lu le livre s'en souviennent peut-être, de placer l'usine Emalia à l'intérieur de ce nouveau camp de Płaszów. C'est ce qu'allait faire l'entrepreneur Julius Madritsch avec son usine d'uniformes. Mais Schindler avait refusé cette offre, voulant éviter toute surveillance rapprochée, et c'est pourquoi, tous les jours, ses ouvriers étaient escortés à l'usine Emalia de la rue Lipowa et – jusqu'à ce que Schindler y installe ses propres baraquements – rentraient tous les soirs à Płaszów sous bonne garde.

Nous prîmes le thé avec une autre enfant rescapée de la Shoah, Niusia Horowitz, la sœur de Ryszard, qui vivait toujours à Cracovie et travaillait comme esthéticienne à l'hôtel Europa. Son nom de femme mariée était Karakulska. Apparemment, elle ne voyait aucune ironie au fait de s'occuper des visages des touristes et des privilégiés dans un hôtel qui, du temps de son asservissement, était essentiellement fréquenté par les nazis. En revanche elle était inquiète de rencontrer un étranger venu des antipodes, sous l'égide excentrique de l'oncle Poldek, et de devoir parler du ghetto, du camp de Płaszów, d'Amon Goeth, de ses semaines passées à Auschwitz et du rôle de Herr Direktor Schindler dans le sauvetage de sa famille.

Nous nous étions donné rendez-vous dans un des somptueux cafés autour de la Grand-Place. Comme le reste des Polonais et les quelques centaines de Juifs polonais rescapés, elle avait réussi à se faire une vie, mais, encore une fois, on pouvait lire dans l'agitation délicate de ses doigts sur son verre de thé que les enfants étaient ceux qui avaient le plus souffert, ceux pour qui les souvenirs étaient les plus douloureux, et que, si elle avait accepté de s'entretenir avec moi, c'était uniquement par gratitude envers Oskar, par crainte de Poldek, et peut-être par solidarité familiale avec ses parents et son frère. Un prisonnier adulte pouvait au moins comprendre que ses oppresseurs agissaient enfermés dans leur propre vision de l'univers, cohérente à leurs yeux bien que fourvoyée. Même si, comme dans le cas de Goeth, cette vision cohérente justifiait de tirer au hasard sur des prisonniers – une manière de s'exercer à la carabine et de maintenir les détenus en état d'alerte –, le prisonnier adulte comprenait néanmoins où Goeth voulait en venir. L'enfant était plus violemment désorienté par de tels événements. Il ne pouvait pas les absorber. Encore moins les interpréter.

Le père de Niusia et Ryszard Horowitz, Dolek Horowitz, était un important responsable des achats dans le camp de Płaszów et, à ce titre, il avait eu le droit de garder ses enfants avec lui. Mais Niusia, sa grande fille de dix ans qui s'écorchait les doigts à coudre des poils sur la tête des balais dans l'usine de brosses, voyait sans arrêt des camions arriver à la fortification autrichienne de Hujowa Górka, suivis par des rafales de coups de feu, en même temps qu'elle constatait la disparition d'enfants du camp. Elle était dans un terrible état psychologique. Son père supplia donc Itzhak Stern de permettre l'installation de toute sa famille à Emalia, l'usine d'Oskar. Niusia devint un de ces enfants qu'Oskar insista pour garder dans son camp au prétexte que seuls leurs petits doigts fins pouvaient polir l'intérieur de ses cartouches de petit calibre.

Poldek m'emmena également voir son ancien professeur d'anatomie, le Dr Lax, qui vivait dans ce que Poldek appelait un « appartement d'intellectuel des années 1930 », et donc à sa manière, puisque Hitler avait fait fusiller le plus d'intellectuels polonais possible, un musée de cette époque. L'appartement était spacieux, mais dominé par de sombres tableaux d'impressionnistes polonais et rempli de gros volumes reliés de littérature et d'anatomie française et polonaise. Le Dr Lax était grand et frêle, doublement survivant comme universitaire et juif, et Poldek s'adressait à lui avec révérence.

Pendant la guerre, le laïque Lax ne voyait pas pourquoi des jeunes gens devaient être arrêtés en tant que Juifs du simple fait qu'ils étaient circoncis. La majorité des Européens n'étaient pas circoncis et, à moins de pouvoir fournir un document prouvant que la circoncision avait été nécessaire pour raisons médicales, tout homme circoncis était considéré comme juif. Lax avait lui-même produit ce genre de certificat, mais il avait aussi inventé une méthode pour rallonger le prépuce des Juifs laïques qui se considéraient européens et trouvaient par conséquent qu'ils avaient parfaitement le droit de continuer à respirer l'air de l'Europe. La méthode du Dr Lax impliquait une séance souvent très douloureuse d'étirement du prépuce, qui aurait pu prêter à rire si la vie de jeunes gens n'avait pas été en jeu. Il arrive que les tyrans abolissent la nécessité de la satire en imposant l'absurdité eux-mêmes.

Lax avait pris des risques pour rester en liberté pendant la guerre. Il avait travaillé comme médecin auprès des partisans, s'en était sorti vivant, et avait désormais atteint les pleins honneurs de son grand âge. Il s'était engagé non seulement avec les partisans de la forêt, mais aussi avec l'OJC qui opérait en ville, un groupe terroriste aux yeux des autorités nazies, qui avait fait sauter un cinéma des forces allemandes et plusieurs cafés fréquentés par la Wehrmacht et les SS.

Le soleil printanier paraissait encore incertain, comme si le réglage climatique par défaut resterait la brume et la pluie. La campagne à l'ouest de Cracovie montrait toujours des restes de neige et les arbres nus semblaient avoir reçu l'ordre de ne pas bourgeonner alors que nous roulions parmi eux.

Oświęcim, la ville dont le nom allemand, Auschwitz, donna aux camps en général leur sinistre réputation, avait l'air d'un endroit normal, avec des magasins et des cafés, une population qui refusait d'être liée ou inhibée par ses propres associations malheureuses et involontaires. D'ailleurs, pour être honnête, il est dur de savoir, à supposer que les habitants d'Oświęcim aient compris ce qui se passait à quelques kilomètres de chez eux et qu'ils aient trouvé ça choquant, ce qu'un citoyen ordinaire aurait pu faire par rapport aux camps. Il est tellement facile de succomber au déni, qui est un don si communément partagé par tous les humains.

Auschwitz I, le premier des camps, était destiné aux détenus russes et aux prisonniers politiques. C'était là aussi qu'on menait des expérimentations médicales sur les enfants, les jumeaux et les femmes. Les pendaisons, la détention dans des espaces horriblement confinés et les examens médicaux obscènes étaient le lot quotidien des prisonniers dans ce premier camp, proche de la villa du commandant qui supervisait tout le complexe d'Auschwitz, Rudolf Höss. C'est le camp dont la grille d'entrée est surmontée du célèbre adage en fer forgé «*Arbeit Macht Frei*» : « Le travail rend libre » (et c'est dans un baraquement d'Auschwitz I que l'enfant Ryszard Horowitz, épargné par les expérimentations médicales, avait été retrouvé à la fin de la guerre).

Auschwitz II, également appelé Auschwitz-Birkenau, était une zone immense, l'antichambre de la mort pour d'innombrables Juifs de la Ruthénie à la Grèce en passant par Paris. On y pénétrait par une grille à travers laquelle les trains arrivaient pleins des quatre coins du Reich et repartaient vides. C'est le camp qui joue le plus sur notre imaginaire car c'est à Auschwitz II que, après avoir trouvé à force d'essais le bon gaz asphyxiant, les nazis réussirent à industrialiser la mort et à traiter le plus grand problème, l'élimination des corps, dans des fours industriels. En arpentant les allées d'Auschwitz II, on perçoit l'*acédie*, l'ennui opérationnel qui rendit banale cette méthode d'extermination. Comme dans n'importe quelle usine, de nombreux travailleurs SS étaient lassés par ce processus et amenés, à l'image de ce qu'on peut voir dans une célèbre scène du film *Le Choix de Sophie*, à jouer pour se divertir de la monotonie de cet endroit phénoménal où les humains étaient réduits au murmure d'une cheminée.

L'immense Auschwitz II a été largement démoli, les chambres à gaz et les fours dynamités alors que les Soviétiques approchaient, mais il reste assez de matériel sur place pour se rendre compte de l'horreur. La voie ferrée en elle-même, avec son porche voûté, serait utilisée par Spielberg dans le film auquel à ce stade personne à part Poldek ne rêvait. Aujourd'hui encore, elle est toujours capable d'acheminer une grosse locomotive et des wagons. Les baraquements avaient des parois très fines, non isolées, inadaptées pour l'hiver. Une fois arrivé à l'extrémité ouest du camp, c'est avec une certaine appréhension qu'on descend les marches pour pénétrer dans les chambres à gaz. On est pris d'une peur irrationnelle que soudain la porte ne se referme et que des douilles au plafond ne s'échappe une vapeur mortifère.

J'avais du mal à croire que ces femmes sauvées par Schindler, que j'avais rencontrées, ces visages de la normalité familiale, aient été prisonnières ici à Auschwitz II en 1944, comme combustible potentiel. Il y avait plusieurs versions sur la façon dont ces femmes avaient survécu puis avaient été envoyées à Brněnec. Mais leur sauvetage est unanimement attribué à Schindler. Un certain nombre de prisonniers masculins affirment, indépendamment les uns des autres, avoir prévenu Schindler en constatant que leurs épouses et leurs filles n'étaient pas arrivées à Brněnec. Certains disent qu'il paya en diamants, d'autres qu'il envoya une de ses plus belles secrétaires pour négocier et, si nécessaire, s'offrir aux officiels. Le fait que les femmes aient survécu est une certitude. Que Misia Pfefferberg et Leosia Korn, Manci Rosner et Niusia Horowitz aient été sauvées est un fait avéré.

Il nous restait désormais trop peu de temps pour rouler jusqu'aux montagnes et contempler la vue au-delà du Danube vers la ville natale de Schindler, Svitavy (Zwittau), et le site de son camp de Brněnec, depuis longtemps disparu. Nous décidâmes de revenir plus tard dans l'année, mais en vérité nous ne le fîmes jamais ; la rédaction du livre allait commencer sous la pression de toutes ces histoires ingérées et m'occuper pendant de longs mois.

Une nuit à Cracovie, entre 2 et 3 heures du matin, je fus réveillé par quelqu'un qui frappait à la porte de ma chambre. Je crus que c'était Poldek qui n'arrivait pas à dormir et voulait encore me raconter quelque chose. Quand j'ouvris, je me retrouvai nez à nez avec une ravissante et très ivre jeune femme polonaise, d'environ vingt-cinq ans, enroulée dans une couverture et apparemment nue en dessous, qui me demanda du feu. Sans doute passait-elle ainsi de chambre en chambre. Elle n'avait pas l'air d'un de ces « agents provocateurs » contre lesquels Poldek m'avait mis en garde. Elle aurait pu servir de modèle à une statue de Polonia, la nation, mais une Polonia laminée par la tyrannie et le passé. Yeats voyait l'Irlande de la même façon, incarnée dans son personnage de Cathleen Ni Houlihan, une ancienne beauté à présent dévoyée et débauchée. Bien entendu, je n'en étais pas à ce genre de réflexion sur le moment. La jeune femme était magnifique, quel qu'ait été son but, mais je voyais trop en elle une victime. J'espère que c'est la vertu qui me poussa à l'éconduire. Quoi qu'il en soit, par malice je lui donnai le numéro de la chambre de Poldek en lui disant qu'il avait un briquet.

Je ne sais pourquoi, cette fille fut associée dans mon souvenir à l'hymne qui passait tous les jours à midi sur la radio polonaise ; une brève sonnerie de trompette qui, d'après la légende, avait été jouée pour la première fois depuis le clocher de l'église Sainte-Marie à Cracovie et s'était tue brutalement au moment où une flèche tatare avait transpercé le sonneur. Cette mélodie interrompue, symbole à la fois d'une action inachevée et d'un esprit souillé, était connue sous le nom de *Hejnał Mariacki*.

9

L a nuit était froide et humide lorsque nous retournâmes à l'aéroport de Cracovie pour quitter cette Pologne de peurs et de murmures et nous envoler vers Vienne. Plus tôt dans l'après-midi, j'avais demandé à Poldek si nous ne devrions pas écouler un peu de nos abondants złotys. Il m'avait répondu : « Arrête de te faire du souci pour tout. Ils ne nous poseront même pas la question. Ils n'oseront pas, en voyant mon badge Orbis. »

Mais, une fois arrivés dans le terminal mal éclairé, nous rencontrâmes exactement les ennuis que j'avais redoutés, et le badge Orbis de Poldek ne se révéla en l'occurrence d'aucun secours. On nous demanda de convertir nos złotys en dollars au bureau de change gouvernemental, après quoi nous nous retrouvâmes avec plus de dollars que ne pouvaient justifier nos reçus d'hôtels et de restaurants. Un officiel en uniforme bleu à qui je présentai mes papiers constata la différence et sembla très troublé. Il nous fit quitter la file du contrôle des passeports pour nous emmener dans un bureau à l'autre bout du terminal, rempli d'hommes en uniforme paramilitaire kaki dont certains portaient des armes semi-automatiques. L'officiel qui nous fut assigné en faisait partie. Sans enlever sa kalachnikov en bandoulière, il se mit à examiner nos documents et nos passeports. Il faut se rappeler qu'en 1981 de telles procédures et un tel étalage public d'armes n'étaient pas courants en Occident, et étaient par nature plus alarmants qu'ils ne le seraient aujourd'hui. Mais Poldek ne semblait pas impressionné. Il me chuchota de sortir mon dernier roman, un exemplaire que j'avais pris pour offrir à Moshe Bejski, l'ancien faussaire de Schindler devenu juge à la Cour suprême israélienne.

Pendant ce temps, l'officiel contemplait en faisant la moue mon formulaire financier et le dernier reçu de change que j'avais. Il commença à parler polonais avec une hostilité indolente. Poldek lui répondit d'une voix forte, comme pour lui prouver qu'il n'avait pas peur. Selon lui, j'étais prodigieusement célèbre, un Hemingway en puissance (techniquement, on aurait pu dire ça de n'importe quel écrivain : tous étaient prodigieusement célèbres auprès de leur petit lectorat). Nous étions venus en Pologne, lui expliqua Poldek, afin de faire des recherches pour un film de plusieurs millions de dollars sur l'histoire polonaise de la Seconde Guerre mondiale. Le film allait remporter l'oscar, lui assura Poldek, tout le monde le savait. À l'évidence, nous étions trop concentrés sur le fait d'injecter des millions de dollars dans l'économie polonaise pour nous préoccuper de petits détails concernant nos złotys.

Il sortit alors de sa poche toutes les cartes de visite qu'il avait collectées dans chaque bureau et auprès de chaque officiel que nous avions rencontré, y compris le jeune directeur du Holiday Inn de Cracovie et les dirigeants de l'usine de composants téléphoniques qui avait remplacé l'ancienne Emalia de Schindler. Tous ces messieurs sans exception, insista Poldek, étaient admiratifs de nos efforts, nous soutenaient sans réserve et tenaient à ce qu'aucun obstacle ne soit placé sur notre route. L'idée qu'autant d'argent soit investi dans la production les réjouissait et c'étaient bien sûr tous des gens importants, sous-entendu : qui avaient le pouvoir de ruiner la carrière de ce pauvre type en uniforme.

Poldek ne précisa pas une seule fois à cet homme que notre héroïque livre polonais n'était pas encore écrit, mais il lui montra l'exemplaire qu'il m'avait demandé de sortir. Une édition américaine cartonnée était à vrai dire un objet remarquable pour les normes polonaises de l'époque, puisque les livres y étaient alors fabriqués avec de fragiles couvertures souples et du papier jauni et tacheté. L'officiel feuilleta les pages épaisses et me compara à la photo sur le rabat. Malgré cela, je m'attendais à ce que ce flic de la brigade financière, ou je ne sais quelle fonction il occupait, se retourne vers Poldek et lui ordonne rageusement de se taire avant d'appeler du renfort pour l'aider à nous punir de nos crimes. C'est alors que, pendant que le type examinait mon livre en soupesant ce qu'il venait d'entendre, Poldek dépassa les limites de la crédibilité.

« Et tu ne crois pas, Thomas, me lança-t-il, que cet homme a exactement le genre de traits slaves, de héros, dont on a besoin pour notre film ? Monsieur, auriez-vous l'obligeance de nous donner votre nom et votre adresse ? »

Les yeux du policier se fermèrent presque et devinrent deux fentes ambiguës. J'étais sûr qu'on allait maintenant avoir droit à des hurlements et des armes pointées sur nous.

« Tenez, mon ami, j'ai du papier », ajouta Poldek en déchirant une page de son carnet et en la lui tendant.

Le front de l'homme se détendit et il esquissa ce que je pris d'abord pour un rictus méprisant, mais qui devint bientôt – à ma grande surprise – un authentique sourire de bonheur. Soudain il me rendit mon livre et se mit à plaisanter en polonais avec Poldek. Il se pencha par-dessus nos formulaires, toujours posés sur son bureau mais ne l'intéressant plus du tout, et attrapa un stylo-bille. Je me souviens qu'il avait l'air d'écrire dans une hâte euphorique ; il espérait s'enfuir de cette adresse qu'il notait sur un bout de papier. Je n'arrivais pas à croire que le baratin aussi grossier et évident de Poldek ait pu nous valoir tout à coup une telle cordialité. Quand il eut fini d'écrire, l'homme tendit la feuille à Poldek comme un élève rendant une copie à son professeur. En l'occurrence, le professeur magister Pfefferberg.

En y repensant plus tard, je me rendis compte que, même si j'avais eu le culot de risquer un argument aussi énorme, j'aurais forcément fini par raviver les soupçons du flic. Mais Poldek savait instinctivement que, lorsque le boniment atteint son apogée, il faut réussir à le soutenir sans remords, sans crainte ni hâte apparentes, pour ensuite décroître en intensité progressivement. Poldek sortit son portefeuille, embrassa le nom et l'adresse de l'homme avant de plier habilement le papier d'une main et de le ranger. Après avoir remis son portefeuille dans sa poche de poitrine, il s'embrassa les doigts, un geste polonais suggérant que les données qu'il venait de déposer étaient sacrées.

« Je vais garder ça contre mon cœur jusqu'à ce que je rentre à Beverly Hills », dit-il à l'homme.

Presque sans y penser, le policier tamponna mon formulaire. Poldek lui serra la main avec enthousiasme et lui demanda des nouvelles de ses enfants. Puis, avec une admiration injustifiée, l'homme me serra la main à mon tour.

J'avais déjà quitté des pays que l'Occident considérait comme répressifs pour des destinations dites « libres » (Pékin pour la colonie britannique de Hong Kong, par exemple). Mais jamais le contraste n'avait été aussi flagrant qu'avec ce court vol entre la Pologne et Vienne. Le centre-ville de Vienne paraissait exquis et outrancièrement éclairé, d'une façon qui, malgré une histoire sinistre, défiait les peurs et les murmures. Nous logions dans un hôtel qu'avait fréquenté Hitler, et l'air plus vif de Vienne me fit tourner la tête.

Un de nos principaux objectifs à présent était de retrouver la trace de la famille Goeth. À l'époque, ils possédaient une imprimerie. Il n'y en avait aucune de ce nom dans le registre de commerce de Vienne ni dans l'annuaire. Nous ne savions pas non plus que, dans un appartement voisin, l'ancienne maîtresse aigrie de Goeth, Majola, était en train de mourir d'un emphysème, et que c'était là que la retrouverait Jonathan Blair peu avant sa mort.

À l'hôtel Adlon, avec vue sur la merveilleuse cathédrale Saint-Étienne, nous rencontrâmes deux autres survivants, un couple de Viennois élégamment vêtus, les Hirschfeld ; et un troisième qui souhaita être identifié dans le livre par l'initiale M.

M était décorateur d'intérieur à Vienne, et il avait assisté, en tant que prisonnier, au meurtre de femmes polonaises dans l'ancienne fortification autrichienne au sud-ouest du camp de Płaszów, sur la colline Hujowa Górka. J'enregistrai, comme toujours, l'entretien sur un magnétophone tout en prenant des notes, une combinaison frénétique, ceinture et bretelles, mais justifiée par l'honneur que tous ces *Schindlerjuden* me faisaient en m'accordant ces interviews, même sous la pression insistante de Poldek. Nous prîmes, avec les Hirschfeld, un cognac à la fin de la soirée, en mémoire de la passion d'Oskar pour cette boisson.

Nous rencontrâmes une autre Viennoise, Mme Bankier, la veuve du gérant de l'usine de Schindler, un homme très respecté parmi les autres rescapés. C'est Bankier – et non Itzhak Stern comme le montre le film – qu'Oskar avait sauvé d'un convoi vers l'est un matin à la gare Prokocim. Il s'était fait prendre sans *Kennkarte* ni *Blauschein*. Il était par ailleurs apparenté aux anciens propriétaires de Rekord, la fabrique qu'Oskar avait rachetée.

Nous ne réussîmes pas à retrouver la famille de Goeth, malgré l'aide précieuse des Hirschfeld et de Mme Bankier. Ils n'avaient jamais essayé de les chercher, ce qu'on peut comprendre, et seul un tigre comme Poldek pouvait envisager de les rencontrer en tout bien tout honneur. Je n'étais moi-même pas très à l'aise à l'idée de les interviewer, de leur demander des informations sur l'enfance et la jeunesse de Goeth. Quoi qu'il en soit, Vienne fut une étape éclair sur la route vers Israël, véritable corne d'abondance de *Schindlerjuden*.

Alors que nous atterrissions à l'aube à l'aéroport Ben Gourion de Tel-Aviv, de nombreux passagers se mirent à chanter, d'autres se recueillirent. Beaucoup, aussitôt après avoir descendu la passerelle, s'agenouillèrent pour embrasser le tarmac dans la fraîcheur du matin. C'était désormais le printemps, et les malheurs comme la menace du conflit israélo-palestinien paraissaient loin de nous, au-delà du plateau du Golan, dans le sud du Liban. À voir la rangée d'hôtels le long du front de mer, on aurait pu prendre Tel-Aviv pour une paisible station balnéaire. Mais pour les Arabes comme pour les Juifs, ce pouvait être aussi le lieu de terribles souvenirs.

Israël, qui pour l'époque se montrait bien plus rigoureux que la plupart des autres pays sur le contrôle des passagers, avait pourtant laissé passer dans mes bagages un objet étrange, le pic à glace de Zakopane que Poldek avait insisté pour m'acheter à la Sukiennice de Cracovie. Pour qui n'avait pas l'habitude des montagnes polonaises au sud de Cracovie, c'était un outil surprenant constitué d'un manche en bois richement décoré et cerclé de bagues en métal d'où pendaient de petits anneaux. Il se terminait, d'un côté, par un pic à glace, et de l'autre par une hache ornementale. Je l'avais placé en soute car j'espérais que les Autrichiens, ou sinon la sécurité israélienne, me le confisqueraient. Peut-être que les responsables des bagages, qui l'avaient forcément inspecté, connaissaient cet objet et le considéraient comme purement décoratif. Pourtant il était potentiellement aussi redoutable que la combinaison d'une batte de baseball, d'un poignard et d'une hache. Malgré cela, il allait m'accompagner jusqu'à mon retour en Australie, en transitant par de nombreux aéroports, même si j'espérais chaque fois qu'une personne de bon sens le jugerait trop dangereux pour continuer le voyage. Et, chaque fois, alors que j'attendais mes bagages, je le voyais apparaître sur le tapis roulant, et je finirais par me rendre compte que je n'arriverais jamais à m'en débarrasser.

Depuis le début de cette aventure, je savais qu'à un moment ou un autre je devrais réfléchir à la question du conflit israélo-palestinien, mais c'est notre arrivée en Israël qui me confronta brutalement à cette question. J'avais beaucoup d'empathie pour les Palestiniens. Je les voyais, sans doute de façon simpliste, comme ceux qui payaient le prix ultime de l'antisémitisme européen.

L'histoire européenne, à travers les nazis et les collaborateurs, n'aurait pu faire savoir plus clairement aux Juifs que l'Europe n'avait jamais été et ne serait jamais un lieu sûr pour eux. Les courants antisémites coulaient encore vigoureusement sous terre, dans l'ombre, pendant la période d'après-guerre. Je pouvais parfaitement comprendre la passion politique du sionisme à se trouver une nation inattaquable, à soi, mieux que la ferveur religieuse qui l'accompagnait parfois.

La Constitution d'un autre peuple opprimé, les Irlandais, illustrait derrière ses puissants sermons civiques la relation malaisée entre la bureaucratie de l'Église catholique et la démocratie libérale qui était la réelle aspiration du peuple irlandais. Israël était confronté au même casse-tête, et finirait par en pâtir de plus en plus. Et les propos désinvoltes de ceux qui, en Europe, avançaient que les Juifs et leurs *Judenräte* avaient parfois été complices de leur propre destruction par leur passivité (même s'il n'y avait guère eu de passivité dans le soulèvement du ghetto de Varsovie!) ne pouvaient que provoquer chez les Israéliens le désir de se renforcer militairement. «Plus jamais ça!» était leur devise. La malveillance européenne avait donc produit non seulement la catastrophe originelle, mais avait créé au Moyen-Orient un État déterminé à ne plus jamais laisser accuser les Juifs de participer à leur propre destruction. Et c'est sur les Palestiniens que se reportait cette intransigeance.

Je savais que tenter de raconter une histoire qui, par son humanité, donnerait la possibilité aux lecteurs d'*imaginer* la Shoah risquait d'être vu par certains comme un encouragement aux extrémistes israéliens. Ce n'était pas une mince préoccupation. Bien entendu, à ce stade, je voulais m'essayer à ce livre, surtout après avoir entendu l'histoire de tant de bouches différentes, et aussi parce que je trouvais l'ambiguïté morale d'Oskar particulièrement intéressante. J'étais conscient que certains historiens irlandais pensaient que le fait de s'appesantir sur les tragédies de l'histoire irlandaise, ou de leur accorder trop d'importance

– notamment la Grande Famine –, encourageait l'IRA provisoire dans sa campagne d'attentats en Irlande du Nord et en Grande-Bretagne. Des années plus tard, je serais attaqué dans un article de plusieurs pages du *New Republic* par Fintan O'Toole, journaliste révisionniste irlandais, pour mon histoire du monde irlandais, *The Great Shame*, écrite du point de vue des prisonniers politiques irlandais relégués en Australie. Les Allemands avaient leur propre *Historikerstreit*, la « querelle d'historiens », sur le nazisme et la Shoah, la façon de les interpréter, les aspects à souligner ou au contraire à minimiser, et les conséquences politiques potentielles d'une histoire écrite selon tel ou tel point de vue. Nous connaissions aussi, en Australie, de nombreux débats historiographiques, et donc politiques, à la fois sur la nature du transport des prisonniers et la légitimité de la colonisation australienne à la lumière de l'expropriation des Aborigènes.

Mais, en même temps, que peut-on faire, si ce n'est essayer de dire la vérité sur la Shoah, la Grande Famine, le génocide arménien, l'injustice des expropriations en Amérique et en Australie ? Réduire tout le monde au silence ? Prétendre que l'Holocauste fut uniquement le fait d'une minorité solidement armée, qui ne fit pas autant de mal qu'on le dit, et, de même, affirmer que la famine irlandaise était soit inévitable, soit la faute des Irlandais eux-mêmes revient à dire que ces deux événements ne sont que de simples rumeurs sujettes à caution et non les grands moteurs de l'histoire qu'ils se sont si clairement avérés être. Ça m'arrangeait de le penser à l'époque, mais je crois que c'est encore vrai : passer des faits de l'histoire sous silence équivaut à utiliser des faux-fuyants et à raconter des récits simplistes. Et donc, bien qu'inquiet, j'étais déterminé à écrire ce livre.

L'excitation de Poldek à notre arrivée, malgré une nuit d'avion, ne semblait pas tant due au fait d'être de retour sur la terre de ses ancêtres qu'au fait de bientôt revoir bon nombre de ses amis. Il était déjà venu en Israël avec Oskar, le producteur Gosch et le scénariste Koch près de vingt ans plus tôt. Et il tenait absolument à ce que nous logions dans le même hôtel qu'Oskar à l'époque, sur le front de mer, dans le quartier de la marina, où les vagues de la Méditerranée baignaient une immense plage fréquentée par une jeunesse dorée et musclée.

Après une sieste et une douche revigorante (pas le temps d'aller se baigner, nous n'étions pas là pour ça), Poldek m'emmena dans un marché, sur le petit stand de bijoux d'Helen Hirsch. C'était la jolie femme qui, alors jeune prisonnière, avait été choisie par Amon Goeth pour lui servir de bonne. Elle avait connu dans sa villa des situations étranges et terrifiantes, et elle avait perdu l'ouïe d'une oreille à cause d'un coup qu'il lui avait donné. Goeth avait semblé à la fois attiré et dégoûté par elle. À présent elle avait la soixantaine, était mariée et gagnait sa vie en vendant ses bijoux en filigrane de style oriental. Je lui achetai deux mains de Fatma, avec l'œil de Dieu au milieu de la paume. Ce qui est sûr, c'est que, dans la cuisine de Goeth, elle n'avait pas eu l'impression de bénéficier d'une quelconque protection divine.

Ce n'était pas une femme très loquace, mais à voix basse elle me raconta plusieurs visites de Schindler dans la cuisine de la villa à Płaszów où elle était l'esclave et la cible de la fureur imprévisible de Goeth. Schindler lui avait confié, peu avant la fermeture du camp, qu'il avait réussi à la faire ajouter sur la liste pour Brněnec en remportant une partie de black-jack contre Goeth. En lui racontant cette histoire, Schindler avait fait preuve de la désinvolture de l'homme d'action qu'il était : il n'avait pas envisagé une seule seconde ce qu'il lui serait arrivé, à elle, s'il avait perdu. Il possédait simplement une confiance aveugle dans sa chance aux cartes. Heureusement pour elle, son nom avait aussi survécu aux changements introduits dans la liste par l'employé de bureau et policier juif corrompu, Marcel Goldberg.

Comme Schindler avait une réputation de coureur de jupons et de séducteur, et comme ses prisonnières en étaient conscientes, il y avait toujours la question de savoir si sa bienveillance avait une motivation sexuelle. Manci Rosner, habitant à New York, grand-mère, matriarche et rescapée, ainsi que d'autres survivantes, y avait répondu à sa façon : « Vous auriez dû voir les femmes qu'il avait. De belles femmes, en pleine santé, dans de belles robes. Vous croyez qu'il aurait voulu de moi, pleine de poux, alors que je pesais 45 kilos toute mouillée ? » Helen, à Tel-Aviv, me confia : « Schindler était Schindler, il n'y a pas à discuter. Il était ce qu'il était. On ne pouvait pas deviner ses motivations, et elles n'avaient sans doute de sens que pour lui. À certains égards, il était fou. »

À travers Helen Hirsch, l'épouse d'Itzhak Stern, Sophia Stern, les familles Dresner et Schindel, je pus me faire une idée du refuge qu'avait trouvé Oskar en Israël dans les années 1960. Pourtant, il finissait toujours par retourner dans son petit appartement de la Hauptbahnstrasse à Francfort. Les gens qu'il avait sauvés appartenaient désormais à la classe moyenne : le brillant Dr Idek Schindel, par exemple, et les Dresner. Médecin spécialiste des maladies respiratoires, le Dr Schindel, qui me guérit de la congestion pulmonaire que j'avais attrapée en Pologne, me raconta qu'il avait dit à Oskar un soir : « Oskar, vous êtes le bienvenu chez moi, mais vous ne pouvez pas boire plus de deux cognacs. » D'après Schindel, Oskar avait accepté cette restriction de bonne grâce, mais était reparti tôt pour rejoindre le bar de son hôtel.

Danka Dresner, enfant à l'époque de la guerre, me décrivit les diverses tentatives de ses parents pour les mettre à l'abri, elle et ses frères, des « actions de santé » et des diverses rafles des SS et de l'*Ordnungsdienst,* la police juive du ghetto. Il arrivait que certains de ses membres ferment les yeux sur elle, car c'étaient d'anciens amis de la famille. Danka Dresner, comme Niusia Horowitz, devint un de ces enfants essentiels, d'après Oskar, à l'effort de guerre.

La petite fille habillée en rouge, Genia, était la cousine de Danka Dresner, et son tuteur était le Dr Idek Schindel, alors jeune médecin et également cousin des Dresner. Elle avait auparavant été cachée par une famille à l'extérieur, mais ensuite elle avait voulu rejoindre ses parents dans le ghetto.

Lorsque le processus de liquidation du ghetto commença, les parents de Genia avaient déjà disparu et elle devint alors la protégée de Schindel, qui avait un caractère enjoué et fantasque et était parfaitement capable de réconforter et de divertir cette enfant. C'est au cours de la première grande rafle en 1942, lorsque près de sept mille personnes furent évacuées, y compris des enfants, que Genia effectua sa déambulation devenue célèbre. Le Dr Schindel était très occupé par ce qu'il avait à faire à l'hôpital, où il y avait de nombreux cas de fièvre et de malnutrition, et Genia s'était cachée pendant un moment, comme son oncle le lui avait recommandé si jamais ce genre de chose devait se produire. Puis, comme attirée par le magnétisme des événements dehors, elle était sortie et avait erré dans les rues, menu fretin apparemment ignoré par les SS, avant de retourner dans sa cachette ou une autre.

Sa déambulation à travers le ghetto, que Spielberg choisirait d'honorer par une des rares touches de couleur d'un film en noir et blanc, fut remarquée avec stupeur et inquiétude par certains membres de sa famille, dont la préadolescente Danka et sa mère. Ayant réchappé à cette rafle, Genia survécut jusqu'à la liquidation finale du ghetto l'année suivante, puis disparut. Danka raconta qu'elle était morte à Auschwitz. La solitude de sa mort, le sentiment d'abandon qui accompagnait la balle ou le gaz était difficile à admettre et à supporter... même si je verrais plus tard des tragédies similaires frapper les enfants d'Afrique de l'Est vivant dans la peur et faisant preuve d'un courage inutile.

Les Dresner nous invitèrent, Poldek et moi, à dîner royalement dans leur maison à Tel-Aviv, de même que le Dr Idek Schindel, qui aimait plaisanter sur le fait que j'avais eu de violents haut-le-cœur quand il m'avait examiné la gorge. Je n'avais pas toujours réagi comme ça, mais je décidai que ça ne pouvait certainement pas être les récits répétés d'asphyxie et de mort soudaine qui avaient rendu ma gorge ultrasensible.

Le Dr Sophia Stern, épouse du défunt comptable d'Oskar, m'avait prêté pour que j'en fasse des copies les documents et les discours de son mari sur les activités d'Oskar pendant la guerre. Parmi eux se trouvait une brochure fort utile qu'Itzhak Stern avait rédigée en l'honneur de Julius Madritsch, le propriétaire autrichien de l'usine d'uniformes de Płaszów. J'avais entendu Misia et d'autres faire l'éloge de Madritsch, et en Israël aussi je ne reçus que de bons échos sur lui. Si, du point de vue de l'histoire, il était fautif, c'était parce qu'en 1944, ayant compris les intentions des nazis, il avait perdu l'espoir de voir ses ouvriers juifs survivre, comme l'aurait fait à sa place n'importe quel homme sain d'esprit. À ce stade, il avait conclu, preuves à l'appui, que la machine de destruction finirait par tous les avoir. Contrairement à la complexité qui caractérisait Oskar, Madritsch était un brave type bien plus prévisible. Dans l'esprit d'Itzhak, ses bonnes actions – la distribution de rations supplémentaires à ses prisonniers, sa volonté de les protéger de la brutalité SS pendant qu'ils étaient dans l'usine – manquaient de reconnaissance : le système lui avait offert tout le loisir d'être une brute et il ne l'avait pas été. D'autres institutions allemandes s'étaient bien comportées aussi, mais certaines des plus importantes et des plus célèbres sociétés n'avaient rien fait de concret pour tenter d'améliorer le traitement inhumain de leurs ouvriers-esclaves. La brochure de Stern en allemand et en édition limitée, imprimée sur papier glacé pour faire honneur à son sujet, était intitulée *Menschen in Not* (« Les gens dans le besoin »).

Poldek était, comme on pouvait s'y attendre, ravi de retrouver tous ces gens, qui respiraient et riaient malgré les intentions du Reich. Il complimenta abondamment les femmes Dresner et Stern sur leur beauté inaltérable, et je pouvais voir qu'il était sincère, car il les aimait, ces filles qui avaient été jeunes en même temps que lui et qui irradiaient d'avoir survécu.

Comme beaucoup d'hommes monogames, il aimait vraiment les femmes, alors qu'Oskar avait une façon particulière de les aimer qui, si elle réveillait visiblement de tendres souvenirs chez bien des femmes à part la sienne, n'était pas un sentiment aussi fiable.

Nous étions rarement à l'hôtel, car constamment invités à parler d'Oskar. Une fois, un ancien prisonnier lança : « Vous vous souvenez de toutes les blagues à Płaszów ? Enfermés la nuit, les sous-hommes avaient encore la force de rire. » Et un autre ajouta : « Et tu te souviens comme ça baisait ! Les gens baisaient comme des fous dans le camp. » Un défi à la mort, j'imaginais, n'ayant jamais été au bord du gouffre comme eux. Un défi à Amon Goeth sur son balcon avec son fusil de sniper.

Quand nous ne dînions pas chez des survivants, Poldek et moi aimions aller au restaurant roumain de la rue Ben Yehuda où Oskar avait laissé de bons souvenirs et où il avait toujours mangé gratuitement et traîné en buvant du cognac. C'est là que Poldek me parla d'un vieux monsieur nommé Shmuel ou Samu Springmann qui vivait à Ramat Gan, une banlieue à l'est de la ville. Springmann était un des fondateurs de l'Organisation d'aide et de secours juive, qui opérait depuis Budapest. Il avait envoyé ses agents dans toute l'Europe pour obtenir des informations de gens haut placés sur la situation en Pologne et en Allemagne. Un de ses agents était un certain Dr Sedlacek, dentiste, qui s'était rendu à l'usine de la rue Lipowa à Cracovie pour entrer en contact avec Oskar. Avec l'autorisation de l'organisation de Springmann, il lui avait fait passer de l'argent venu de New York devant servir à l'achat de faux passeports et autres documents pour plusieurs Juifs. Après la guerre, Oskar s'était toujours vanté d'avoir parfaitement employé cet argent, même s'il n'était pas sûr de certains autres contacts utilisés par l'Organisation d'aide et de secours. Certains d'entre eux étaient des opérateurs semi-criminels, s'était-il plaint à Sedlacek. Il se montrait très réservé à leur sujet, raconterait plus tard Sedlacek.

Comme Oskar était encore un agent de l'Abwehr, il avait énormément de choses à dire à Sedlacek sur les camps d'extermination, qui avaient commencé leur travail en 1942 avec des gazages au monoxyde de carbone. Dans les chambres à gaz de Bełżec, il fallait une heure ou plus pour tuer les gens qui se tortillaient en tous sens. Les SS essayaient de trouver une méthode plus « humaine » et plus rapide. À la demande de Sedlacek, Oskar accepta de se rendre à Budapest, qui ne se trouvait alors pas directement sous contrôle nazi, et d'y rencontrer Springmann et d'autres. C'était pour savoir ce qui s'était passé lors de cette réunion que nous souhaitions rendre visite au vieux M. Springmann.

Nous prîmes un taxi jusqu'à Ramat Gan et le retrouvâmes dans un parc. Il avait choisi cet endroit car il disait que son appartement n'était pas assez grand pour y recevoir des gens. Springmann semblait avoir encore l'esprit alerte, mais son état de santé général était clairement sur le déclin. Il était accompagné d'un homme un peu plus jeune. Tous les deux s'étaient bien habillés pour l'entretien, en costume et gilet : deux vrais gentlemen européens. Springmann nous rapporta en marchant – il ne voulait pas s'asseoir – les informations qu'Oskar leur avait dévoilées sur les nouveaux camps d'extermination lors de la réunion de Budapest. Afin de rejoindre Springmann, il s'était glissé en cachette dans un wagon transportant des journaux de Cracovie à Budapest. Il avait fait très attention à ne pas être suivi jusqu'à l'hôtel, lieu du rendez-vous. Il avait examiné la pièce pour y repérer d'éventuels micros et, avant la réunion, il avait plusieurs fois ouvert la porte brusquement afin de surprendre de potentiels espions. Puis il s'était assis et avait commencé à parler à Springmann et à son associé.

Les camps de la mort avaient démarré, leur dit-il. Bełżec en était un, mais il y en avait de nouveaux à Treblinka, Majdanek et Sobibor, et ils commençaient la construction d'un nouveau secteur à Auschwitz-Birkenau, qui serait le modèle de tous les autres. Les SS n'étaient pas contents du gazage au monoxyde de carbone, même si cette méthode était capable de tuer des milliers de personnes par jour, et même si le commandant de Bełżec, Christian Wirth, en était un fervent partisan. La façon de se débarrasser des corps était aussi un gros problème. De nouveaux produits chimiques avaient été testés avec davantage de succès.

C'était pendant l'hiver 1942-1943, nous dit Springmann dans le parc, et le monde avait entendu parler des massacres collectifs qui s'étaient déroulés sous le régime nazi, mais lui-même n'était pas au courant, avant qu'Oskar lui en parle dans cette chambre d'hôtel à Budapest, des expérimentations techniques menées en vue d'une extermination de masse. Au début du XXIᵉ siècle, nous sommes habitués à l'idée que de telles choses se sont produites pendant la Seconde Guerre mondiale, mais en 1942-1943, pour un non-initié qui n'avait pas encore eu vent de tout cela, ce qu'Oskar racontait devait passer pour de la science-fiction. Springmann, Juif allemand, se sentait héritier d'une identité européenne en plus de son identité juive. De telles horreurs pouvaient-elles avoir été conçues et menées à bien par des Allemands ?

Pendant le bref séjour d'Oskar en Hongrie, nous raconta Springmann, le dentiste Sedlacek l'invita à dîner avec un obscur personnage appelé le Dr Schmidt, le genre d'homme sur lequel Oskar avait toujours des avis bien tranchés, comme il en avait sur son propre père. Oskar avertit Sedlacek et Springmann qu'ils ne devraient pas confier d'argent de l'Organisation d'aide et de secours juive à quelqu'un comme Schmidt. Sedlacek lui expliqua qu'il existait une sorte d'entente selon laquelle un opérateur pouvait garder pour lui dix pour cent de l'argent qu'on lui remettait, mais Oskar, qui pourtant se livrait à toutes sortes de trafics au marché noir, s'y montra fermement opposé.

Parce que le système de destruction SS était si total, si différent de tout ce que le monde avait jamais connu jusque-là, la noble entreprise de Springmann ne pouvait offrir qu'un salut partiel. Parfois il s'agissait de soudoyer un officiel pour sauver la vie d'un seul Juif, ou de faire s'échapper un personnage important grâce à de faux papiers. Oskar avait dépensé des dizaines de milliers sur les fonds de Springmann pour faire sortir une femme en particulier de la prison de Montelupich à Cracovie et lui fournir des documents de voyage.

Le vieux monsieur héroïque termina son histoire en disant qu'il avait revu Oskar à plusieurs reprises dans les années 1960, et qu'il avait fait partie de ceux qui avaient tiré la sonnette d'alarme.

10

Déjà en 1981, la route entre Tel-Aviv et Jérusalem était considérée comme relativement dangereuse, traversant d'anciens champs de bataille, avec des épaves de chars et de camions qui gisaient encore sur le bas-côté. C'était le trajet qu'avait parcouru Oskar tous les ans pendant une décennie pour aller rencontrer ses rescapés de Jérusalem, et ce fut également l'itinéraire qu'emprunta sa dépouille jusqu'à son lieu de sépulture sur le mont Sion en 1974. J'étais très heureux de faire ce chemin à mon tour. Judy devait me rejoindre à Jérusalem dans quelques jours. Nos filles adolescentes seraient gardées par ma mère, aimante mais stricte, et par leur grand-père beaucoup trop indulgent, qui avait lui-même passé du temps à Tel-Aviv et à Jérusalem pendant la guerre en tant que soldat australien en permission depuis l'Égypte et la Libye. Ma mère ne se laisserait pas amadouer par les excuses de mes filles pour rater l'école ou ne pas faire leurs devoirs. Ne pas faire ses devoirs, disait-elle, était l'équivalent de voler de l'argent à ses parents. J'étais enchanté que mes filles reçoivent à un message si vigoureux.

Nous avions réservé des chambres à l'excellent hôtel King David, à Jérusalem-Ouest. J'avais entendu parler du King David pour la première fois par mon père : en tant que sous-officier, il avait dû se faire prêter un uniforme par un officier australien pour pouvoir y prendre un verre. Puis, en 1946, pendant la période du mandat britannique sur la Palestine, alors qu'il abritait de nombreux militaires anglais, une organisation armée sioniste y avait commis un célèbre attentat à la bombe, tuant quatre-vingt-dix personnes. Je me souviens de mon père rentrant du travail avec le *Daily Mirror* sous le bras et s'exclamant : « Ils ont fait sauter le King David ! »

Poldek avait exigé des chambres avec vue sur les remparts de la vieille ville. Je voyais de ma fenêtre la coupole dorée du dôme du Rocher, datant du VIIe siècle, et le mur des Lamentations où les juifs venaient prier pour commémorer la destruction du Temple de Salomon par l'empereur romain Titus.

Moshe Bejski, un juge modéré de la Cour suprême israélienne, un homme brillant qui écrivait sur la question de l'oubli et du pardon, qui considérait que la survie de l'État juif ne pouvait justifier la torture et qui déplora plus tard le refus de compensations légitimes aux victimes par les banques suisses, avait également été prisonnier à l'âge de dix-huit ans dans le camp d'Oskar à Brněnec. Son frère, qui avait péri dans un des premiers conflits arabo-israéliens, y était lui aussi. Dans le camp-usine, qui ne produisait pas de cartouches mais tournait presque exclusivement grâce aux opérations au marché noir de Herr Direktor, Oskar venait trouver le jeune Bejski avec des documents en allemand portant des cachets officiels du Reich et lui demandait s'il était capable de reproduire ces tampons. Il avait besoin de faux documents pour acheminer les marchandises qu'il s'était procurées – de l'alcool, des cigarettes, des tissus, des produits alimentaires de luxe – jusqu'en Pologne, où on pouvait les vendre très cher au marché noir.

Bejski, devenu maintenant un érudit, un homme sérieux que ce projet de livre inquiétait quelque peu, me conseilla de ne pas me fier à tous les récits exubérants de Poldek à moins qu'ils ne soient corroborés par d'autres rescapés. En même temps, il me livra ses propres souvenirs, extraordinaires et pourtant véridiques. Par exemple il me raconta en riant comment il avait fabriqué de faux tampons pour les documents qui avaient permis à Oskar de piller ce qui restait d'une usine bombardée, Egyptsie

Zigaretten, à Brno, au sud du camp de Brněnec, puis d'expédier la marchandise par camion jusqu'à Cracovie. Bejski avait lui-même conduit un des camions, et il me confia qu'il avait été le premier surpris de la facilité avec laquelle Oskar avait réussi ce pillage et le transport de son butin.

Dans son paisible jardin de Jérusalem, Bejski me montra toute la documentation qu'il avait en sa possession, dont de nombreux témoignages et un article d'un magazine allemand sur la carrière d'Oskar dans les courses à moto. Je commençais à savoir déchiffrer l'allemand et, avec l'aide de quelques dictionnaires et manuels de grammaire, je parvins à traduire cet article en anglais pour mon propre usage. Le résultat est retranscrit (fidèlement, du moins je l'espère et le crois) aux pages qui concernent la passion d'Oskar pour la moto dans *La Liste de Schindler*.

Un des documents les plus importants que possédait Bejski était une copie d'un long rapport – vingt à trente pages en simple interligne – qu'Oskar avait rédigé pour l'American Jewish Joint Distribution Committee en 1957. Il y énumérait les sommes fournies par Sedlacek au nom de l'Organisation d'aide et de secours juive, détaillait ce qu'il avait dépensé d'abord dans son camp de Cracovie en nourriture supplémentaire et en pots-de-vin pour les SS, puis pour maintenir à flot son second camp à Brněnec, ainsi que pour secourir les ouvriers des carrières de Goleszów qui avaient atterri à moitié morts devant sa porte.

Même dans son premier camp Emalia, au 4 de la rue Lipowa à Cracovie, Oskar hébergeait de nombreux travailleurs juifs, non seulement d'Emalia mais aussi de l'usine de cartons voisine, de celle de radiateurs et des bureaux de la garnison. C'était un petit paradis quand on sait que les gardes SS et ukrainiens de rigueur, venant de Płaszów, changeaient tous les deux jours et qu'aucun d'entre eux n'avait le temps de prendre en grippe un prisonnier en particulier. On y avait aussi droit à quelques faveurs qui n'étaient pas autorisées ailleurs et qui permettaient de conserver un minimum de dignité. Mon amie de Sydney, Leosia Korn, se souvenait que les prisonniers pouvaient faire chauffer de l'eau sur la surface des machines, un luxe considéré comme illégal dans les ateliers tenus par les SS à l'intérieur de Płaszów. Mais il y avait aussi des avantages plus directs. D'après le Dr Biberstein, qui était ouvrier à Emalia, la ration alimentaire quotidienne était d'environ deux mille calories, contre moitié moins à Płaszów.

Entre autres choses dans le document que me remit Bejski, Oskar mentionnait la somme dépensée pour acheter un terrain au curé de Brněnec afin d'y enterrer les morts parmi les prisonniers arrivés de Goleszów. Outre la somme standard due aux SS – 7,50 reichsmarks par jour par ouvrier qualifié, et 6 par ouvrier de base –, il affirmait avoir dépensé 1 800 000 złotys en nourriture pour le camp Emalia, c'est-à-dire 360 000 dollars. Aucun de ses anciens prisonniers ne contestait cette estimation. Il avait aussi été contraint de financer certains équipements du camp à Brněnec, et avant ça rue Lipowa : les barbelés, les guérites des gardiens, l'installation d'un système antipoux à Brněnec, la nourriture quotidienne. Brněnec lui coûtait 18 000 dollars par semaine.

À la lecture de ce document, on comprend à quel point réussir à fournir tout cela, sans que personne meurt ni de faim ni de brutalité, était exceptionnel. À la seule usine IG Farben d'Auschwitz-Monowitz, vingt-cinq mille prisonniers sur une main-d'œuvre totale de trente-cinq mille moururent à la tâche. D'autres industriels réputés, parmi les plus grosses entreprises allemandes, dont le grand fabricant d'armement Krupp et ses filiales telles que Deutsche Ausrüstungswerke (DAW), perdirent des milliers de leurs ouvriers dans des exécutions pour de prétendus sabotages, ou bien à cause de mauvais traitements, de la faim, d'épuisement ou de maladie. C'étaient principalement des hommes jeunes et en bonne santé au moment où ils avaient été tatoués. Par tous les moyens possibles, Oskar parvint à inverser les règles et à interdire l'accès de son usine à la plupart des SS, à l'exception des inspecteurs. Vingt-cinq ans après la parution du livre que je finis par écrire, je respecte encore cet exploit, et le fait qu'il ne consistait pas simplement à s'abstenir de faire le mal, mais représentait un exercice concret et onéreux de générosité. Josef Bau, jeune dessinateur et artiste, avait aussi participé à la fabrication de faux tampons et documents. C'était une star parmi les *Schindlerjuden*, au même titre que Ryszard Horowitz, dans la mesure où il avait acquis une réputation internationale en tant qu'artiste, en particulier pour ses terribles dessins au stylo et à l'encre du ghetto et de Płaszów. Son travail semblait dire : « Regardez, je suis devenu artiste, mais les horreurs que d'autres m'ont fait subir m'ont enraciné là-bas à jamais, en ligne de mire du fusil d'Amon Goeth, dans le camp de Płaszów. » Ses œuvres étaient dures. Il n'avait pas réussi à s'évader dans l'univers fantastique où Ryszard luttait contre les lois du temps et de la gravité qui, enfant, avaient fait de lui un prisonnier à Auschwitz.

Lors d'une cérémonie juive improvisée dans le baraquement des femmes, Bau avait épousé une jeune fille délicate prénommée Rebecca. J'ai eu l'occasion d'interviewer les Bau chez eux à Jérusalem, et ils semblaient encore fragiles, marqués par l'horreur des camps, si bien que même Poldek parlait à voix basse en leur présence, devant le ravissant service à thé d'Europe de l'Est que Rebecca Bau avait disposé sur la table. On voyait encore en elle la beauté qui avait attiré le jeune Josef, et ils étaient là comme deux enfants inquiets de Płaszów, toujours en train de se consoler mutuellement des choses qu'ils avaient vues là-bas. En tant que dessinateur au service de Goeth, Bau devait beaucoup se déplacer dans le camp et avait assisté, alors qu'il marchait tête baissée, à moult actes de sauvagerie aveugle.

Même si nous avions prévu de nous rendre sur la tombe d'Oskar, nous ne cessions de remettre cette visite à plus tard pour pouvoir réaliser nos entretiens. Poldek et moi finîmes par y aller la veille de l'arrivée de ma femme, et j'y retournerais d'ailleurs avec elle par la suite. L'abbaye bénédictine de la Dormition, sur le mont Sion, est censée se trouver à proximité du lieu de la Cène, marquant l'endroit où les apôtres s'endormirent alors qu'ils devaient veiller avec le Christ. Elle était magnifiquement située, orientée vers le sud avec vue sur le jardin de Gethsémani, et plus loin sur le Géhenne, la vallée de Hinnom – devenue le dépotoir des temps anciens et synonyme de l'Enfer dans la Bible. Enfin, on pouvait apercevoir au lointain le Jourdain, la mer Morte et les austères montagnes arides de la Transjordanie.

Poldek et moi arrivâmes à la grille du cimetière près de l'abbaye juste après l'heure de fermeture, mais nous appelâmes un gardien arabe chrétien qui se trouvait à l'intérieur et qui s'approcha de nous d'un air hésitant. Poldek lui expliqua qu'il fallait nous rouvrir la grille. Bien entendu, ce ne serait pas gratuit.

« Je lui donnerai des shekels, murmurai-je à Poldek, car j'avais une liasse de billets dans la poche (tout ça, évidemment, grâce aux relations polonaises de Poldek).

— Des shekels, mon œil ! grommela Poldek. Il voudra des dollars. »

Une fois de plus, je m'étais fait avoir par ces histoires de devises. Nous réussîmes néanmoins à entrer dans le cimetière et trouvâmes, au bas du versant est de la colline, la modeste tombe d'Oskar, là où les franciscains et les *Schindlerjuden* avaient enterré son corps. La simple dalle, à part une croix catholique, ne mentionnait guère plus que les dates de naissance et de mort d'Oskar. Pour un membre du parti nazi, cependant, Oskar avait réalisé l'exploit de se faire enterrer dans un magnifique cimetière israélien chargé de symbolique.

Des années plus tard, Spielberg serait tout aussi impressionné par l'endroit et l'utiliserait dans son film.

Et puis Judy nous rejoignit. Libérée des bagarres domestiques pour obtenir, entre autres, des chambres bien rangées, elle se mit à organiser nos recherches avec une efficacité que même Poldek admirait. Il envoyait des baisers dans sa direction en la couvrant de compliments.

« *Darling*, tu es vraiment adorable, et tu sais comment fonctionnent les choses.

— Mieux que moi ? demandai-je.

— Toi, tu es un ingénu, mais parfois ça a du bon ! » répondit-il, sans préciser en quoi.

Judy est une femme franche, d'un naturel joyeux, qui vient du même milieu que moi (au point qu'un de ses arrière-grands-pères était un prisonnier politique exilé en Australie au XIXe siècle, comme un de mes grands-oncles irlandais originaire de Newmarket, dans le nord du comté de Cork). Elle avait déjà fait l'expérience du charme et des manières de Poldek. Un jour à Beverly Hills, alors qu'elle avait eu le malheur d'appeler ça Los Angeles, Poldek l'avait conduite jusqu'à la frontière de la ville où un panneau souhaitait aux automobilistes la bienvenue dans la commune de Beverly Hills. Poldek lui avait alors débité son topo habituel : « Beverly Hills est une ville à part entière, avec sa propre police, son propre système sanitaire et sa propre brigade de pompiers. Bienvenue à Beverly Hills, Californie ! »

Elle avait assisté à une cérémonie dans une des plus grandes synagogues de Los Angeles où, malgré ses protestations, Poldek avait insisté pour qu'on lui réserve une place d'honneur. Auprès de chaque responsable du protocole, il avait parlé du futur livre et l'avait présentée comme mon éminente épouse ! Elle s'était ainsi retrouvée assise entre le militant pacifiste Tom Hayden et Jerry Brown, gouverneur de Californie. Elle savait depuis lors que Poldek était capable d'organiser n'importe quoi, qu'il soit nécessaire de le faire ou pas.

Tous les matins, Judy et moi prenions le bus pour Yad Vashem, le monument en lui-même et sa bibliothèque d'archives. Les bus semblaient toujours pleins d'étudiants et de soldats, hommes et femmes, avec des armes semi-automatiques. Nous descendions près de l'allée des Justes où, en 1963, un arbre avait été planté en l'honneur d'Oskar et d'Emilie. Des images vidéo tournées lors de la messe d'enterrement d'Oskar étaient conservées à Yad Vashem, et bien d'autres choses encore.

Parmi les témoignages en polonais et en anglais que comptaient les archives sur Schindler s'en trouvaient certains que je mentionnerais dans mon livre, notamment un rapport rédigé par le père et le fils d'une famille juive de Cracovie, propriétaires avant la guerre d'une entreprise de quincaillerie, qui avaient passé un accord commercial avec Oskar, investissant du capital dans Emalia en échange d'une certaine part de la production. Le père comme le fils affirmaient qu'en 1940 Oskar les avait tabassés lors d'une dispute à propos de la marchandise. Oskar, de son côté, leur reprochait de s'être présentés à l'entrepôt d'Emalia et d'avoir brutalisé les ouvriers pour les forcer à charger des quantités non autorisées d'émail. Eux disaient qu'ils s'étaient déjà mis d'accord sur les quantités. Bien que le père et le fils soient restés sous la protection d'Oskar à Brněnec, ils n'avaient jamais oublié ce différend. Je discutai de ces documents avec Bejski, ainsi qu'avec Poldek. Avec divers degrés d'emphase – Poldek bruyamment au nom de son ami Oskar, Bejski de façon plus mesurée –, tous deux se plaignirent de la famille en question, sans néanmoins trouver invraisemblable qu'Oskar ait pu distribuer quelques coups. « Mais au bout du compte, conclut Bejski, Schindler leur a sauvé la vie ! »

Quand Schindler décida d'ouvrir un second camp en Tchécoslovaquie après la fermeture de l'usine de la rue Lipowa, Itzhak Stern et d'autres dressèrent la liste de tous ses ouvriers et l'envoyèrent à Płaszów. Là, hélas, elle tomba entre les mains d'un employé de bureau juif, Marcel Goldberg, connu des rescapés pour avoir déclaré qu'il faudrait lui donner des bijoux pour figurer sur la liste. Mon ami Poldek avait fourni la bouteille de vodka que lui avait offerte le sous-officier SS repenti après avoir commencé par le tabasser, et c'est ce qui permit à Misia et lui d'être sur la liste définitive. Mais la vérité était que, entre la première version établie par Schindler et ses détenus et celle finalement rédigée après plusieurs brouillons par Marcel Goldberg, il existait des différences, et certains des ouvriers originels de Schindler l'accusèrent dans leurs témoignages à Yad Vashem quand ils se trouvèrent envoyés dans des camps bien plus cruels, par exemple Mauthausen.

J'étais fasciné par la découverte de ces nouvelles failles du personnage, et je savais que le récit défavorable du père et du fils devrait être inclus dans mon livre pour donner une image complète Schindler; d'ailleurs ni Bejski ni Poldek n'essayèrent à aucun moment de m'en dissuader.

Grâce à l'influence de Moshe Bejski et à l'insistance de Poldek, qui ne cessait d'annoncer aux archivistes de Yad Vashem que nous étions sur le point de terminer le livre, le responsable des archives nous accorda une autorisation spéciale qui nous permit de rapporter des documents à l'hôtel afin d'en faire des copies. Les dames du service étaient flattées par les compliments de Poldek à leur égard, et les hommes impressionnés par sa capacité à se remémorer les villes et villages de Pologne d'où étaient originaires leurs grands-parents. Ma femme Judy éplucha toutes les archives de journaux en prenant des notes, et passa des heures à retranscrire mes bandes de dictaphone dans le centre d'affaires de l'hôtel. Les noms que Judy couchait ainsi sur le papier prenaient pour nous une dimension mythique, si bien que lorsque nous rencontrions un survivant, toute son histoire nous était déjà familière et nous avions l'impression d'avoir en face de nous une figure légendaire.

Malgré l'immensité de la tâche, Judy et moi trouvâmes néanmoins le temps de nous promener tous les deux dans la vieille ville, et de nous recueillir, dans l'église du Saint-Sépulcre, dans une minuscule chapelle éclairée par des lampes à huile que mon père avait visitée au cours d'une de ses permissions, et où nous reçûmes moult bénédictions d'un fervent prêtre copte.

La facture des photocopies fut glissée sous notre porte un matin. Elle n'était pas exorbitante et, alors que Judy et moi prenions l'ascenseur pour descendre la régler à la réception, nous tombâmes sur Poldek, dont la chambre se trouvait un étage plus haut.

Après les salutations matinales d'usage, il nous demanda : « C'est une facture que vous avez là ? »

Judy lui répondit que c'était pour les photocopies des documents, ceux de Bejski et de Yad Vashem.

« Ils vous ont *facturé* ça ? s'étonna-t-il, incrédule.

— Oui, et à un prix d'ailleurs très raisonnable », indiquai-je.

À vrai dire nous avions déjà reçu plusieurs notes pour des photocopies antérieures, et je les avais réglées sans discuter.

« Ils ne peuvent pas vous demander de payer ça, qu'est-ce qui leur prend ? Judy, *darling*, fais-moi voir ça.

— Écoute, Poldek, intervins-je, ne t'inquiète pas. Je m'en occupe. »

Mais Judy n'avait pas d'autre choix que de lui montrer la facture.

« Venez avec moi à la réception », nous ordonna-t-il alors que nous arrivions au rez-de-chaussée.

Nous protestâmes, mais nos arguments furent balayés par la tempête de l'outrage qu'il venait de subir. Nous le suivîmes jusqu'à la réception. Ma femme était plus douée que moi pour le canaliser, mais je crois qu'elle nous emboîta le pas surtout pour assister au spectacle : Poldek en action. Il présenta d'un air indigné la facture au jeune employé ashkénaze derrière le comptoir. Ce dernier se pencha pour l'examiner patiemment, et finit par dire : « C'est exact, monsieur Pfefferberg. Voyez-vous, nous avons fait tant de copies, à tant de shekels les dix pages… »

Poldek grogna, recula d'un pas et prit une pose comme on n'en voit plus guère de nos jours à part sur les scènes d'opéra et dans les vieux films d'actualités diffusés autrefois au cinéma sur des potentats disparus. Il pointa l'index vers le ciel. Cela aurait dû être ridicule s'il n'y avait eu l'autorité de sa colère, la certitude de sa vision.

« Un jour, déclara-t-il, une plaque sera posée au-dessus de ce comptoir, et elle dira qu'ici Thomas Keneally et Leopold Pfefferberg ont mené leurs recherches sur Oskar Schindler et ses *Schindlerjuden* ! Et vous voulez nous faire payer quelques photocopies minables ? Vous imaginez ce que mon ami Moshe Bejski, juge à la Cour suprême israélienne, penserait de ça ? »

Je me tenais à quelques mètres derrière Poldek et, avec mes manières de goy timoré, j'aurais été ravi de pouvoir régler cette facture et de mettre fin à ce psychodrame. Mais un responsable arriva pour tenter de raisonner Poldek, avec une mine aussi naïvement optimiste qu'un jeune conscrit ignorant qu'il partait combattre une unité d'élite. Il ne pouvait rivaliser avec la conviction hypnotique dont Poldek était capable. Poldek *voyait* la future plaque au-dessus du comptoir. Pour ma plus grande gêne, nous fûmes dispensés de payer cette facture, et plus aucun employé de l'hôtel ne se risqua à nous envoyer les suivantes.

Vers la fin de nos sessions de travail à Yad Vashem, je visionnai le documentaire réalisé sur Oskar par la télévision allemande, à Francfort, peu de temps avant sa mort. Oskar s'y exprimait d'une profonde voix grave que le cognac et les cigares avaient éraillée de façon plutôt séduisante. Quand on lui posait la question de ses motivations, il parlait d'« empathie » et de « compassion » pour des gens qu'on traitait avec « une brutalité que vous ne pouvez pas imaginer ». Il avait le visage allongé, le front dégarni, il portait un pardessus, et on pouvait voir derrière cette façade aussi bien un héros qu'un criminel, masquant mille péchés comme mille générosités. En d'autres termes, son visage me semblait très européen ; il aurait parfaitement pu être celui d'un seigneur ou d'un flibustier sur un tableau représentant un événement important de la guerre de Cent Ans.

Nous avions accumulé une masse considérable de documentation. Poldek comptait poursuivre le voyage en Italie et à Hong Kong afin d'acheter de nouveaux modèles pour sa boutique. Évidemment, il était désormais bien connu du personnel de l'hôtel, craint comme la peste à la réception, il était devenu ami avec d'autres clients et copinait généreusement avec les femmes de chambre sépharades. Comme il prenait place dans un des taxis collectifs qui faisaient le trajet entre Jérusalem et Tel-Aviv, il nous dit au revoir en pleurant.

« On est frères jusqu'à la tombe ! » lança-t-il.

Mais il faut bien reconnaître que Judy et moi poussâmes un gros soupir de soulagement alors que sa voiture s'éloignait à travers les jardins du King David : désormais nous ne serions plus assommés de travail ! Nous avions trois jours de vacances avant de regagner Tel-Aviv à notre tour.

Ce fut un soulagement de pouvoir nous livrer à des activités touristiques. Nous fîmes une longue excursion en car jusqu'à Qumrân et ses grottes dans les collines froides et arides où avaient été découverts les manuscrits de la mer Morte. Nous grimpâmes sur le plateau de Massada, lieu du suicide collectif des zélotes, hommes, femmes et enfants, dont la forteresse était sur le point d'être prise par les Romains. Les rampes et les travaux d'ingénierie construits par les Romains étaient encore visibles, triste constat muet que la prise de Massada n'avait, au bout du compte, pas servi à grand-chose. Les ruines des maisons et des bains rituels au sommet du piton permettaient de s'imaginer avec un réalisme saisissant la vie des Juifs qui avaient autrefois résisté ici.

Je me demandais pourquoi les anciennes sectes fondamentalistes étaient souvent vénérées historiquement. Il y avait une certaine justification au suicide collectif de Massada, puisque les zélotes pensaient qu'ils seraient tous passés au fil de l'épée, leurs femmes abusées et massacrées, leurs enfants vendus comme esclaves. Leur acte était donc entré dans le mythe israélien, alors même que de nombreux Israéliens éduqués méprisaient le fondamentalisme moderne, notamment pour la place qu'il occupait dans la politique de leur pays.

Nous nous baignâmes dans la mer Morte comme l'avait fait mon père. Nous louâmes une voiture – chose extrêmement

onéreuse en Israël encore aujourd'hui – et remontâmes la côte
en nous arrêtant d'abord dans le remarquable port romain de
Césarée puis, plus au nord, dans celui que les croisés avaient
baptisé Saint-Jean-d'Acre, après quoi nous poursuivîmes jusqu'au
plateau du Golan en passant devant plusieurs kibboutz avant de
redescendre par la Galilée.

De passage brièvement à Tel-Aviv, je revis les Dresner pour la
dernière fois et emmenai Judy dîner dans ce que nous appelions
désormais le restaurant roumain d'Oskar. Puis, avec notre montagne d'enregistrements, de transcriptions et de photocopies,
nous nous envolâmes pour la Grèce et l'Australie. Le pic à glace
de Zakopane survécut aux douanes grecque et australienne et,
en le brandissant à la main, je fis l'hilarité de mes filles adolescentes : le père déconcerté revenu de ses prodigieuses aventures
avec d'étranges outils.

11

Notre maison sur la plage et mon bureau avec vue sur la mer s'avérèrent être un bon endroit pour écrire un livre sur la Shoah. En regardant par la fenêtre, je pouvais voir chaque jour depuis la table de billard sur laquelle j'avais étalé mes documents des surfeurs nés bien après le cataclysme, des enfants pour qui Hitler n'était qu'une lointaine rumeur. J'avais une quantité incroyable de matière pour nourrir mon formidable récit, j'étais donc convaincu que la phase de rédaction elle-même serait facile. J'avais aussi cette certitude obstinée dont souffrent les écrivains, à savoir que le monde avait besoin d'entendre cette histoire. Les écrivains sont comme ces vieux marins qui importunent les invités dans les banquets de mariage, bien décidés à entraîner de force leur imagination dans une direction qu'ils n'ont pas nécessairement envie de lui faire prendre.

À l'instar de nombreux auteurs, je pensais être capable de raconter cette histoire rapidement, sans m'en trouver affecté de façon trop grave. C'est l'éternel rêve de l'écrivain : être comme un cambrioleur, sitôt entré, sitôt ressorti, sans rien laisser de son âme en otage. Par conséquent je ne m'attendais pas à ce torrent de rêves chaotiques. Je ne m'attendais pas à devenir à mon tour la cible de l'esprit pernicieux et mauvais d'Amon Goeth.

Néanmoins, Schindler devait rester le contexte de tous les événements, son parcours le prisme à travers lequel tout était vu. Je l'avais décidé dès le début, pour donner au livre son unité. Mais il était beaucoup plus facile de décréter de but en blanc ces procédés de narration que de les réaliser en pratique. Poldek faisait ce qu'il pouvait. Il me téléphonait régulièrement pour me promettre qu'une fois ce livre publié j'aurais le prix Nobel. « J'ai déjà réservé mon siège pour Oslo ! disait-il.

— C'est à Stockholm, Poldek.

— Très bien, Stockholm. Tu verras, j'en suis sûr. »

Je connus deux semaines de profond désespoir en milieu d'écriture quand je crus avoir perdu prise sur mon sujet et avoir épuisé les ressources, en imagination comme en argent, que j'avais investies dans ce projet. C'est une expérience classique à mi-parcours pour les écrivains, mais je la pris d'autant plus au sérieux dans ce cas-là en raison de la gravité de l'histoire en jeu. Je savais que, si je ne parvenais pas à la raconter, je risquais d'être tellement abîmé par cet échec que ce serait la fin de ma carrière d'écrivain. Avec en outre l'angoisse de devoir trouver quelque 40 000 dollars, déjà dépensés, pour rembourser les éditions Simon & Schuster.

Je me rendis compte également que, même en Australie, les gens avaient des idées préconçues sur la Shoah. La vieille rengaine revenait sur le fait que les Juifs avaient été trop passifs. Je me rappelle avoir jeté ma carte de crédit au visage d'un ami qui affirmait qu'ils s'étaient « vendus les uns les autres » et être sorti du restaurant d'un pas rageur. Non seulement cette vision était une parodie de la vérité, mais, comme dans tant de cas d'oppression historique, elle s'imposait. Comme si les Français n'avaient pas vendu des Juifs, ou bien les Ukrainiens, et des millions d'autres. L'opinion de mon ami, uniquement fondée sur le fait qu'il avait côtoyé des clients juifs dans la confection, sous-entendait que j'ignorais tout cela et qu'il fallait m'ouvrir les yeux. Goldberg avait vendu certaines personnes sur la liste, les *Judenrat* avait vendu des individus. Les juifs étaient-ils censés être différents de tous les autres peuples humains assujettis et se comporter avec une inhumaine perfection ?

Toujours est-il que, m'étant mis à douter du projet, j'avais recours au whisky. Je disposais d'un radiateur dans mon bureau et, perdu et déprimé par un jour de grand vent, je m'écroulai à son pied et m'endormis. Mes dossiers de transcriptions et de documents gisaient en tas sur la table de billard. Je les avais classés par tranches chronologiques. Le premier était étiqueté « Oskar – Enfance », un autre « Oskar – Jeunesse », puis « Oskar adulte avant 1939 », et les autres portaient le nom d'une série d'années ou d'un événement majeur, comme « Oskar – Fuite vers l'Ouest », « Oskar jusqu'en 1957 », « Oskar jusqu'en 1974 ». Ce jour-là, toute cette profusion de souvenirs et de documentation ne m'était d'aucun secours. Au bout d'un moment, ma femme entra dans le bureau pour voir comment j'allais, me trouva dans ce qu'on pourrait poliment appeler une position de « repos » et – même si je ne savais pas que mes yeux étaient encore entrouverts – fut soulagée de constater que l'anxiété de ces derniers jours avait cédé la place à l'épuisement.

J'ai depuis ressenti le besoin de m'excuser auprès de ma femme et de mes filles pour ce genre d'épisodes. Elles me rabrouent chaque fois avec amusement. Je les accuse alors d'être dans le déni : ce n'était pas une situation agréable et elles étaient en droit de le dire. Encore aujourd'hui je me sens coupable pour toutes les fois où j'ai imposé à ma famille mes angoisses sur les progrès d'un livre.

Avant de m'écrouler, j'avais atteint le moment où Oskar, ayant établi son usine dans la rue Lipowa, avait acheté des travailleurs juifs. Un matin, après une nuit de profond sommeil, j'eus tout à coup le sentiment que j'étais capable de reprendre. Il m'était possible de raconter cette histoire d'une manière qui plaçait le lecteur au centre de l'expérience chaotique et terrifiante des prisonniers. Les documents, les souvenirs individuels reprirent soudain vie à mes yeux. Pourquoi la capacité d'écrire, en tout cas de façon plausible, disparaît ainsi brusquement chez un écrivain, et revient tout aussi intacte ? C'est comme si la partie consciente du cerveau avait besoin d'être désactivée pour permettre le traitement, le tri et la sélection opérés par l'inconscient. Et tout ce que nous savons par expérience est que c'est un dangereux interlude.

Un des facteurs qui m'empêcha de me faire complètement dévorer par ce livre était que mes journées étaient ponctuées et sauvées par les demandes de mes filles, que ce soit pour les aider dans l'interprétation d'un poème pendant leurs devoirs, pour les accompagner ici ou là en voiture dans Sydney, voire à l'école quand, à force d'habiles procédés, elles s'étaient mises trop en retard pour y aller en bus. Elles avaient le désir propre aux adolescents de ne pas être associées à leurs ringards de parents et préféraient souvent qu'on ne les dépose pas pile devant l'établissement. Mais, aussi intenses que puissent être leurs disputes entre sœurs, Judy et moi avions la chance qu'elles n'aient jamais traversé de phase où elles se soient complètement éloignées de nous, ce qui était le cas de nombreux adolescents de notre connaissance et engendrait des conflits chroniques dans certaines familles. Il y eut peu de claquements de portes et peu de tentatives pour briser le cœur des parents que nous étions dans notre maison au bord de l'océan, et Judy et moi avons toujours pris ça comme un simple coup de chance. Parfois je devais apparaître comme le seul enfant dont il faille vraiment s'occuper. Et démarrer mes journées par une sortie, même à contrecœur, devint une forme utile d'aération mentale.

Je me divertissais aussi en suivant, avec ma fille cadette, l'équipe de rugby locale, les Manly-Warringah, à l'époque sans doute la plus célèbre de toutes les équipes australiennes, et la plus détestée. À chaque match, nous retrouvions notre place habituelle derrière les poteaux du stade Brookvale Oval, elle entièrement habillée aux couleurs de l'équipe et brandissant un gigantesque drapeau bordeaux et blanc. Dans ces moments-là, j'étais très loin de la Shoah, et l'arbitre pernicieux restait toujours un ennemi bien moins détestable qu'Amon Goeth. Ainsi s'écoula cet hiver australien, notre équipe remportant victoire sur victoire jusqu'à être battue par les Parramatta Eels, qui avaient malheureusement la meilleure défense de l'histoire de ce sport.

Et au milieu des inquiétudes sur les joueurs blessés, la perfidie des arbitres et la soudaineté avec laquelle d'autres équipes pouvaient nous prendre en embuscade, mon livre commençait à prendre forme. J'avais toujours été le genre d'écrivain qui rédige un premier jet complet, du début à la fin, puis le reprend et le réécrit entièrement, et ainsi de suite. À l'époque je n'avais pas encore d'ordinateur, si bien que j'écrivais tout à la main pour le dicter ensuite, ponctuation comprise, sur un magnétophone. Puis les bandes étaient retranscrites par une dénommée Barbara qui avait une boîte de secrétariat à Avalon, une banlieue balnéaire près de la nôtre. Au plus chaud du mois de décembre 1981, elle avait déjà commencé à taper des bouts de la première version.

Quand elle eut terminé et que je récupérai auprès d'elle le manuscrit complet dactylographié, je me mis à le réécrire à la main, retravaillant de fond en comble, éliminant les passages qui ne me convenaient pas mais gardant les parties que je jugeais utilisables, quitte à les corriger, puis collant les nouveaux paragraphes révisés à la main aux fragments rescapés du premier manuscrit. Je me retrouvai au bout du compte avec des pages et des pages raidies par la colle, un peu comme des parchemins antiques. Le tout fut ensuite de nouveau tapé par Barbara, je fis une dernière relecture, j'apportai quelques retouches çà et là, et j'obtins ainsi un nouveau jet que j'envoyai à mes éditeurs en Angleterre et aux États-Unis, un peu moins d'un an après le voyage que j'avais fait avec Poldek.

Des événements compliqués s'étaient produits entre-temps dans le monde de l'édition américain. Nan Talese, l'éditrice qui m'avait versé une avance et s'était montrée enthousiaste pour le livre, avait quitté Simon & Schuster afin de prendre un poste plus élevé ailleurs. C'est toujours décevant pour un écrivain quand l'éditeur qui lui a commandé un travail s'en va, car on ne peut pas savoir si son remplaçant aura le même engouement pour le projet. En l'occurrence, mon sort se retrouva entre les mains de Patricia Solomon. Elle fit de son mieux mais ne parvint pas à peser sur le tirage, c'est-à-dire le nombre d'exemplaires imprimés. En tout cas ce fut mon impression, dans un milieu où les éditeurs cachent souvent la vérité à l'auteur, que ce soit par politesse, par souci d'éviter les conflits ou par délicatesse pour ne pas heurter son ego.

Un calme étrange s'abat sur la maison d'un écrivain une fois qu'il a posté son manuscrit. Un peu comme le premier jour des vacances dans une école. On range vaguement les piles de documentation dans des cartons, les livres de référence sur leur étagère respective de la bibliothèque, que certains d'entre eux ne quitteront plus jamais.

Les réactions de Patricia Solomon et de mon éditeur anglais, Ion Trewin, furent positives. Mais le départ de Nan Talese, la première à s'être enthousiasmée, laissait tout de même planer une ombre. À l'époque je n'avais pas encore atteint la forme de maturité que je me suis efforcé d'acquérir avec l'âge. Le début du bon sens pour un écrivain est de considérer son travail bien-aimé comme un simple objet sur une chaîne d'assemblage, un article dans un catalogue, occupant une place parmi d'autres, sans doute pas trop importante, dans les plans d'un éditeur qui a une saison entière de livres à produire et à vendre au public. La femme qui aurait été, en tant que son commanditaire, le meilleur défenseur de mon livre était, par un concours de circonstances, absente de tout ce processus. L'écrivain devrait déjà se réjouir du miracle qu'une personne aussi ordinaire qu'une autre ait pu produire un texte qui vaille à peu près la peine d'être lu. Mais il est difficile de voir les choses ainsi quand l'écrivain dépend de son livre pour vivre et pour réussir à s'évaluer lui-même.

Un très bon ami de New York, Irv Bauer, faisait alors son possible pour promouvoir une de mes pièces de théâtre ratées, *Bullie's House*. Elle parlait du pillage d'objets totémiques sacrés chez les Aborigènes. Elle était aussi verbeuse qu'il fallait s'y attendre de la part d'un romancier, mais Irv adorait ça. À ses yeux, une pièce de théâtre devait être l'incarnation d'une ou plusieurs idées, et l'abondance d'idées lui semblait pouvoir justifier le manque de technique. Judy et moi fîmes le voyage de Sydney à New York pour les répétitions au Playwrights' Studio dans une vieille église désaffectée du quartier de Hell's Kitchen. Nous devions loger dans un appartement au-dessus du studio, un endroit plutôt désertique à la nuit tombée lorsque tout le bâtiment était éteint à part notre petit clapier. Un habitant du quartier, employé comme concierge, car en tant qu'ancien cambrioleur repenti il était assez doué pour retrouver la trace de n'importe quel objet volé (y compris la cafetière du studio), venait toquer à notre porte sur le coup de 22 h 30 tous les soirs pour s'assurer que tout allait bien.

C'est pendant ce séjour que le département juridique de Simon & Schuster se mit à travailler sur les «personnages» du livre. Ils voulaient que tous les anciens associés de Schindler et les *Schindlerjuden* mentionnés dans mon livre nous signent une autorisation légale. Ils voulaient même que j'en réclame à des SS qui étaient morts depuis longtemps ou avaient émigré vers de lointaines contrées, comme peut-être l'Australie, le Canada ou l'Argentine. Et ils en demandèrent et en obtinrent une d'Emilie Schindler pour le passage où j'expliquai son rôle dans le sauvetage de certains prisonniers.

Pour m'aider dans cette tâche, je fis de nouveau appel à Poldek, que nous avions vu lors d'une escale entre Sydney et New York. L'avocat de Schindler, Irving Glovin, nous aida également, même s'il était un peu inquiet de la façon dont l'aspect braillard, débauché et subversif d'Oskar était dépeint. Pour lui, l'intérêt de l'histoire tenait à la nature de l'altruisme, presque comme s'il s'agissait d'une substance chimique, glandulaire. Glovin appela les éditeurs anglais et américain pour être rassuré. Poldek leur téléphona pour savoir en détail comment ils pensaient organiser le lancement du livre, et pour les presser un peu. Quoi qu'il en soit, grâce à Poldek, les autorisations rédigées par les avocats de Simon & Schuster furent toutes signées.

C'est aussi durant cette période que je rencontrai une nouvelle fois l'ancienne maîtresse d'Oskar, Ingrid, et son mari, et que je fis une dernière tentative pour obtenir un entretien – car il était toujours temps d'ajouter quelques passages au livre – avec le dirigeant d'une grande compagnie maritime qui était un rescapé de Schindler et par ailleurs un des jeunes prisonniers à s'être enfuis vers l'ouest avec Poldek au petit matin du premier jour de la paix. Il était favorable au projet du livre, mais appréhendait beaucoup de se replonger dans la souffrance de ces années. Poldek, évidemment, méprisait cette décision, mais je pouvais désormais comprendre sa réticence. Ce n'était pas une question d'ingratitude, comme le percevait Poldek, mais l'angoisse de rouvrir la boîte de toutes ces horreurs. Cet homme ne voulait pas regarder en arrière et rester pétrifié par ce qu'il verrait.

Poldek devait faire escale à New York alors qu'il se rendait en Italie et à Hong Kong afin d'acheter des articles en cuir pour son magasin. Il insista pour obtenir un rendez-vous avec la discrète Patricia Solomon chez Simon & Schuster. Elle avait hâte de le rencontrer après avoir tant entendu parler de lui. Poldek commença par la complimenter sur sa beauté. Puis il lui raconta que j'avais éludé quand il avait mentionné le prix Nobel et lui demanda de me confirmer qu'on était sûr de le gagner avec ce livre.

« Oh, c'est bien possible, lui concéda Patricia. Simon & Schuster publie de nombreux prétendants au Nobel. »

Il parut apaisé. Puis il voulut savoir combien d'exemplaires elle comptait imprimer pour le premier tirage.

« Autour de trente-trois ou trente-cinq mille. En grand format, je veux dire.

— Seulement trente-cinq mille ? Patricia, *darling*, vous allez avoir besoin de plus que ça. Tirez-le à cent cinquante mille exemplaires et ils partiront la première semaine.

— En grand format ?

— Bien sûr, en grand format, affirma Poldek du haut de sa grande expertise en matière d'édition. Le week-end d'après, vous serez devenue une légende. Vos patrons vous adoreront, et ils auront raison : la beauté alliée à l'intelligence, que demander de plus ? »

Sa prophétie optimiste allait finalement s'avérer pas si éloignée de ce que seraient les chiffres de vente au bout du compte, bien qu'il faudrait plus d'une semaine pour en arriver là. Il ne voulait pas comprendre que la décision n'était pas entre les mains de la seule Patricia. Elle riait nerveusement, et j'espérais que Poldek allait arrêter de porter le livre aux nues.

« On pourra toujours réimprimer », assura-t-elle.

C'était une promesse que les éditeurs faisaient souvent, mais à l'époque réimprimer voulait dire trois semaines de perdues. Lorsque les écrivains se retrouvent autour d'un verre, ils s'échangent toujours des histoires terrifiantes sur la façon dont l'élan d'un livre a été brisé quand le premier tirage s'est retrouvé épuisé trop vite grâce à d'excellentes critiques et que le deuxième est arrivé trop tard pour relancer l'engouement initial.

Dan Green, directeur des éditions Simon & Schuster, avait fait sa réputation en publiant *Pumping Iron (Arnold le magnifique)* d'Arnold Schwarzenegger et la méthode de gymnastique de Jane Fonda. Il intervint de façon inattendue dans le choix du titre. J'en avais suggéré deux – *Schindler's Ark* (« L'arche de Schindler ») et *Schindler's List* (« La liste de Schindler ») –, en indiquant à Ion Trewin, mon éditeur londonien, que je préférais « arche » à « liste ». Ce n'était pas seulement pour la référence à l'arche de Noé, mais aussi pour celle à l'arche d'alliance, symbole du contrat entre Yahvé et la tribu d'Israël. Un accord similaire, bien qu'approximatif, avait existé entre Schindler et ses employés : s'ils faisaient bien leur travail – si le comptable tenait bien les registres, si les ingénieurs et les ouvriers produisaient, ou plus tard dans la guerre, s'ils *avaient l'air* de produire histoire de couvrir ses trafics au marché noir –, il les sauverait. J'appelle ça un accord « approximatif » à cause de ces gens qui disparurent de la liste en raison de facteurs que Schindler ne pouvait pas contrôler. Son comportement à l'égard des trois cents femmes envoyées à Auschwitz indique cependant que, selon toute probabilité, il avait fait le maximum pour préserver la liste dans son ensemble.

Patricia nous emmena rencontrer Dan Green. C'était un homme athlétique qui semblait avoir bénéficié des conseils d'Arnold. Il se donna vaguement une mine de gros dur et souleva la question du titre.

« J'en ai parlé avec les Anglais de Hodder & Stoughton, lui annonçai-je. Ils ont choisi *Schindler's Ark* plutôt que *Schindler's List*, et c'est ma préférence aussi. »

Green déclara alors qu'il était impossible d'avoir *Ark*. Je lui demandai pourquoi. Il me répondit que les Juifs américains étaient très sensibles à l'accusation selon laquelle ils étaient restés plus ou moins passifs face à leur destruction. Et l'arche impliquait la passivité, les prisonniers entrant deux par deux.

Je lui rétorquai que je ne voulais en aucune façon offenser la population juive américaine, mais que personne n'avait évoqué ce problème au Royaume-Uni. Il m'expliqua alors que la communauté juive y était plus diffuse, moins focalisée sur les affronts potentiels.

« Et la référence à l'arche d'alliance, alors ? demandai-je. L'idée qu'il y avait comme une alliance entre Schindler et ses employés ?

— Non, répliqua Green, les gens ne saisiront pas l'allusion. Ils comprendront seulement cette histoire de passivité, et ils le verront comme une insulte. »

Pour une fois, Poldek n'avait pas d'avis. Du moment qu'ils imprimaient cent cinquante mille exemplaires dès le premier tirage, il était content, et c'était son objectif auprès de Dan Green.

« C'est la plus grande histoire d'humanité d'homme à homme, répéta-t-il comme son mantra habituel. Vous n'en imprimez pas assez. Mais quel que soit le titre que vous et Thomas choisissez, vous devriez mettre en sous-titre *Une grande histoire d'humanité d'homme à homme.* »

Green trouvait ça « poussif », et je l'avais moi-même déjà dit à Poldek. J'argumentai tout de même auprès de Green, disant que les épreuves de l'édition britannique étaient sur le point de m'être envoyées en Australie et que, dès mon retour, j'étais censé me mettre à les relire. En plus de cela, le livre avait déjà été présenté dans le catalogue d'automne de Hodder & Stoughton sous le titre de *Schindler's Ark.* De leur côté, c'était trop tard pour en changer. Naturellement, Patricia Solomon se garda d'intervenir dans mon débat avec Green, mais je me rendis compte que ce que faisaient les éditeurs britanniques était toujours le dernier souci de leurs homologues new-yorkais.

Entre deux discussions avec Green, je demandai à quelques-uns des jeunes dramaturges et metteurs en scène juifs qui gravitaient autour du Playwrights' Studio s'ils se sentaient offensés par le titre qu'abhorrait tant Dan Green. Ils avaient effectivement entendu parler du problème : beaucoup de non-Juifs accusaient les Juifs d'une soi-disant passivité endémique. D'autres, comme Poldek, s'en moquaient pas mal.

Au bout d'une semaine, à tort ou à raison, je finis par me ranger à la proposition de Green. Je n'avais pas le même degré de confiance que Poldek dans cette histoire. Et je n'avais surtout aucune idée que cela deviendrait mon livre le plus célèbre et que cette affaire du double titre allait me hanter et engendrer des questions pendant les vingt années suivantes, voire plus. Au final, je me dis que je ne pouvais pas prendre le risque d'offenser la communauté juive américaine, non seulement parce que je voulais leur vendre mon livre, mais aussi pour les raisons évoquées par Green. Et puis d'autres choses requéraient mon attention, n'en ayant pas totalement terminé avec les aspects juridiques. J'avais par ailleurs envoyé le manuscrit complet pour relecture à Poldek, Mietek Pemper, Moshe Bejski, Sophia Stern et aux Dresner. J'en avais envoyé des extraits aux Fagen, aux Korn, aux Rosner, aux Horowitz, au Dr Schindel et à d'autres. J'allais devoir intégrer leurs corrections.

À présent, il fallait se demander dans quelle classification, parmi celles que comprenait la bibliothèque du Congrès, ranger ce livre. À la fois pour des raisons commerciales et passionnelles, je ne voulais pas qu'il soit confiné à cette section reléguée au fond de la plupart des librairies américaines et intitulée «vie juive». Les livres ainsi étiquetés sont souvent de très belles œuvres, mais j'avais peur que les non-Juifs ne se sentent pas concernés. Poldek était d'accord avec moi sur ce point. J'avais le sentiment que j'avais écrit *La Liste de Schindler* comme un romancier, avec le rythme et le réalisme d'un romancier, même s'il ne s'agissait nullement de romancer la réalité. J'avais placé entre guillemets les quelques phrases que trois ou quatre personnes avaient affirmé avoir entendu Schindler prononcer, mais à part ça le texte était, pour cette raison, largement dénué de dialogues.

Dan Green accepta de le classer en fiction. Par la suite, les gens ne cesseraient de me demander la raison de ce classement, et apparemment des négationnistes se serviraient de cet argument pour minimiser la croyance clairement affirmée du livre dans la réalité de la Shoah. J'étais convaincu à l'époque que ce «roman documentaire» appartenait au genre fictionnel, quoique tout au bout du spectre. Je prendrais peut-être les deux mêmes décisions si c'était à refaire aujourd'hui, mais je ne les défendrais sans doute pas bec et ongles.

12

Les dernières autorisations juridiques et corrections du manuscrit étant finalisées, Judy et moi quittâmes le perchoir de Hell's Kitchen pour regagner le calme de notre plage australienne, à peine troublée par le fracas des vagues. Mes parents, comme nous n'en avions jamais douté, s'étaient remarquablement bien occupés des filles en notre absence. Au cours du processus de révision du texte, lors de l'intégration des remarques des divers associés d'Oskar, je m'étais lié d'amitié, à travers nos échanges épistolaires et nos coups de fil, avec le chaleureux Ion Trewin, l'éditeur de chez Hodder. Je voyais à ses lettres qu'il faisait partie de ces Anglais passionnés d'écriture qui considèrent également le cricket comme une forme d'art ; d'ailleurs, quand je finis par le rencontrer en chair et en os et par découvrir son grand visage barbu de pirate, je pus constater qu'il portait généralement une cravate du Marylebone Cricket Club, considéré comme l'ancêtre de tous les clubs anglais, ou bien du Garrick Club, un cercle privé fréquenté par des acteurs, des éditeurs et des journalistes (réservé aux hommes). Il m'apparut comme un parfait mélange d'artiste et d'establishment britannique.

Alors qu'on approchait de la date de sortie du livre au Royaume-Uni en octobre 1982, Ion m'apprit qu'il avait été présélectionné sur épreuves pour le Booker Prize. C'est un des plus grands prix littéraires, pour lequel peuvent être nominés des auteurs de tout le Commonwealth. Estimant que *La Liste de Schindler* appartenait à la catégorie « romans », Hodder l'avait présenté. Comme j'avais déjà eu trois livres présélectionnés, je ne pensais pas avoir de grandes chances de gagner, surtout vu l'incertitude qui planait sur le genre dans lequel on pouvait le classer. Lorsque j'en informai Poldek, il prit la nouvelle avec calme : « Et voilà, Thomas, qu'est-ce que je t'avais dit ? Qu'est-ce que je t'avais dit ? »

Le Booker Prize devait en partie sa renommée à un scandale littéraire, une virulente attaque qu'il avait subie deux ans plus tôt de la part du prolifique et toujours divertissant Anthony Burgess. J'étais en voyage à Londres pour la promotion d'un livre à l'époque et pour terminer le montage d'un documentaire que j'avais réalisé dans le cadre d'une série de la BBC intitulée *Les Lieux des écrivains*. J'avais été marqué par deux endroits dans ma jeunesse : la localité de Homebush dans la banlieue de Sydney, où j'avais passé la fin de mon enfance et mon adolescence, et la vallée Macleay, 400 kilomètres au nord, qui avait été le lieu de ma petite enfance et avait toujours eu une forte influence sur mon écriture.

Un autre écrivain se trouvait dans la salle de montage de la BBC ce soir-là, travaillant lui aussi sur un épisode de cette série. C'était Anthony Burgess, qui était venu avec son épouse maltaise et un pack de Tiger Beer, la bière de Singapour, en l'honneur de l'impact que cette cité-État avait eu sur sa carrière d'écrivain. Il était en grande forme et nous annonça que, plus tard dans la soirée, il était invité dans une émission de télé aux côtés de William Golding, qui avait remporté le Booker Prize en 1980 devant son propre livre, *Les Puissances des ténèbres*. Burgess considérait l'ouvrage de Golding, *Rites de passage*, le premier volet d'une trilogie sur un voyage en Australie au XIXᵉ siècle, comme plutôt faible au regard de ses œuvres antérieures, dont *Sa Majesté des mouches* et *Chris Martin*.

Et donc, après avoir travaillé un bon moment avec notre producteur sur les tables de montage Steenbeck, Burgess se rendit dans un studio de télé où il se livra à une violente dénonciation. Cette polémique semblait largement plus alimentée par

Burgess que par la réaction de Golding mais, comme toutes les querelles littéraires, elle attira une attention considérable et amplifia de façon irrationnelle la légende du Booker Prize qui voulait que les favoris ne remportent jamais les votes du jury. En 1981, quand le jeune auteur glamour Salman Rushdie remporta le prix avec *Les Enfants de minuit*, c'était déjà devenu plus qu'un événement littéraire : de célèbres acteurs anglais lurent des extraits des livres présélectionnés le soir de la remise, et l'agence de bookmakers Ladbroke avait lancé des paris sur le nom du lauréat.

Invité à Londres pour la promotion de *La Liste de Schindler* et pour assister à la soirée du Booker Prize 1982, je découvris avec étonnement que c'était le deuxième favori des bookmakers. Quelle futilité pour un livre sur la vie et la mort, le paradis et l'enfer. J'étais coté à 7 contre 2, mais le numéro un était le magnifique *Comme neige au soleil* de William Boyd.

Je commençai à entrevoir l'impact important de ma nomination au Booker quand Ion Trewin vint me chercher au vieillot mais formidable Basil Street Hotel, dans le quartier de Knightsbridge, pour m'accompagner à plusieurs séances de dédicaces à travers la ville. Toutes les librairies avaient une table qui présentait les six livres nominés : *Silence Among the Weapons* du dramaturge John Arden, *Constance, ou les Pratiques solitaires* de Lawrence Durrell; Alice Thomas Ellis, journaliste qui tenait une rubrique dans l'hebdomadaire *The Spectator*, avait sorti un roman intitulé *Le Vingt-Septième Royaume* que personne, y compris elle-même et son exubérante ironie, ne voyait gagner; et puis il y avait *Comme neige au soleil* de William Boyd et *Au pays du soleil couchant* de Timothy Mo. Tim Mo était peut-être le premier écrivain anglo-chinois d'envergure, et son livre, que j'entrepris de lire, me paraissait complexe et engageant. Je ne pouvais pas imaginer que le pseudo-roman *La Liste de Schindler* lui passe devant. Le simple fait d'être nominé était déjà la garantie d'avoir de bonnes ventes.

Je fus quelque peu perplexe d'apprendre que j'allais devoir porter un smoking pour la soirée du Booker au Guildhall de Londres. Heureusement, les magasins Moss Bros se montrèrent très généreux à cet égard. Je me rendis chez Ladbroke et misai 50 livres sur William Boyd, et une plus petite somme que ma femme m'avait donnée sur moi-même. Le soir venu, alors que Ion et moi faisions une pause pipi préventive dans les toilettes du Guildhall, mon costume Moss Bros de location n'avait pas grand-chose à envier à celui de Ion qui, à en juger par la façon dont il le serrait à la taille, devait dater de l'époque où il était étudiant.

Une célèbre éditrice d'origine australienne, Carmen Callil, membre du jury du Booker Prize, s'approcha de moi alors que je pénétrais dans la salle de réception rutilante, avec ses écussons et ses magnifiques vitraux, et me glissa quelques mots que je pris comme un simple compliment. Elle affirmerait plus tard que c'était un message codé pour m'avertir que j'avais gagné mais, si c'était le cas, je fus incapable de le déchiffrer. Je n'étais absolument pas nerveux en prenant place à table, bien que Tessa Sayle, mon agent britannique, fût emplie d'espoir. Tessa avait toujours eu un faible pour les Australiens en général, et ses clients australiens en particulier. Elle avait été mariée à un célèbre journaliste australien du *Times*, Murray Sayle, et l'échec de son mariage ne semblait pas avoir diminué son enthousiasme pour les propos extravagants et parfois involontairement choquants que mes concitoyens étaient capables de tenir devant les Britanniques.

La soirée commença par un festin gastronomique, et c'est seulement après que le producteur de la BBC2 nous donna les consignes et que la retransmission télé démarra. Derek Jacobi lut un extrait de *La Liste de Schindler* et d'autres acteurs en firent autant avec les autres romans sélectionnés. On nous servit alors le dessert et les digestifs, et j'eus la bonne idée de boire le calvados de Ion en voyant qu'il était bien trop stressé. J'étais ravi d'avoir fait la connaissance de célèbres personnalités londoniennes ; d'avoir vu l'intérieur éblouissant du Guildhall. Les stoïciens auraient été fiers du repos de mon âme.

Lorsque le professeur John Carey prononça mon nom à la tribune, je me sentis comme électrocuté ; une décharge électrique d'incrédulité aussi fulgurante qu'une flèche. Je m'avançai vers l'estrade avec un demi-sourire hébété et deux verres de calva dans le sang. Je me souviens d'avoir félicité le jury pour l'imprudence de l'énorme erreur qu'il venait de commettre. Je remerciai Poldek, pas seulement pour le matériel rassemblé, précisai-je, mais pour la merveilleuse histoire qu'il avait entretenue des années avant de me la transmettre. En descendant de la tribune, j'eus à peine le temps d'embrasser Ion et Tessa avant d'être propulsé en conférence de presse. Je me risquai à quelques sorties un peu provocatrices, par exemple en disant qu'en tant que premier Australien à remporter le Booker Prize j'espérais que ce serait le début de la fin de *notre* complexe d'infériorité et de *leur* mépris sur le plan culturel. On me demanda de justifier en quoi *La Liste de Schindler* était un roman. « Ça doit bien l'être, dis-je en esquivant peut-être un peu trop facilement la question, puisque les juges l'ont pensé, et qui suis-je pour les contredire ? » Mais la polémique battrait déjà son plein dans les journaux du lendemain, et ne cesserait pas avant longtemps. Comme toutes les polémiques, elle suscita un élan d'intérêt pour le livre.

Quand, tard dans la soirée après la remise du prix, Ion et moi retournâmes au Basil Street Hotel avec l'idée de prendre un dernier verre, le bar était fermé.

Je ne dormis pas de la nuit. Alors que je prenais mon petit déjeuner au merveilleux restaurant de l'hôtel, dans une salle à manger qui n'aurait pas déplu à Henry James, on vint me chercher pour répondre au téléphone. C'était l'acteur australien Bryan Brown, qui était avec moi à Sorrente deux ans plus tôt. Il avait aussi joué dans *Le Chant de Jimmy Blacksmith*, et depuis il avait eu beaucoup de succès dans la minisérie *A Town Like Alice*. À l'image de nombreux Australiens, il voyait tous ces phénomènes comme des victoires sur notre infériorité culturelle. « Tu ne trouves pas ça génial, me dit-il, que deux petits gars des banlieues ouest arrivent à doubler les rosbifs ? » Il me semblait que cette réaction oubliait peut-être un peu vite le fait que j'avais été généreusement choisi par un jury britannique, mais en même temps je partageais la joie revancharde de Bryan.

J'étais encore miraculeusement réveillé à 10 heures ce matin-là. Installé dans un salon de l'hôtel, j'avais rendez-vous pour une interview prévue de longue date avec une journaliste de l'*Irish Times*. Elle s'appelait Maeve Binchy, et un de ses manuscrits avait déjà été accepté chez Hodder. À vrai dire, elle n'allait pas tarder à devenir un écrivain de romans à succès. Mais pour le moment elle se voyait encore comme une journaliste en demande, ce qui expliquait son attitude directe et sans chichis. Elle me remercia de ne pas avoir annulé l'entretien maintenant que j'étais devenu, comme elle disait, une « rock star ». Dans ce salon du Basil Street plein de chinoiseries, elle me murmura : « La journée est déjà bien avancée. » Il était à peine plus de 10 heures. Elle appela le serveur d'un geste de la main. « Vous croyez que ça les embêterait de nous mettre une goutte de whisky dans le thé ? » Depuis ce jour, Maeve Binchy devint mon amie pour la vie. Elle passait souvent ses vacances en Australie, me dit-elle, car son mari anglais, Gordon Snell, qui travaillait pour la chaîne de radio et télévision irlandaise RTÉ, y avait vécu trois années après avoir été évacué de Singapour, enfant.

J'avais eu un cadre de vie assez limité, étant jeune, et mon ingénuité était encore largement intacte. C'est laborieusement, à force de voyages, que j'étais peu à peu devenu un homme du monde. Auprès de Maeve et d'autres, je montrais mon manque de classe postcolonial en ne désapprouvant pas tout le tralala du Booker, ce qui est pourtant l'attitude de rigueur de toute personne vouée à le remporter. « Tout ça ne rime à rien, c'est une loterie, ça ne rend pas le livre meilleur qu'il ne l'était la veille. »

Il est de mise pour les écrivains de mépriser ce prix jusqu'à ce qu'ils soient nominés et, à partir de là, de déclarer tout ce cirque vulgaire, comparable selon certains à un concours de beauté. Mais personne ne refusa jamais son prix, bien qu'un lauréat admirable, John Berger, en ait fait don à la lutte des ouvriers des plantations de canne à sucre du groupe Booker-McConnell aux Caraïbes. Et aucun auteur à ma connaissance ne demanda jamais à être retiré de la présélection du Booker.

Chez nous, à Sydney, Judy apprit la nouvelle au petit matin, par un voisin qui se précipita dans la rue en criant que, d'après les infos sur la chaîne ABC, j'avais gagné.

Pour Poldek, c'était la confirmation de ce qu'il avait toujours affirmé : cette histoire n'était pas réservée aux Juifs. Il le prouva en offrant un exemplaire dédicacé du livre pour tout achat de marchandise au *Handbag Studio* supérieur à 100 dollars. Le débat sur le fait de savoir si c'était un roman ou pas faisait rage mais, tous les matins, de nouvelles piles, imprimées la veille dans le Kent, encombraient le hall en marbre du magnifique édifice du XVIIIe siècle sur Bedford Square, siège des éditions Hodder. Les représentants devaient arriver aux aurores pour réussir à se procurer suffisamment d'exemplaires afin de satisfaire les libraires qu'ils fournissaient. Quel moment rare et grisant dans la vie d'un écrivain, quand la demande est telle qu'elle dépasse le rythme des rotatives !

Je me souviens d'une fiesta bien arrosée avec tout le petit monde de la presse et de l'édition dans le jardin de la vieille bâtisse de Bedford Square. Mais, derrière les célébrations, il y avait la réalité, qui était que ce livre était construit sur le sang de victimes innocentes. Je fis ce soir-là un cauchemar intime et mérité, peut-être alimenté par mes excès d'alcool : Amon Goeth me sélectionnait parmi une rangée de prisonniers pour me vouer à une mort non spécifiée. J'ai toujours trouvé plus pénétrant l'avant-goût qu'on pouvait avoir de la mort dans ses rêves que la peur ordinaire dont on peut souffrir éveillé.

La semaine suivante, on fit appel à moi comme si j'étais un Londonien pour accomplir certains devoirs civiques ; l'ouverture d'une nouvelle bibliothèque dans la City de Londres, par exemple. Je me demandais si je devais mentionner mon grand-oncle républicain irlandais, qui avait été condamné à l'exil en Australie pour sédition. Ou mon oncle militaire Johnny qui, lors d'une permission pendant la Première Guerre mondiale, était venu à Londres et tombé amoureux d'une infirmière écossaise en 1917, une idylle demeurée sans suite.

À présent, auréolé d'une renommée accidentelle, je m'envolai pour l'Australie. Judy organisa une grande et belle fête pour mon retour. La tension entre la gloire du Booker Prize et la conscience que mon travail s'était nourri des témoignages de gens qui avaient subi les pires actes de barbarie me mettait souvent mal à l'aise en privé, et Judy le comprenait. Il y avait cependant une joie indéniable à être de retour et reconnu parmi les miens. J'étais surtout content de voir l'enthousiasme de mes filles, qui ne manifestèrent aucun signe d'ennui propre à l'adolescence devant ce qui m'arrivait.

13

L es écrivains se plaignent toujours des tournées de promotion aux États-Unis. Il n'y a qu'une chose qui soit pire que le fait que votre éditeur américain vous envoie de ville en ville en vous condamnant à prendre des vols à 5 h 30 du matin ou à 23 h 5, c'est qu'il ne s'intéresse pas assez à votre livre pour le faire. La taille du pays, la quantité de grandes villes et la popularité des émissions de radio et de télévision tôt le matin ou tard le soir contribuent à priver l'écrivain du peu d'heures de sommeil qui lui restent. C'est une expérience faite de douches à demi revigorantes avant l'aube et de café noir infect avalé en vitesse dans des salles d'embarquement.

Simon & Schuster publiait le livre sous le titre *Schindler's List*, puisque j'avais perdu mon bras de fer avec Dan Green, et bien qu'ils aient décidé d'augmenter le tirage vu l'enthousiasme des libraires avant même la sortie, je me rendis compte dès la troisième semaine de la tournée que, comme l'avait prévu Poldek, le livre était déjà épuisé. Je prêchais dans le vide à longueur d'émissions de radio et de télévision. Je m'en plaignis à Patricia Solomon et en informai Poldek, qui fit à Patricia son petit numéro du « Qu'est-ce que je vous avais dit ? ».

Au milieu de la tournée, de passage en Californie, je vis Poldek et l'avocat Glovin. Poldek nous prédit que la prochaine étape serait un film. Le livre avait eu une critique en une du *New York Times*, disait-il, si les gens de Hollywood ne réagissaient pas, c'est qu'ils ne méritaient pas les fortunes qu'ils gagnaient.

Et, en effet, en l'espace de quelques jours, deux maisons de production intéressantes se manifestèrent. La première était Goldcrest, qui avait récemment produit le film *Gandhi*. La seconde était Amblin, la filiale de Steven Spielberg au sein d'Universal. En plus de mon petit rôle dans *Le Chant de Jimmy Blacksmith* de Fred Schepisi, j'avais eu d'autres occasions de travailler avec des sociétés de production. Un de mes livres, *Gossip from the Forest*, avait été adapté pour la télévision britannique par Granada TV. Il avait été filmé dans la forêt près de Chester et j'avais été invité sur le tournage sans parvenir à me libérer pour y aller.

J'éprouvais un certain scepticisme quant aux projets d'adaptations cinématographiques, à vrai dire. Des producteurs américains, anglais ou australiens avaient déjà pris des options sur plusieurs de mes livres, et il me semblait qu'une forme de répétition caractérisait le processus : quand un producteur aborde un écrivain pour la première fois, il est absolument fan de son livre ; en faire un film est son unique objectif. Et la force du livre supplantera tous ses défauts, dont il est prêt à admettre l'existence, un peu comme des taches de rousseur chez l'être aimé. Il veut donc s'assurer l'exclusivité des droits sur votre livre pendant un an moyennant une petite somme, étant bien entendu que, dès qu'il aura l'argent pour le film, la corne d'abondance s'ouvrira et suivront un contrat en bonne et due forme ainsi qu'un gros chèque.

Mais, une fois que le producteur a fait le tour des studios, des financeurs et des autres maisons de production, son ardeur s'en trouve toujours quelque peu émoussée. Le livre présente désormais une série de vrais problèmes : ça peut être le fait que ce soit un récit historique ; ou qu'il appartienne à un genre ayant donné lieu récemment à trois films ratés ; que les studios se soient déjà cassé les dents sur des projets similaires ; qu'ils l'aient envoyé à l'agent de l'acteur en vue du moment, mais que l'acteur en vue et son agent aient « passé leur tour ». Le producteur avec qui vous avez signé ce modeste pré-accord a bien essayé par intermittence de trouver d'autres solutions, mais son amour inconditionnel pré-option a disparu et il y a une certaine lassitude dans sa voix, comme un avertissement qu'il ne faut pas s'attendre à un miracle. Je ne pensais donc pas que cet intérêt pour mon nouveau livre déboucherait sur quoi que ce soit.

En attendant, la maison d'édition avait procédé à une réimpression et Poldek et moi avions été invités à New York pour participer à l'émission de Jane Pauley, *The Today Show*. Ils voulaient que Poldek parle de son expérience avec Oskar, de la façon dont il m'avait confié cette histoire, etc. Nous prîmes donc un vol pour New York et passâmes une nuit à l'hôtel avant de nous retrouver côte à côte dans l'émission matinale préférée des Américains. J'avais prévenu Poldek au dîner la veille que la télévision était un média frénétique. On n'y avait pas vraiment les coudées franches. Il fallait savoir résumer le message qu'on voulait faire passer avec une rigueur qui, je le craignais, n'était pas tellement dans la nature de Poldek.

Nous fûmes maquillés aux aurores par des esthéticiennes qui avaient dû appliquer du fond de teint à tous les hommes politiques et rock stars du pays. Dans les loges, Poldek eut un succès immédiat auprès des autres invités, qu'il couvrit de ses compliments habituels. Quand ils lui demandaient ce qu'il faisait là, il me désignait comme son Cervantès et répondait à tout le monde de se préparer pour le film qui allait venir. Il essaya de la même manière de faire ami-ami avec l'assistant qui vint nous chercher pour nous emmener sur le plateau pendant une coupure publicitaire. La productrice de l'émission s'approcha de nous nerveusement et nous indiqua que nous aurions huit minutes.

« Huit minutes ! s'exclama-t-il. C'est beaucoup trop court. Vous êtes une gentille fille, *darling*. Vous ne pourriez pas nous en obtenir au moins dix ? »

Mais les dieux de la télévision étaient immuables sur ce point.

Alors que Jane Pauley se levait pour nous accueillir, Poldek lui déclara son amour éternel, malgré le fait qu'elle était « déjà mariée à cet homme charmant, le dessinateur, là » (Garry

Trudeau, créateur de la série *Doonesbury*). Une lueur de panique traversa brièvement les jolis yeux de Pauley tandis qu'elle espérait qu'une présence alliée dans les coulisses allait venir à sa rescousse pour maîtriser cette force de la nature. Un régisseur interrompit les louanges de Poldek sur l'union Pauley-Trudeau en criant à la cantonade : « Trente secondes ! »

Poldek baissa la voix pour continuer dans un murmure : « Vous devez être tellement fatiguée, *darling*, à travailler comme ça tous les matins. Faites attention à vous, Jane. Pour l'amour de Dieu, vous êtes encore jeune ! »

Jane Pauley hocha la tête en entendant le régisseur annoncer : « Dix secondes ! »

Alors que les lumières du plateau se rallumaient, Pauley nous présenta tous les deux et me demanda de raconter ma première rencontre avec Poldek. J'expliquai rapidement l'histoire, après quoi Poldek se répandit en détails exubérants, et il ne resta plus le temps que pour une dernière question : quand Poldek avait-il vu Schindler pour la première fois ? Poldek parla de leur rencontre dans l'appartement de sa mère rue Grodzka en 1939. Et, tout à coup, on nous remercia et on nous escorta hors du cercle lumineux de brève gloire nationale dans lequel resta Jane Pauley.

« On s'en est très bien sortis, Thomas, me confia Poldek sur le chemin des loges. Mais, bon Dieu, en quoi ça les aurait gênés de nous laisser un peu plus de temps ? »

Je remarquai que les jeunes assistantes qui nous accompagnaient avaient l'air de trouver Poldek assez rafraîchissant. Elles avaient l'habitude de gens qui avaient appris à force d'interviews à dire les choses avec l'efficacité tranchante que requiert la parole médiatique ; c'était un pli à prendre, qui ne demandait aucun talent particulier. Mais elles n'avaient encore jamais vu une telle jovialité à toute épreuve et un tel naturel spontané.

S'agissant du livre, en revanche, c'était une interview catastrophique. Du moins le pensais-je à l'époque. Aujourd'hui, je n'en suis plus si sûr. Comme me dit Poldek dans le taxi : « Ça devrait obliger ces imbéciles d'éditeurs à imprimer encore plus d'exemplaires.» Et, en effet, peu de temps après notre passage à la télé, le livre fut de nouveau épuisé malgré sa réimpression. Nous rentrâmes en Californie au tout début du mois de décembre 1982.

C'est par mon éditeur américain que je reçus le message : Steven Spielberg, dont le film *E.T.* était encore sur les écrans de cinéma du monde entier, souhaitait me rencontrer le samedi suivant dans la villa de Sid Sheinberg (le patron d'Universal) à Bel Air.

«Je viendrai avec toi, déclara Poldek en l'apprenant.

— Je crois que je suis invité tout seul, lui répondis-je.

— Ne sois pas ridicule. Je connais la mère de Spielberg. Je mange tout le temps dans son restaurant. C'est une très belle femme. Toute petite, mais gracieuse.»

En effet, la mère de Spielberg, Mme Adler, tenait un restaurant casher à Beverlywood, baptisé l'*Eclectic Kosher Dairy Restaurant*. Pour appuyer ses dires, Poldek m'y emmena un ou deux jours plus tard, et nous y mangeâmes la meilleure cuisine casher que j'avais jamais goûtée, bien meilleure qu'à l'hôtel King David. Je ne me souviens pas qu'à l'époque la chétive Mme Adler ait eu la moindre protection contre les chasseurs d'autographes ou les scénaristes enthousiastes essayant de lui faire passer leur dernière œuvre pour qu'elle la transmette à son célèbre rejeton. Ce n'est que bien plus tard, qu'elle embaucha un colosse, réputé pour être un ancien para de l'armée israélienne, afin de lui épargner ce genre de nuisances.

Mme Adler était une forte femme, à la présence imposante. Bien qu'elle ait affiché aux murs des posters de ses films, elle admettait qu'enfant Steven était pour elle une énigme. «Je ne savais pas que c'était un génie, confia-t-elle un jour à un journaliste. Pour être honnête, je ne savais pas ce qu'il pouvait bien être.»

Poldek, bien sûr, lui parla de notre rendez-vous prochain avec son fils, et elle l'écouta avec une patience méritoire.

Le samedi matin, Poldek, qui avait réussi à se faire inviter en harcelant le secrétariat de Spielberg, se présenta au petit hôtel sur Rodeo Drive dans lequel je logeais. C'était une très belle matinée d'automne, sans brume, et l'atmosphère paraissait propice, moins polluée que d'habitude. L'air avait été nettoyé dans la nuit par la brise venue des montagnes. Je doutais grandement que Spielberg veuille adapter mon livre, mais j'étais ravi d'avoir l'occasion de le rencontrer. Connaissant un peu le milieu du cinéma, je savais qu'il ne fallait s'attendre à rien et, tandis que nous grimpions dans les collines, c'était surtout Poldek qui piaffait d'impatience et de certitude.

Nous passâmes devant d'improbables pavillons de marbre, et des grilles majestueuses à travers lesquelles nous apercevions des allées qui serpentaient dans de luxuriants jardins presque trop verts pour être vrais. De hauts murs en pierre abritaient des regards leurs richissimes occupants. On disait d'ailleurs que les rues de ce quartier étaient conçues comme un entrelacs inextricable de façon à prévenir les intrusions de fans chez les stars, ou de gens qui espéraient leur vendre leur dernière idée de film. Nous finîmes quand même par trouver la villa de Sid Sheinberg. Je descendis de la voiture pour m'approcher d'un immense portail et bredouiller dans l'interphone pendant que, derrière moi, Poldek me hurlait : « Dis-leur que tu viens voir Steven ! » La grille s'ouvrit.

On ne voyait pas encore la maison, il fallait l'atteindre en voiture, tout en haut de la colline, derrière une haie d'arbustes. Dickens n'aurait jamais pu prétendre à une telle demeure, James Joyce et D. H. Lawrence étaient étrangers à ce genre de luxe. Il s'agissait de la version hollywoodienne de Versailles, créée à partir de minuscules filaments qu'on appelait des films, grâce au travail de scénaristes, heureux ou malheureux, et d'auteurs, modestes ou géniaux. Le temps que Poldek ait garé la voiture derrière la maison, à l'endroit que nous avait désigné un homme athlétique, mi-laquais, mi-garde du corps, je me sentais légèrement désorienté. Mais Poldek avait pour règle de ne jamais l'être. « Parfait ! lança-t-il d'un ton gaillard. Maintenant, allons rencontrer ce petit prodige ! »

Sid Sheinberg apparut presque aussitôt à la porte de ce qui ressemblait à un jardin d'hiver ; un homme avenant, mince et chauve. Physiquement, c'était le genre de Californien dont les gens disaient : « Il a un revers fabuleux. » L'obésité était considérée comme un fléau de Dieu à Beverly Hills, et lui était maigre comme le salut. La table du déjeuner était dressée à l'intérieur, dans une pièce agréable qui avait tant de baies vitrées qu'on se serait cru en plein air.

Spielberg n'était pas encore arrivé, et nous l'attendîmes en parlant de choses et d'autres : la sortie du livre, les relations de Poldek avec Schindler. « Bien sûr que je le connaissais, monsieur Sheinberg. Je faisais déjà du marché noir pour lui avant qu'il ouvre sa première usine en 1939 ! » En somme, on reprenait à l'endroit où on s'était arrêté avec Jane Pauley. Nous avions à peine eu le temps de boire un verre d'eau que Steven Spielberg arriva. Il parlait vite, avec un mélange d'accent californien et de l'Ohio. Nous échangeâmes des poignées de main, et il dit le genre de choses que les gens de cinéma disent toujours sur les livres.

En bon provincial impressionné, je répondis : « C'est un honneur de faire votre connaissance, monsieur Spielberg. Voici mon ami Poldek Pfefferberg, l'homme qui m'a fait découvrir cette histoire. »

Spielberg était en tenue de week-end : polo de sport, pantalon et baskets. De nous quatre, Poldek était le seul à porter une cravate. Et il n'avait pas la même déférence que moi envers Spielberg, qui à présent se tournait vers lui pour le saluer.

« Steven, annonça Poldek d'un air parfaitement dégagé, je parlais avec votre mère l'autre jour, et elle me disait que vous gagniez très bien votre vie.» Il y avait dans sa voix une légère pointe de suspicion, comme si Mme Adler avait peut-être exagéré un peu et qu'il se retenait d'ajouter : «Si seulement vous aviez mieux travaillé au lycée comme votre cousin Leon, vous aussi vous auriez pu devenir expert-comptable.» C'était ainsi, avais-je remarqué, que les vieux Juifs remettaient toujours à leur place les jeunes qui avaient mieux réussi qu'eux. Pas une mauvaise habitude, après tout, mais assez rude.

On prit place pour le déjeuner. Sans vin, bien sûr : le vin n'était pas vraiment le style des Californiens, malgré les magnifiques vignobles dans le nord de l'État. Spielberg s'avéra particulièrement intéressé par précisément ce à quoi je souhaitais qu'il s'intéresse : l'ambiguïté de Schindler, le subtil équilibre entre l'opportunisme et la compassion humaine, le fait que nul ne pouvait dire où finissait l'un et où commençait l'autre. Et le fait que Schindler lui-même, héros sans introspection, en aurait été incapable.

Poldek donna sa version, bien entendu, et ce fut le début d'une discussion qui allait durer quinze ou seize ans.

Au milieu du repas, Spielberg demanda à Sheinberg s'il pouvait utiliser ses toilettes. Sheinberg lui indiqua le chemin, et Spielberg avait à peine tourné le dos que le sémillant Poldek me lança : «Je t'en prie! Il gagne deux millions par jour et il faut qu'il porte des baskets?»

Mais malgré la remarque de Poldek sur le manque d'élégance de Spielberg, celui-ci fit preuve de courtoisie dans les conversations que nous eûmes ce jour-là, parlant d'une voix douce et en même temps passionnée. Il montra aussi qu'il avait parfaitement saisi la portée du livre. Et, en vérité, étant donné qu'il gagnait deux millions par jour, il avait bien le droit de s'habiller comme il voulait. La mode était le cadet de ses soucis.

Le déjeuner se conclut sans qu'aucun engagement ferme ait été pris. Poldek assura à Spielberg : «Je vous le dis, Steven, si vous faites ce film d'humanité d'homme à homme, il vous vaudra un oscar. Garanti ! Sans l'ombre d'un doute !» Je n'avais pas osé moi-même appeler Spielberg par son prénom, mais ça ne semblait poser aucun problème à Poldek. Pas plus que de nommer la chose implicite pour laquelle nous étions là : le film. « Vous aurez un oscar pour Oskar !» Au cas où Spielberg n'aurait pas bien compris, Poldek refit le même discours à Sheinberg. Spielberg me serra la main. « Très beau livre, très beau livre», murmura-t-il. Mais ce fut tout. Ça pouvait aussi bien être un adieu.

Dans mon petit hôtel sur Rodeo Drive ce même mois de décembre, je rencontrai également un des producteurs de la société britannique Goldcrest. J'avais beaucoup aimé *Gandhi*, et j'étais convaincu que, si Goldcrest faisait une offre, ils sauraient faire un travail subtil non seulement sur le personnage d'Oskar, mais aussi sur ceux des jeunes SS au visage poupin qui, entre deux atrocités, envoyaient à leur mère des nappes ou des draps polonais achetés à la Sukiennice. Hollywood n'avait jamais été très doué pour créer des nazis réalistes.

Je rentrai chez moi pour un nouveau Noël aux antipodes, dignement célébré par Judy, qui prenait Noël autant au sérieux que Dickens. Excitation contenue, papiers et rubans ébouriffants, cadeaux qui surprenaient réellement leur destinataire : tout cela était au menu. Bien que Noël tombe souvent un jour où il fait dans les 30 °C avec un taux d'humidité considérable, les Australiens le fêtent toujours avec une application épuisante.

En ce début de nouvelle année, une jeune femme, Kathy Kennedy, productrice exécutive d'*E.T.* et avant ça secrétaire personnelle de Spielberg, m'appelait de temps en temps pour m'informer des derniers développements. Dieu merci, elle n'employait jamais le funeste mot « option». Avec Universal derrière, Amblin achèterait tout bonnement les droits ou pas.

Et puis, un mercredi matin, je reçus un coup de fil du bureau de Spielberg me demandant si je pouvais venir le soir même à Los Angeles pour signer un contrat avec Universal. L'idée d'un contrat mit aussitôt fin à mon scepticisme sur les projets de films. Je leur expliquai que je devais impérativement être rentré en Australie le dimanche pour une conférence. Parfait, me répondit-on, je pouvais très bien prendre un vol ce mercredi soir, arriver à Los Angeles le mercredi matin par la grâce du décalage horaire, signer le contrat, rencontrer mes amis Poldek et Glovin. Si je reprenais l'avion le jeudi soir, je serais de retour à Sydney le samedi matin.

Il y a douze heures de voyage entre Sydney et Los Angeles, et à cette époque tous les vols se faisaient de nuit. J'étais fatigué, mais je m'en souciais guère. Car j'étais en route vers ce dont tout écrivain rêve en secret à un moment ou un autre : le jackpot. Je connaissais des auteurs dont les droits avaient été bafoués et qui avaient été négligés et sous-rémunérés pour leurs films; Ken Kesey, par exemple, qui affirmait n'avoir reçu que dix mille maigres dollars pour ce qu'il considérait comme un pillage de son livre *Vol au-dessus d'un nid de coucou*. J'avais demandé à Anthony Burgess, deux ans plus tôt dans cette fameuse salle de montage de la BBC, s'il était vrai qu'il avait reçu quelque chose comme 50 livres pour les droits de son roman *L'Orange mécanique*. Il me l'avait confirmé. Il vivait alors à Malte et, pour une raison mystérieuse liée à des questions fiscales, une maison de production de musique rock avait acheté les droits d'adaptation de plusieurs livres pour des sommes dérisoires, dont le sien.

Kathy Kennedy et Steven Spielberg, cependant, ne semblaient pas malintentionnés à mon égard.

Le chapelet d'orages et de turbulences qui ponctue toujours la traversée du Pacifique entre Sydney et Los Angeles me réveilla à peine dans mon confortable fauteuil; apparemment, à Hollywood, personne ne voyageait jamais en classe éco, contrairement à Poldek et moi pendant toutes nos recherches. J'allais même finir par comprendre que la première classe était considérée comme une épreuve selon les normes d'Universal, et que le jet privé semblait la seule façon raisonnable de se déplacer pour un magnat du cinéma.

Bien que les Australiens soient amplement rodés aux vols long-courriers, même ceux qui parviennent à dormir arrivent à destination quelque peu déphasés. C'est comme si le cerveau était resté quelque part aux environs d'Hawaï et n'avait pas encore atterri. La vue a tendance à se brouiller dans les premiers moments, surtout avec la pollution de l'air qui règne à Los Angeles. Une chambre avait été réservée pour moi au Sheraton Universal, et je récupérai ma clé à la réception au milieu d'un brouhaha de familles qui quittaient l'hôtel pour une grande journée d'aventures dans le parc d'attractions des studios Universal.

Mon ami Poldek vint me rendre visite.

«Ils te font venir de Sydney pour deux jours? Ça veut dire qu'ils doivent vouloir faire le film très vite.»

Son hypothèse paraissait en effet crédible. J'étais empli d'une sereine impatience. Tout ça signifiait que je serais à l'abri du besoin pendant plusieurs années, libéré de l'angoisse de devoir attendre, pressé par un découvert à la banque, qu'un éditeur accepte un de mes manuscrits et veuille bien me verser un à-valoir ; ou bien, la date de sortie d'un de mes livres approchant, de pouvoir toucher le versement du solde dû à la parution.

J'avais toujours une légère sensation de tournis et de désorientation le lendemain matin, alors qu'un chauffeur vint me chercher pour m'emmener au service juridique d'Universal, un immeuble de bureaux entier du complexe d'Universal City. Tout le monde était là, sous la houlette d'un avocat du studio. Il régnait dans la pièce une sorte de silence prénuptial. Je me demandais si cet avocat faisait partie des employés chargés de maintenir les films dans un endettement théorique afin que les bénéfices futurs ne soient pas dilapidés en droits d'auteur, par exemple. Mais, en l'occurrence, cet homme avait plutôt l'air d'un gentil tonton. Devant lui, Spielberg, Sid Sheinberg, Poldek, Glovin (en tant qu'avocat de Schindler) et moi-même apposâmes nos signatures au bas du contrat. Un des points positifs de cet accord était que j'allais devoir écrire la première version du scénario, de sorte que je n'en avais pas encore fini avec l'histoire de Schindler ; elle m'était devenue chère, malgré son lot de cauchemars et de délivrances aléatoires.

Glovin signa le contrat en tant que producteur associé, Poldek en tant que conseiller technique. Sid Sheinberg déclara pour la forme que c'était un jour à marquer d'une pierre blanche, et Spielberg me remercia d'avoir fait le voyage de si loin pour si peu de temps. Je crois qu'à l'époque il était en plein montage du premier *Indiana Jones*, et le devoir l'appelait : il prit donc congé rapidement, mais je m'attendais de toute façon à le revoir sous peu.

Je repris un vol le soir même et retrouvai mon cerveau en parfait état de fonctionnement quelque part à l'est de Tahiti. Ma femme et mes filles m'attendaient à l'aéroport de Sydney, et nous allâmes prendre un café sur le chemin de la maison. L'univers me semblait un lieu d'abondance, la seule ombre au tableau étant l'incontestable réalité que toute cette bonne fortune reposait sur des milliers d'existences fauchées ou menacées de près pendant la Seconde Guerre mondiale.

Sous la pression générale, et malgré mes doutes sur ma capacité à me servir d'un engin aussi mystérieux, je fis l'acquisition d'un ordinateur terriblement agaçant et impénétrable. Les ordinateurs de l'époque – 1983 – étaient énormes, poussifs et capricieux. Mais ils possédaient quelque chose dont j'avais toujours eu besoin : la fonction couper-coller. Cela m'aiderait grandement dans l'écriture du scénario. Avec l'avènement des ordinateurs, Barbara, la femme qui avait une boîte de secrétariat à Avalon dont j'avais longtemps été client, se reconvertit en ouvrant un vidéoclub, et je participai d'emblée à bâtir sa modeste fortune avec toutes les amendes que je lui payais en rendant les films en retard.

14

Dans mon bureau avec vue sur la mer, j'entrepris de rédiger le scénario à partir de la matière du livre. Évidemment, je savais qu'il me serait difficile de reprendre tous les personnages, ou de réduire la masse tumultueuse de récits contenus dans le livre pour la faire tenir dans le format d'un scénario. En particulier, je ne voulais pas sacrifier les liens intéressants qu'entretenait Oskar avec l'Abwehr, ni des épisodes comme son voyage à Budapest pour rencontrer M. Springmann et ses alliés et les informer des monstruosités qui avaient lieu dans les camps. Je n'essayais pas non plus d'introduire de faux suspense ou de mélodrame, du moins pas davantage que la réalité n'en recelait déjà. Je voulais que le film se ressente comme une expérience intime. Et qu'il conserve l'ambivalence de Schindler. Si ce dernier devenait un saint, un héros irréprochable comme Raoul Wallenberg, on perdrait la singularité de son histoire et de celle de ses prisonniers.

Bien entendu, je ne savais pas avec quel degré de précision j'arriverais à transposer le personnage d'Oskar dans un scénario. Par exemple, sa passion de jeunesse pour les courses à moto pouvait-elle servir de signe avant-coureur à son courage futur ? J'avais l'intuition qu'un public de cinéma accepterait plus facilement des zones de non-dit sur un personnage que dans un roman. Je n'avais pas besoin d'entrer dans les détails et d'expliquer pourquoi c'était un civil, pourquoi il avait échappé à la mobilisation, ou encore pourquoi il avait épousé Emilie, la fille d'un paysan de sa ville natale. L'ambiguïté de leur relation serait révélée par certaines scènes du film, comme l'arrivée d'Emilie à Cracovie.

Était-ce pour cette raison que les stars de cinéma étaient toujours d'une beauté éblouissante, ou possédaient une telle présence, pour pouvoir soutenir l'attention de spectateurs qui ne savaient pourtant rien de leurs personnages avant que le film ne leur en dévoile quelques bribes ?

En vérité j'étais conscient, peut-être pas sur le plan affectif mais sur le plan rationnel, que, pour faire un film à partir d'un livre, j'allais devoir en limiter l'action de façon impitoyable afin qu'elle devienne un fleuve sans méandres ni bras morts risquant d'égarer le public. Et j'allais devoir m'arranger pour que les spectateurs de moins de quarante ans ne se posent même pas la question de savoir pourquoi Schindler avait échappé à la mobilisation. Ou, s'ils se la posaient, il fallait que la puissance de ses aventures balaye leurs interrogations.

Je n'étais pas totalement novice en tant que scénariste. J'avais écrit un téléfilm intitulé *Essington* qui racontait l'histoire de la tentative avortée de créer, au XIXe siècle, sur la côte nord de l'Australie, un port alternatif à Singapour, et quelques autres scénarios qui n'avaient jamais été portés à l'écran. Je m'étais également exercé à l'écriture de pièces de théâtre. Mais, en termes de narration, j'étais fondamentalement un romancier, enclin à me lancer dans des digressions et des sous-digressions même quand il s'agissait de raconter une histoire dans un dialogue. J'aime la technique du scénario, les descriptions au compte-gouttes, le défi de faire passer un sous-texte compliqué à travers quelques répliques parcimonieuses. Mais elle ne m'était pas pour autant naturelle.

Au bout de trois mois, vers le milieu de l'année 1983, alors que j'avais corrigé et recorrigé ma première version, le scénario faisait encore deux cent vingt pages. Je le fis parvenir à Spielberg à Los Angeles. Le fidèle Poldek trouvait que c'était exactement ce qu'il fallait faire. Il continuerait même à dire plus tard : « Ils auraient dû garder ton scénario, Thomas ! » Mais, dans son bureau chez

Universal, Spielberg me confia que j'étais peut-être resté trop proche de la matière d'origine; que je devrais le retravailler en faisant comme si je n'avais pas écrit le livre, comme si j'avais la tâche d'adapter pour le cinéma l'œuvre de quelqu'un d'autre, sur laquelle je n'aurais aucun droit de propriété. Et puis il fallait que je le raccourcisse : deux cent vingt pages, c'était presque deux heures et demie de film. Regardez les films dans les vidéoclubs, me dit Spielberg, ils font entre une heure cinquante-huit et deux heures cinq maximum : l'endurance moyenne d'une vessie humaine.

Bien que je l'aie supplié de ne pas le faire, Poldek n'arrêtait pas d'appeler le bureau de Spielberg pour lui dire : « Franchement, Steven, prenez le scénario de Thomas et vous aurez un oscar pour Oskar, garanti.» Et, pour être honnête, je ne voyais pas où était le problème narratif dans ce que j'avais écrit, mais j'imagine qu'on ne le voit jamais quand on est l'auteur.

Pendant les dix-huit mois suivants, je continuai à travailler sur le scénario, et en parallèle sur le début d'un nouveau roman. Le temps passait à toute allure, comme toujours quand on est plongé dans l'écriture. Pourtant, 1985 arriva sans que j'aie véritablement trouvé de solution satisfaisante pour le scénario à part le réduire en longueur. C'est alors que le département d'écriture de l'université de Californie à Irvine me proposa un poste de professeur invité. Oakley Hall, le fondateur de ce programme et de la Squaw Valley Summer School, à laquelle étaient invités les jeunes écrivains prometteurs ainsi que les plus grands éditeurs et agents du pays, voulait prendre un trimestre sabbatique et me demandait de le remplacer.

Je partis donc m'installer sur ce campus au milieu des vieilles orangeraies du comté d'Orange, non loin de Newport Beach, la ville de John Wayne. Il y avait de talentueux écrivains parmi les étudiants de cette promotion, dont Michael Chabon et Whitney Otto, qui produisirent en cours des romans fabuleux. Mais la chose la plus étonnante de ce programme était sa capacité, soigneusement bâtie par Oakley Hall et MacDonald Harris (Don Heiney), à mettre les étudiants en contact avec des agents et des éditeurs. Les étudiants formaient un groupe très sympathique.

Ils avaient tous pas loin de la trentaine, et la plupart étaient déjà endurcis par le système des cours à l'américaine, que je trouvais assez rude, voire brutal. Au total, c'étaient douze étudiants de troisième cycle sélectionnés à travers le pays, dont l'un – James Brown, un type charmant qui venait d'une famille modeste de San Jose – avait déjà eu un premier roman publié – *Hot Wire* – et en aurait encore beaucoup d'autres à l'avenir.

Voilà comment se déroulaient les cours : nous nous réunissions dans une salle de séminaire baptisée « le Centre des écrivains » et, en concertation avec les douze étudiants, nous décidions qui présenterait une nouvelle ou un chapitre de son roman à chacune de nos sessions hebdomadaires. Lors du premier cours, l'écrivain invité donnait une conférence sur sa propre expérience de l'écriture. Les semaines suivantes, chaque écrivain en herbe présentait son chapitre ou sa nouvelle et recevait, en plus de la mienne, onze critiques par écrit, que j'étais chargé de résumer. La plupart des élèves avaient déjà participé à ce genre d'atelier collectif au cours de leurs études. Ce n'était pas mon cas mais, comme j'avais déjà beaucoup publié, on m'estimait capable de gérer la situation.

Au milieu de ces considérations sur la création romanesque, je reçus ce trimestre-là les remarques écrites de Spielberg sur mon scénario. Le maître redevenait l'élève. Cela faisait désormais un peu plus de deux ans que le contrat avait été signé, et l'urgence qui avait semblé prévaloir à l'époque ne s'était visiblement pas traduite dans le rythme de la préproduction. Quand je prenais l'autoroute 405 et que je sortais au niveau de Santa Monica Boulevard pour aller rendre visite aux Pfefferberg à Beverly Hills, je trouvais un Poldek maussade et une Misia philosophe. Même si la société Amblin nous tenait informés régulièrement des progrès de « notre » film, nous apprenions souvent les projets en cours de Spielberg par des amis qui nous envoyaient des articles de *Variety* ou d'autres journaux. En l'occurrence, à en croire la presse, il s'apprêtait à porter à l'écran le merveilleux roman d'Alice Walker, *La Couleur pourpre*. En réalité, il avait déjà fini le tournage. On disait aussi qu'il avait acquis les droits du livre extraordinaire de J. G. Ballard, *Empire du soleil*; à vrai dire, quel livre de J. G. Ballard n'est-il pas extraordinaire à sa façon, car marqué par le rappel de notre condition mortelle et de l'amoralité qu'elle produit chez les vivants ?

Selon Spielberg, je n'avais pas réussi à dépasser l'aspect documentaire du livre. J'étais encore trop attaché à des épisodes qui ne contribuaient pas directement à l'intrigue principale qu'il voulait pour le scénario. D'ailleurs, il avait désormais trouvé la clé du film : il y aurait un SS que le charmeur Oskar n'arriverait pas à « corrompre », qui accumulerait les accusations contre lui et essaierait de le détruire; une incarnation de la Némésis qui poursuivrait Schindler jusqu'aux ultimes moments de la guerre. Ce n'était pas vraiment le livre tel que je le voyais.

Au début de ce printemps 1985, de la manière la plus élégante qui soit, je fus débarqué par Spielberg. Il m'annonça qu'il allait essayer d'autres scénaristes. J'avais apporté à ce rendez-vous une poupée E.T. que ma fille Jane voulait se faire dédicacer, et il me la dédicaça. Je ne perçus alors aucune amertume, et il n'y en avait pas, en tout cas de ma part. J'avais des idées pour mes prochains livres et je me sentais, à tort ou à raison, libéré. Spielberg me confia qu'il comptait embaucher Kurt Luedtke, celui-là même qui allait remporter un oscar pour le scénario d'*Out of Africa*.

Luedtke, un ancien journaliste, aborda l'histoire de Schindler avec le scepticisme caractéristique de cette profession. Il voulait tout reprendre depuis le début, par la phase de recherches. Lors d'une réunion avec lui et Gail Mutrix, un jeune producteur d'Universal qui avait été chargé de le briefer, Poldek finirait par s'exclamer sur un ton exaspéré : « Bien sûr que tout est vrai, monsieur Luedtke, je l'ai vu de mes propres yeux ! »

Au bout du compte, je ne sais pour quelle raison, Luedtke ne fut pas non plus en mesure de produire un scénario qui convienne à Spielberg. Je ne connus jamais le fin mot de l'histoire, mais des rumeurs disaient qu'il s'était senti tellement écrasé sous le poids de toute cette matière qu'il n'avait même pas réussi à pondre un premier jet. En attendant, chaque fois que la presse évoquait les futurs projets de Spielberg – et il en avait généralement deux ou trois sur le feu en même temps –, il n'était jamais fait mention de Schindler. « Je l'ai appelé pour lui dire que c'était *ce film-là* qu'il devait faire, m'informait Poldek régulièrement avec une naïveté touchante, mais tu crois qu'il m'écouterait ? Tu crois qu'il a des oreilles ? »

De retour à Sydney après mon trimestre à Irvine, je m'attelai à un projet de roman sur la toute première pièce de théâtre européenne jamais représentée sur le continent australien, montée par un groupe de prisonniers le 4 juin 1789. Un ami m'accusa, avec ma fascination pour les détenus et la Shoah, d'être obsédé par le thème de l'enfermement. Il y avait sans doute un peu de vrai là-dedans. Mais si, de mon côté, j'avais le choix entre plusieurs projets, Poldek, lui, n'avait qu'une seule idée en tête et, alors que le scénario sur l'histoire de Schindler tardait à voir le jour, il jouait le rôle de l'aiguillon qui vient se rappeler à votre bon souvenir pendant que vous vaquez à vos diverses occupations.

Il me téléphonait chez moi le soir – c'est-à-dire en fin de matinée pour lui – depuis son bureau de Los Angeles et me détaillait ses conversations avec les gens d'Amblin, les messages qu'il faisait passer à Spielberg par l'intermédiaire d'une brave jeune fille juive nommée Cathy Niebuhr, ou par la gentille Américano-Irlandaise Kathy Kennedy. Un soir de 1987, son coup de fil prit une tournure différente : Poldek et Misia allaient venir nous rendre visite en Australie. « J'ai tellement hâte de revoir tes merveilleuses filles, et la merveilleuse Judy », me dit-il.

Nous allâmes les accueillir avec des ballons et des fleurs à l'aéroport de Sydney un matin à l'aube, à l'arrivée de leur vol de nuit depuis Los Angeles. Les filles avaient préparé des pancartes de bienvenue, en guise de réponse à l'affection inconditionnelle que nous témoignait Poldek depuis toujours. Nous passâmes de très bons moments, bien sûr, et ce fut l'occasion de joyeuses retrouvailles entre Poldek, son ami soudeur Edek Korn et son épouse Leosia, une des femmes qui avaient réchappé d'Auschwitz avec Misia. Plus tard, nous vîmes aussi à Melbourne l'accordéoniste Leo Rosner et sa femme. Poldek éveilla l'intérêt des médias locaux et donna d'exubérantes interviews, truffées de ses habituels pronostics. Un journal titra en une : « Un oscar pour Oskar, prédit un des survivants de Schindler ». Si seulement Spielberg pouvait finir par l'écouter et faire le film...

Le premier ministre Bob Hawke s'intéressait de près – et beaucoup diraient de façon exagérément partisane – à Israël. Il invita Poldek et Misia à un déjeuner de gala pour collecter des fonds au profit du Parti travailliste, où ils eurent une place d'honneur à sa table. Poldek, bien entendu, apprécia énormément la compagnie de cet homme un peu bourru mais drôle et intelligent, tandis que Misia était enchantée de sa rencontre avec la très admirée mais discrète Hazel Hawke, une femme qui donnait l'impression de ne pas être très confiante dans son rôle de première dame, peut-être parce qu'elle n'était pas sûre de la solidité de son mariage.

Je me souviens d'un jour où nous avions organisé un barbecue pour Poldek au Bilgola Surf Club; le genre d'endroit sur la plage où sont entreposés les équipements des sauveteurs et où les membres peuvent venir flâner le dimanche midi. Le club possédait un joli petit jardin au bord de l'eau, et Poldek s'extasia sur la chance qu'on avait de vivre en Australie. Misia renchérit en vantant le charme de Sydney, auquel elle ne s'attendait pas. Une de mes filles avait déjà rencontré Poldek et Misia en Californie, mais toutes les deux furent cette fois encore abasourdies par son infatigable énergie, quand il exigeait par exemple que tout le monde se serre parce qu'il voulait prendre une photo. « Misia, *darling*, mets-toi à côté de Mme Keneally, et Margaret, ma grande, rapproche-toi encore un peu de ta maman, voilà, magnifique ! Jane, *darling*, tu es adorable. Quelle adorable jeune fille australienne ! » Mon père, qui aimait ce genre de réunions, était porté aux nues par Poldek pour avoir combattu les nazis en Afrique du Nord.

Les mêmes débuts de phrases – « J'ai appelé Steven... », « Comme je le dis tout le temps à Steven... » – ponctuaient toujours la conversation de Poldek. Pas pour tenter de faire son petit effet. Bien que volubile, il n'était pas du genre à fanfaronner, et le seul effet qu'il recherchait était celui de ses sempiternelles flatteries, lesquelles, par la simple force de sa personnalité, donnaient l'impression de n'être que la stricte vérité.

En mon for intérieur, cependant, j'étais désormais convaincu que ce projet de film en resterait au point mort. Fred Schepisi, le réalisateur australien que j'avais la chance de croiser en société de temps en temps, soit en Australie, soit dans son appartement de New York, m'avait confié que l'accueil réservé à *La Couleur pourpre* et à *Empire du soleil* avait convaincu Spielberg que les critiques n'étaient pas prêts à le considérer comme un réalisateur et un producteur sérieux. Il avait quand même approché le célèbre dramaturge Tom Stoppard pour retravailler le scénario. En attendant, à en croire les médias, il était occupé par un énorme projet baptisé *Hook*, une relecture de Peter Pan, autant dire très loin de Schindler.

Après un mois passé en Australie, Poldek et Misia rentrèrent en Californie, laissant derrière eux une pluie de remerciements. Je sentais chez eux une sincère et touchante gratitude pour ces moments de soleil, de bonne chère et de fraternité.

15

Entre la fin des années 1980 et le début des années 1990, j'ai voyagé en Érythrée, passé un semestre comme professeur invité à la merveilleuse New York University, dirigé un mouvement pour l'instauration d'une république en Australie, reçu et accepté une proposition de poste à l'université de Californie à Irvine, tout ça sans que le film voie le jour. Au département d'écriture de la fac d'Irvine, je n'étais pas le seul à avoir un livre en attente dans un studio hollywoodien, et d'ailleurs un certain nombre de films inspirés de romans d'écrivains qui étaient étudiants de ce même programme la première fois que j'y avais enseigné étaient en cours de production. Kathy Kennedy m'invita à déjeuner en 1991 pour m'annoncer qu'un jeune homme du nom de Steve Zaillian avait repris le scénario sur l'histoire de Schindler, et pour me présenter à la réalisatrice australienne Jocelyn Moorhouse, choisie pour adapter *Le Jour du patchwork* de Whitney Otto, que cette dernière avait écrit pendant sa participation à mon atelier et qui deviendrait au cinéma *Le Patchwork de la vie*. Le livre de Marti Leimbach, *Le Choix d'aimer*, allait être porté à l'écran par Joel Schumacher, avec Julia Roberts dans le rôle principal. Les droits du roman de Michael Chabon, *Des garçons épatants* (qui sortirait au cinéma sous le titre *Wonder Boys*), étaient en cours de négociation.

Parler d'écriture avec ces étudiants de troisième cycle était un exercice passionnant. Tous étaient potentiellement de bons écrivains. La seule question était de savoir lesquels seraient suffisamment ambitieux, suffisamment acharnés pour réussir à écrire un premier roman, puis un deuxième. Ce n'est pas un métier facile. Nombre de ceux qui possédaient la fibre nécessaire s'exposaient à des années de souffrance le temps que leurs livres finissent par être publiés, à moins qu'ils ne se rabattent sur une carrière de professeur de fac ou de lycée. Dire à un jeune écrivain qu'il a du talent quand ce n'est pas le cas était ma version du péché originel, car cela le condamnait à une traversée du désert dans laquelle il s'embarquerait sans avoir les outils pour lui donner un sens. En fait, s'entendre dire que vous étiez dépourvu de talent littéraire revenait en quelque sorte à apprendre que vous n'aviez pas d'hépatite. Cela signifiait que votre vie ne serait pas soumise aux aléas de vos états d'esprit : obsession, exaltation, déprime et déception récurrente quand vous vous aperceviez que vous n'étiez pas l'écrivain que vous espériez être, ni à toute la douleur que cela imposerait à votre famille.

Je continuais à voir Poldek régulièrement. Il faisait le déplacement jusqu'à Irvine, parfois avec Misia, parfois seul, pour assister à des lectures à la fac ou pour prendre un brunch au Laguna Hotel. J'allais de temps en temps à Los Angeles participer à des événements organisés par son 1939 Club. Il nous arrivait aussi d'être invités quelque part – dans une université, ou bien une école – pour faire notre petit numéro, raconter ensemble notre histoire. Et, lors de rassemblements plus modestes, dans une librairie Barnes & Noble de Los Angeles, de San Diego ou du comté d'Orange, je lisais des passages de mes livres plus récents.

Nous formions une bonne équipe, un duo tout en contrastes. Je dédicaçais toujours *La Liste de Schindler* avec les deux mêmes mots : *Shalom, Peace* (un terme extrêmement méprisé dans toutes les langues). Lui utilisait des formules plus ampoulées : *Quiconque sauve une vie sauve le monde entier*, ou *Une histoire d'humanité d'homme à homme*. Parfois il ajoutait : *Toujours se souvenir de ne pas oublier !* Et puis il signait : *Professeur magister Leopold Pfefferberg*. Dans un monde où la plupart des écrivains sont avares en dédicaces, Poldek en mettait des tartines, ce qui nous assurait des séances de signature qui duraient parfois jusqu'à tard dans la nuit. Par-dessus le marché, comme l'édition américaine comportait un cahier photos, il ajoutait : « Regardez à la page 49, *darling*, et vous verrez quel bel officier polonais je faisais ! »

Tous les étés, alors que la canicule s'abattait sur la Californie du Sud et que les incendies ravageaient l'arrière-pays, je regagnais l'hiver australien. Dans la douceur du mois de juillet 1991, à Sydney, j'étais plongé dans l'écriture d'un nouveau livre quand la nouvelle tomba, d'abord – comme il se doit – de la bouche de Poldek.

« Thomas, tu es au courant ? Notre ami Steven s'est enfin décidé à faire le film. Nous y sommes, mon frère !

— Tu en es sûr, Poldek ?

— Tu crois que je mentirais à un ami ?

— C'est juste qu'on attend depuis longtemps, Poldek.

— Aïe, aïe, aïe, gémit-il en souvenir de toutes ces années perdues. Mais il a attrapé la grippe, du coup il a relu le livre et il s'est dit : "C'est le moment, je dois faire ce film." Ce Steve Zaillian, là, c'est un brave type, il est en train de mettre la dernière touche au scénario. Ça y est, mon ami, maintenant tout va marcher, le prix Nobel approche, j'ai déjà réservé mon billet pour Stockholm !

— Oui, Poldek, d'accord, et tu iras tout seul.

— Ça va marcher, ça va marcher ! Je ne t'avais pas dit qu'il y aurait un film ?

— Tu me l'as dit. Tu l'as même dit à ce policier de la douane polonaise.

— Le pauvre, il faudrait que je le prévienne, mais j'ai perdu son adresse. »

Je reçus un coup de fil de confirmation de l'admirable Kathy Kennedy. Steven souhaitait me rencontrer quand je serais de retour à Irvine, me dit-elle. En attendant, elle allait m'envoyer le scénario de Zaillian, et mes commentaires seraient les bienvenus. Elle me laissa même entendre que j'aurais le droit d'être crédité au générique parmi les auteurs du film, et me conseilla de me mettre en relation avec la Writers Guild of America. En recevant le scénario, je constatai qu'il se lisait facilement et je fus enchanté de voir, dans ma vanité d'écrivain, que certaines des phrases et des images que je considérais comme les plus importantes du livre avaient été gardées telles quelles. Cela prouvait que Steve Zaillian n'était pas orgueilleux au point d'escamoter sa source principale. Je n'eus pas la mauvaise surprise de lire un récit transformé jusqu'à être détourné de son sens initial. Il manquait bien sûr certaines parties de l'histoire de Schindler ; sa carrière dans l'Abwehr, par exemple, et son enfance. Son destin après la guerre était résumé en quelques lignes. C'était inévitable dans une transposition au cinéma. Mais Zaillian avait fait un travail remarquable.

Au cours des semaines suivantes, un premier panel de trois experts de la Writers Guild of America se réunit pour comparer les deux scénarios, celui de Zaillian et l'épaisse version que j'avais produite en Australie au début des années 1980. Ils conclurent que Steve Zaillian méritait de figurer comme seul auteur au générique. Je fus un peu surpris dans la mesure où le scénario de Zaillian avait la même tonalité documentaire que le mien, mais j'étais satisfait et décidai de ne pas faire appel de cette décision, même si Amblin me fit clairement comprendre que, le cas échéant, ils ne s'y opposeraient pas.

Poldek me téléphona pour savoir ce que je pensais du scénario de Zaillian. Il nous plaisait à tous les deux, bien qu'il me confiât avoir dans un premier temps appelé Spielberg pour lui dire : « Steven, je n'en suis qu'à la page 55 et il y a déjà *trente* erreurs ! »

Judy et moi retournâmes à Irvine pendant l'hiver en Californie, et nous nous installâmes dans une maison sur les collines derrière le campus, au milieu des champs d'orangers. Je repris les ateliers d'écriture tout en poursuivant mon nouveau roman, une sorte d'hommage à mes grands-parents immigrés, intitulé *A River Town*.

Avec l'aide du président du département d'anglais, j'avais pu obtenir une carte de chercheur donnant accès à la fabuleuse bibliothèque Huntington de San Marino, au pied des monts San Gabriel et de leurs jolies cimes enneigées. J'espérais y approfondir les recherches que j'avais déjà commencées dans les archives de Nouvelle-Galles du Sud sur les prisonniers irlandais exilés en Australie : le monde qu'ils avaient été contraints de quitter, celui qu'ils avaient découvert à leur arrivée, et l'Amérique de l'époque où certains évadés avaient trouvé refuge.

C'est pendant cette intense période de recherche, d'enseignement et d'écriture que je reçus un coup de fil de la charmante Bonnie Curtis, la nouvelle assistante de Steven chez Amblin, pour me demander de venir le rencontrer, en s'excusant par avance de me faire faire toute cette route.

Arriver en voiture devant l'entrée d'un grand studio de Hollywood et se faire ouvrir la grille, la vraie grille, celle par où entrent et sortent les gens qui y travaillent, est en soi une scène de film, une scène de rejet brutal ou de triomphe improbable. Malgré toute votre résistance, tous vos efforts pour avoir l'air normal, détendu, habitué des lieux, le mythe opère sur vous, même si en général les studios ressemblent à de banals entrepôts d'usine. Le siège de la société Amblin faisait peut-être exception à la règle, mais c'était quand même, tout au bout du complexe, la petite queue qui frétillait en rabattant ses proies vers le gros chien Universal.

Dans le hall d'entrée d'Amblin au début de l'année 1992 étaient exposées quelques reliques fascinantes : le fantastique vélo volant d'*E.T.*, des costumes et des objets amérindiens, des accessoires de *Retour vers le futur*. Le bâtiment possédait un style architectural qui rappelait les villages du Nouveau-Mexique, et beaucoup plus de charme que les bureaux standards d'autres maisons de production que j'avais pu visiter.

Cela faisait maintenant six ans que je n'avais pas revu Steven en chair et en os. J'avais rencontré sa mère, cependant, car Poldek m'avait encore récemment emmené manger au restaurant casher de Mme Adler ; elle avait désormais un gorille à l'entrée pour la protéger des sollicitations importunes de scénaristes ou producteurs un peu trop enthousiastes.

Steven me reçut d'abord dans son bureau relativement modeste, après quoi nous allâmes déjeuner dans une salle à manger privée. Steven paraissait encore jeune, mais sa barbe lui donnait presque l'air d'un vieil érudit juif qui raconterait des paraboles pour élucider les énigmes morales et rituelles de la Torah devant un auditoire russe ou polonais.

Il parlait à présent comme s'il n'avait jamais douté qu'il finirait par faire ce film. « Je ferai ce film un jour » était simplement devenu « Je vais faire ce film maintenant ». Il m'expliqua qu'il était prêt, que c'était le bon moment dans sa vie. Il était arrivé à un âge où son ascendance et son héritage lui importaient davantage qu'à l'époque de notre première rencontre. Il avait reçu le scénario de Steve Zaillian juste avant de tomber malade et de relire le livre, et il me raconta qu'il s'était alors remémoré une chose que (paraît-il) je lui avais dite un jour : « Mais bon sang, Steven, vous n'avez qu'à filmer le livre, c'est tout. »

Je dois admettre que je n'en ai aucun souvenir, ni d'une telle familiarité, ni de ma prétention à avoir une influence sur lui, mais peut-être cela m'avait-il en effet échappé un jour : il peut nous arriver, nous Australiens, d'être assez brusques sans nous en rendre compte.

Sans dénigrer du tout le travail de Steve Zaillian, puisqu'il avait écrit le scénario dans l'esprit du livre, Steven pensait que j'avais raison, même s'il y aurait nécessairement de grands morceaux du récit qui ne trouveraient pas leur place dans le film. Il commença par m'annoncer qu'il espérait avoir l'acteur irlandais Liam Neeson dans le rôle de Schindler. Il avait pensé dans un premier temps à mon sympathique compatriote Jack Thompson (qui avait joué dans *Le Chant de Jimmy Blacksmith* ainsi que dans beaucoup d'autres films), mais s'était finalement ravisé. Ne l'ayant jamais su, je n'avais pas eu l'occasion de plaider la cause de Jack.

Il me demanda mon avis sur Neeson, par pure courtoisie, manifestement, puisque la question était déjà tranchée. Je n'eus pas besoin de feindre mon enthousiasme : j'étais admiratif des talents d'acteur de Neeson, et de son charisme. C'était un excellent choix. Dans son livre sur le tournage de *La Liste de Schindler*, Franciszek Palowski explique que Spielberg ne voulait pas pour ce rôle quelqu'un de trop connu. Une rumeur disait que Kevin Costner avait proposé ses services gratuitement. Mais Neeson avait passé des essais vidéo, ainsi que plusieurs acteurs polonais, dont Piotr Fronczewski et Andrzej Seweryn ; ce dernier finirait par décrocher le rôle du sinistre SS Julian Scherner.

Au début de l'année, me confia Spielberg, il était allé à New York avec sa femme Kate et sa belle-mère pour voir Neeson au théâtre dans *Anna Christie*, une pièce d'Eugene O'Neill dans laquelle il jouait Mat Burke, et Natasha Richardson, qui deviendrait par la suite sa femme, jouait Anna. Liam Neeson avait été tellement heureux de les voir débarquer dans sa loge après la représentation qu'il avait pris la mère de Kate dans ses bras et l'avait embrassée sur les deux joues avec une spontanéité et une exubérance qui avaient convaincu Spielberg qu'il serait parfait pour le rôle. Liam avait une sorte de grondement dans la voix, comme Oskar ; il s'était entraîné à partir de la vidéo d'un discours prononcé par Sbchindler au temple Beth Am de Beverly Hills.

Et quid du choix de Ben Kingsley pour Itzhak Stern ? Je trouvais que Kingsley apportait de la subtilité à ses rôles d'honnête homme. Fabuleux. À vrai dire, depuis *Gandhi*, j'étais choqué chaque fois que des producteurs décidaient de lui confier des personnages de méchant ; il me semblait que son interprétation manquait d'épaisseur et, avec un acteur aussi talentueux, ça ne pouvait qu'être la faute des scénaristes, des réalisateurs ou des directeurs de casting.

Et puis Steven se mit à me raconter la façon dont il voyait le film. Plutôt dans un style documentaire, avec une sensation d'authenticité, et donc en noir et blanc, comme les vieux films d'actualités de la guerre, avec uniquement quelques touches de couleur à certains moments. Peut-être que seule la flamme de la bougie au début serait en couleur, et tout le reste dans un noir et blanc granuleux et une palette de bruns grisâtres.

Je l'écoutais en hochant la tête mais, au fond de moi, je pensais que c'était une mauvaise idée. Ce qui arrivait aux personnages de ce film était au contraire d'une violence criarde. J'appris plus tard que certains cadres haut placés chez Universal n'étaient pas convaincus non plus, sauf que Steven avait acquis une autorité indiscutable grâce aux nombreux succès qu'il leur avait fait remporter au box-office.

Steven m'annonça qu'il allait envoyer son producteur exécutif Branko Lustig, lui-même enfant rescapé d'Auschwitz, en repérage pour trouver la ville adéquate. Il me demanda si, d'après ce que j'avais vu de Cracovie, je pensais qu'on pouvait tourner là-bas.

Je lui répondis qu'à ma connaissance les sites étaient restés intacts : il pouvait même filmer certaines scènes dans la véritable usine de Schindler, s'il arrivait à obtenir la permission. Les vieilles églises de Cracovie, le vieux quartier juif de Kazimierz et le ghetto nazi n'avaient pas bougé. Tout comme le site de Płaszów, classé monument historique et laissé en friche à cause des malheurs qu'y avaient subis tant de Polonais, juifs et non juifs. Je soulignai aussi que les pluies acides des usines métallurgiques construites par les Soviétiques à Nowa Huta avaient recouvert les gargouilles et les corniches de Cracovie d'une sinistre couche de crasse, lui conférant une impression d'élégance souillée et d'innocence perdue.

Nous évoquâmes ensuite les motivations de Schindler, ses raisons ambivalentes d'employer des Juifs, son désir de faire fortune et le reste. Mais il avait réussi à Brněnec quelque chose que les braves et respectables dirigeants de grandes entreprises allemandes telles que Krupp, IG Farben et Mercedes-Benz n'avaient pas su faire : il avait maintenu ses ouvriers en vie. Je mentionnai le document que Schindler avait soumis au Joint Distribution Committee quand il s'était retrouvé ruiné à la fin des années 1950, dans lequel il détaillait les dépenses qu'il avait dû engager pour l'entretien de ses deux camps successifs. J'expliquai la façon dont il avait continué à faire passer Brněnec pour une usine d'armement alors qu'en fait il n'y faisait que du marché noir, ayant clairement exprimé devant certains de ses prisonniers juifs qu'il n'était pas question pour lui de fabriquer quoi que ce soit qui puisse « ôter la vie à un pauvre malheureux ».

Au cours du déjeuner, nous essayâmes une nouvelle fois de définir où s'arrêtait l'altruisme de Schindler et où commençait son opportunisme. J'étais d'avis qu'il fallait absolument que le film ne tranche pas, car l'intérêt fascinant du personnage tenait précisément à cette énigme.

Pour finir, je demandai à Steven s'il pourrait corriger l'erreur que j'avais commise des années plus tôt et appeler le film *L'Arche de Schindler*. Il me dit qu'il l'aurait fait volontiers, sauf qu'il avait l'intention d'utiliser des listes à plusieurs reprises tout au long du film. Les listes étaient des éléments visuels, contrairement aux métaphores. Du début à la fin, il ne serait question que de listes. Il me sembla que ses arguments étaient bien meilleurs que ceux de Dan Green à l'époque. Le temps avait filé, et lorsque nous nous quittâmes, l'après-midi était déjà bien entamé.

Pour Steven, l'étape suivante fut un voyage express de trente-six heures à Cracovie au début du printemps 1992. Steven, son assistante Bonnie Curtis, son fidèle coproducteur Gerry Molen, très expérimenté et d'un calme olympien en toutes circonstances, ainsi que le scénariste Steve Zaillian rencontrèrent des responsables du cinéma polonais à Cracovie, en particulier Lew Rywin, patron de la société Heritage Films, qui allait devenir coproducteur du film. Ils visitèrent tous les endroits liés à l'histoire de Schindler, y compris le ghetto que les nazis avaient établi sur la colline. Steven filmait tout avec une caméra vidéo.

Inquiet de la façon dont la ville moderne interférait en toile de fond à Płaszów, Spielberg décida de filmer le camp dans une carrière de craie voisine, un genre de paysage lunaire à l'atmosphère désolée qui fonctionnerait parfaitement en noir et blanc. Puis ils allèrent à Auschwitz. Ce voyage semblait l'avoir énormément stimulé. L'ami de Poldek, Franciszek Palowski, qui faisait partie du groupe polonais travaillant en étroite collaboration avec l'équipe de production, l'appela pour lui raconter que Spielberg avait déclaré dans une interview à la télévision polonaise qu'à Cracovie il allait faire son film « le plus sincère ».

Branko Lustig, un homme un peu bourru mais redoutablement efficace, retourna en Pologne pour de plus longs séjours et, malgré un certain retard autour des questions d'assurances pour les figurants polonais, il fut décidé que le tournage commencerait au début de l'année suivante. Les choses en étaient là lorsque Judy et moi rentrâmes à Sydney au printemps, ou plutôt à l'automne selon le calendrier australien. Je continuai à être informé des derniers développements par Amblin et par un Poldek de plus en plus surexcité.

Cependant tout le monde n'était pas aussi enthousiaste à l'idée de voir le nom d'Oskar porté aux nues. Poldek m'avait confié avoir perdu des amis lors de la parution du livre, principalement parce que les gens craignaient que l'histoire d'Oskar ne confère aux nazis l'absolution pour leurs crimes. Et les protecteurs argentins d'Emilie n'avaient pas non plus d'affection particulière pour cet homme qui avait abandonné son épouse.

En juin 1992, Spielberg retourna en Pologne et passa un peu plus de temps à Cracovie. Il visita l'hôtel Cracovia, un des lieux de prédilection d'Oskar, ainsi qu'un club de jazz baptisé *Michael's Cave* sur la Grand-Place, et d'autres endroits moins associés au plaisir, comme la Pomorska et la prison de Montelupich. Durant ce séjour, Spielberg résidait à l'hôtel Forum, près d'une ancienne tannerie qu'il envisageait comme décor pour l'usine de Brněnec. Elle avait l'avantage de n'être qu'à deux minutes à pied de l'hôtel, où Spielberg comptait loger son équipe d'acteurs et de techniciens. Pour le camp de Płaszów, il demanda à Lew Rywin d'en construire une réplique dans la carrière de craie. Le chef décorateur qui allait finalement s'en charger était Allan Starski, expert dans la reconstitution des camps de concentration puisqu'il avait déjà travaillé sur *Europa Europa* et sur *Les Rescapés de Sobibor*. Je n'arrivais toujours pas vraiment à croire que c'était en train d'arriver. Poldek, lui, exultait. Malgré une rumeur disant que certaines personnes chez Universal trouvaient que la réalisation de ce film était pure folie, Poldek la jugeait au contraire parfaitement fondée.

16

Chaque fois que nous partions pour les États-Unis, j'étais conscient que la santé de mon père déclinait, même s'il n'avait que quatre-vingt-cinq ans et se considérait donc encore jeune. Comme il se méfiait de la médecine, les hôpitaux étaient pour lui une torture. Il avait dans l'idée, peut-être héritée de ses parents irlandais, que les grogs au whisky pour les maladies du cœur et l'alcool à 90° ou les baumes à appliquer sur les écorchures et les plaies étaient des remèdes divins qui suffisaient à tout guérir. Malgré ses ennuis de santé, il était robuste et buvait son whisky chaque soir en commentant dans un langage fleuri la politique australienne et internationale. Il était adoré de ses petits-enfants, pour qui son intérêt, ses encouragements et sa tendance à entonner des chansons paillardes de la Seconde Guerre mondiale n'avaient point de limites.

Son état ne présentait aucun signe d'aggravation lorsque nous retournâmes en Californie au mois de septembre. L'hiver précédent, nous étions allés plusieurs fois dans la vallée de la Mort, quand le point de vue panoramique de Dante's View était sous la neige et que l'air était sec et tempéré dans l'immense cuvette sous le niveau de la mer. Nous faisions la route le vendredi soir et rentrions à Irvine le dimanche. J'emportais toujours du travail avec moi, d'une part parce que j'étais de nature obsessionnelle, et aussi parce que mon atelier d'écriture avec les étudiants avait généralement lieu le lundi. Mais ce qui nous stupéfiait chaque fois était que, depuis la dépression de Badwater, située à une altitude de 86 mètres sous le niveau de la mer, on pouvait voir les sommets enneigés du pic Telescope qui s'élevait à 3 300 mètres de hauteur dans le chaînon Panamint un peu plus à l'ouest.

Un dimanche matin, nous étions de nouveau dans la vallée de la Mort lorsque je reçus un coup de fil d'Australie. C'était mon frère qui, étant médecin lui-même, m'annonçait que notre père était en train de mourir au Repatriation Hospital, l'hôpital pour les anciens combattants, et me conseillait de rentrer au plus vite. Il faudrait que je prenne un vol le soir même depuis Los Angeles. Après avoir étudié la carte, je tentai de quitter la vallée par la route la plus courte, Emigrant Canyon Road, mais à notre grande surprise, dans les jolis contreforts juste après Stove Pipe Wells et ses dunes, nous fûmes bloqués par la neige et contraints de faire demi-tour pour rejoindre la route nord-sud habituelle, la California 394.

La menace qui planait sur la vie de mon père s'estompa : il se rétablit, comme à son habitude. Il y avait une promesse d'immortalité dans la façon dont il semblait toujours échapper à la maladie et dans les commentaires pleins de verve dont il nous abreuva pendant sa convalescence. Au Repatriation Hospital, le lendemain de mon arrivée, je fus enchanté de l'entendre pousser des jurons sur le mal qu'il avait à pisser dans une bassine. « Quelle chierie, ce truc ! » l'entendais-je s'exclamer derrière le rideau qui entourait son lit. C'était un signe de guérison qu'il se soit remis à parler comme un chiffonnier.

Il m'avait raconté, parmi toutes ses anecdotes sur la guerre, qu'il s'était retrouvé une fois avec une dizaine d'autres soldats sur un cargo norvégien quelque part dans l'océan Indien. Les Japonais venaient d'entrer en guerre et, la nuit, lui et les autres dormaient sur le pont dans leur gilet de sauvetage, tout près de la cabine du radio, écoutant les appels de détresse en provenance de navires voisins qui s'étaient fait torpiller par les sous-marins japonais, ne pouvant y répondre car ayant reçu l'ordre de garder le silence, et attendant de se faire torpiller à leur tour. La torpille ne vint jamais. L'enfant que j'étais alors pensait qu'il n'était pas né, celui qui parviendrait à fabriquer une balle capable d'atteindre mon père.

Spielberg s'apprêtait à réaliser *Jurassic Park*, malgré les vives protestations de Poldek. « Arrête de faire mumuse avec les dinosaures, Steven. Crois-moi, tu auras un oscar pour Oskar. » Lors d'une dernière réunion avant de partir en tournage avec ses dinosaures, Spielberg m'avait annoncé que l'acteur britannique Ralph Fiennes s'était mis à la musculation pour le rôle du sensuel et brutal Amon Goeth. À première vue, Fiennes paraissait mieux indiqué pour jouer, par exemple, le personnage du jeune poète tragique Rupert Brooke dans un film anglais sur la Première Guerre mondiale, mais Spielberg avait aperçu le potentiel de froideur et de menace dans ses doux yeux. Spielberg m'invita aussi très chaleureusement à passer sur le tournage quand je voudrais, du moment que je prévenais Amblin un peu à l'avance.

Pour un réalisateur, avoir l'auteur de l'œuvre originale sur le plateau, c'est plus ou moins comme avoir sa belle-mère pendant une lune de miel. Je craignais que ma présence à Cracovie ne soit quelque peu encombrante, mais en même temps, l'invitation était tentante. J'entrepris donc de dégager du temps entre mes obligations à la fac. Quant à Poldek, il serait évidemment du voyage, en tant que noyau central du groupe de survivants que Spielberg avait conviés sur le tournage et qu'il filmerait sur la tombe de Schindler à Jérusalem. Secrètement, Poldek n'était pas en grande forme. Il avait de nouveau un problème au cœur et allait bientôt devoir être hospitalisé, mais il n'en parlait pas beaucoup. Ses affaires lui causaient aussi énormément de stress. « Je suis pris entre le marteau et l'enclume », me confia-t-il un jour, car les grandes chaînes du Beverly Center voisin avaient mené à la faillite plusieurs des petites boutiques qu'il fournissait, et qui lui devaient souvent de l'argent. À la fin des années 1980, il avait pris la décision de fermer le *Handbag Studio*. Son fils Freddy continuait à le seconder dans son activité de grossiste et, même si Poldek montrait encore un intérêt énergique pour le projet Schindler, lors d'une réunion il s'était écrié : « Les affaires ne sont plus ce qu'elles étaient ! Les gens ne paient pas leurs dettes comme ils le faisaient à l'époque où j'ai démarré. » Les histoires de finances personnelles sont comme les histoires de santé, cruciales et tragiques pour l'intéressé mais ennuyeuses à écouter pour l'auditoire. En Australie, beaucoup me trouvaient trop radical dans mon combat pour la république. En vérité, il y avait chez moi autant d'un petit-bourgeois que chez n'importe quel fils d'ouvrier ayant réussi dans la vie. Je pensais qu'il était temps d'assurer mes vieux jours mais, à cause d'investissements stupides de béotien, mes finances n'étaient pas non plus au beau fixe. Ce à quoi le film ne semblait nullement garantir de remédier puisque certains le voyaient comme un simple caprice de Spielberg. Je fus donc soulagé d'apprendre d'Amanda Urban, mon agent américain, que la compagnie International Creative Management, dont elle était un des agents littéraires mythiques, avait un département « conférences ».

La personne chargée de planifier ces conférences pour un grand nombre d'écrivains et de quasi-écrivains, dont le général Schwarzkopf, héros de la guerre du Golfe, était Carole Bruckner, une femme splendide autour de la quarantaine, dotée d'un riche humour juif new-yorkais ainsi que de sérieuses réserves sur le sionisme tel qu'il avait tourné à la fin du XXᵉ siècle. J'allais m'apercevoir qu'elle veillait sur ses auteurs comme une mère. Elle leur garantissait tout le confort possible et, s'il y avait le moindre doute sur leurs conditions d'accueil, elle annulait purement et simplement. Ce qu'elle n'avait d'ailleurs pas à faire souvent car les gens avec qui elle traitait savaient le niveau d'exigence qu'elle attendait pour ses petits protégés.

C'était ce circuit de conférences à travers les États-Unis, de Detroit à la Louisiane, qui au bout du compte paierait mes dettes. Je n'avais qu'à parler, tandis que Poldek était souvent le véritable héros de ces événements. Pendant le temps réservé aux échanges avec le public, on me posait toujours l'inévitable question : « Vous avez rencontré Steven Spielberg ? » Je racontais alors avec ironie mes mésaventures de scénariste éconduit.

J'aimais beaucoup cet exercice, et avec Carole Bruckner aux commandes j'étais à peu près à l'abri des questions pièges et des traquenards. Dans une université du Midwest, Poldek et moi fîmes notre petit numéro bien rodé devant une salle de sport remplie avant de signer des exemplaires du livre jusqu'à 2 heures du matin, Poldek inscrivant sur chacun son éternelle maxime « d'humanité d'homme à homme ».

L'année 1992 toucha à sa fin sans que nous puissions nous douter que le film était promis à un succès mondial. Seul Poldek en avait la certitude. Chaque fois qu'il continuait à pronostiquer un oscar, tout le monde gloussait discrètement. Steven avait terminé le montage de *Jurassic Park*, et sa sortie en salles, l'année suivante, créèrent la sensation qu'Universal espérait. Par comparaison, le budget marketing de *La Liste de Schindler* était dérisoire.

Après sa sortie, certaines personnes mal informées ou antisémites argueraient que c'était exactement le genre de film qu'on pouvait attendre de la part de Hollywood. Après tout, les Juifs américains persistaient à croire à la Shoah en dépit de toutes les preuves négationnistes apportées par des chercheurs tels que David Irving ! Alors il n'était pas étonnant qu'ils fassent un film comme celui-là ! Même s'ils avaient mis un temps fou avant de le faire, et ils comptaient le promouvoir avec beaucoup de précaution. Poldek avait interrogé notre vieil ami Sid Sheinberg, avec qui il avait maintenu des contacts réguliers depuis notre déjeuner dix ans plus tôt, sur le type de sortie qu'il envisageait. « On verra ça le moment venu », lui avait répondu Sid.

« Thomas, m'avertit Poldek, ils ne sont pas du tout prêts. » Misia, plus mesurée, déclara : « Poldek pense que les gens voudront regarder cette histoire comme une grande aventure avec des dinosaures. Il n'arrive pas à comprendre que tout le monde n'a pas forcément envie de voir ce qui nous est arrivé. »

À Noël 1992, la santé de mon père s'était nettement améliorée. L'été australien y contribuait beaucoup. Installé sur le balcon de son appartement, il restait des heures à se chauffer au soleil. En Californie, j'avais presque fini le roman sur mes grands-parents dans leur épicerie générale de Nouvelle-Galles du Sud. Mais d'abord parut *Femme en mer intérieure*, un de mes livres inspiré d'une histoire que j'avais entendu raconter des années plus tôt par une Américaine au sujet de la perte de ses enfants, et que j'avais transposée à Sydney et dans le bush australien. Je donnais des séries d'interviews, et je reçus la visite de Malachy McCourt – le frère de Frank McCourt, qui deviendrait célèbre avec son roman *Les Cendres d'Angela* – alors qu'il travaillait sur un projet avec le réalisateur irlandais Jim Sheridan. Un soir, nous avions tenu éveillés jusqu'à tard dans la nuit de paisibles serveurs du comté d'Orange avec un *medley* douteux de chansons irlandaises et australiennes. Malachy, qui avait joué dans des téléfilms américains et certains films de Sheridan, me dit que si *Femme en mer intérieure* était un jour adapté au cinéma, il voulait incarner le personnage du révérend Frank, l'oncle de l'héroïne. J'avais du mal à imaginer que ce roman puisse jamais devenir un film, mais après tout, n'est-ce pas toujours le cas ?

17

Dans son livre *The Making of Schindler's List*, Franciszek Palowski raconte que Spielberg arriva en Pologne pour démarrer le tournage le matin du 24 février 1993. Il avait loué une maison à Wola Justowska, une banlieue résidentielle de Cracovie, dans laquelle il s'était fait installer une salle de montage pour pouvoir continuer à travailler sur *Jurassic Park*. Steven Zaillian était avec lui et fut mis à contribution à de nombreuses reprises pour introduire dans le scénario des modifications exigées, entre autres, par l'authenticité des lieux de tournage.

La première scène était celle où des habitants du ghetto déneigeaient la rue Poselska à grands coups de pelle. Des tonnes de neige avaient été acheminées depuis divers endroits, dont les montagnes autour de Zakopane, mais cela s'avéra finalement inutile : il avait abondamment neigé la nuit du 28 février 1993, veille du premier jour de tournage, et l'air était empli de petits cristaux de glace. Le chef décorateur, Allan Starski, n'avait eu qu'à recouvrir l'auvent d'une épicerie moderne et à ajouter quelques panneaux d'époque pour rendre la scène crédible. Ainsi les courageux figurants polonais se mirent-ils à manier leurs pelles à mains nues jusqu'à ce que Spielberg crie : «Coupez!» à 8 h 30 du matin. Après quoi toute l'équipe, acteurs, techniciens et caméras, se déplaça jusqu'à l'ancien ghetto de Kazimierz pour y tourner d'autres scènes pendant l'après-midi.

Lew Rywin, le coproducteur polonais, était inquiet de l'échec commercial qu'avaient rencontré les précédents films sur la

Shoah. Il craignait aussi que les coûts ne s'envolent, car en Pologne tous ceux qui collaboraient avec Spielberg s'attendaient à des salaires exorbitants. Mais Branko Lustig, le Slave enthousiaste et rudement efficace qui avait travaillé comme producteur exécutif et coproducteur sur de nombreux films à succès, ainsi que Gerry Molen, le producteur habituel de Spielberg, un mormon né dans l'Utah, d'une très grande générosité d'âme, savaient très bien comment réfréner ces appétits. Quant à Poldek, il avait été hospitalité à Los Angeles. Une opération de routine, nous avait-il dit. On lui avait placé un stent dans une artère cardiaque. Il était déjà de retour au travail le jour du début du tournage, et ce prompt rétablissement nous avait convaincus que c'était en effet une intervention mineure. Mais il s'avéra par la suite que ses problèmes de cœur n'étaient pas si anodins.

En Australie, Judy et moi avions été invités à venir en Érythrée en tant qu'observateurs lors du référendum sur l'indépendance par rapport à l'Éthiopie. Judy était aussi impatiente que moi d'assister à cette grande fête de la lutte érythréenne, en revanche elle considérait qu'elle avait trop à faire pour se rendre ensuite sur le tournage du film à Cracovie ; contrairement au reste du monde, elle n'avait pas tellement d'admiration pour les gens du cinéma. Ma fille Jane, diplômée en économie de l'université de Nouvelle-Galles du Sud et qui rêvait de devenir productrice, se proposa de m'accompagner à la place de sa mère. Jane est une belle jeune femme menue, aussi volubile que son père mais bien plus douée que moi pour les questions d'organisation. En conséquence de quoi, évidemment, Poldek et elle s'étaient toujours très bien entendus. Elle était capable d'enjôler n'importe quel officiel presque aussi facilement que lui.

Je n'arrivai pas directement en Pologne après ces festivités électorales dans la corne de l'Afrique. J'avais une nuit d'escale à Rome entre l'exaltation du référendum en Érythrée et Cracovie.

Épuisé, je luttai contre la tentation classique de me réveiller avec un verre d'alcool, tout en enviant les chanceux sur qui le whisky et le gin avaient un effet soporifique et non excitant. Je me rendis compte en arrivant à quel point l'aéroport de Cracovie avait changé depuis la fois où Poldek avait embobiné l'agent des douanes. Il n'y avait plus aucune kalachnikov en vue, elles avaient été remplacées par des publicités scintillantes pour des jus de fruits ou l'inévitable Coca-Cola. Des affiches vous invitaient à venir *Skier à Zakopane!* Le genre de crainte et d'anxiété que mon insécurité financière m'avait inculqué semblait appartenir à une planète très éloignée de cet après-midi polonais ensoleillé.

Près du parc Planty, sur la rive sud de la Vistule, se dressait un nouvel hôtel Forum, en grande partie occupé par les acteurs et l'équipe technique du film. J'y fus conduit en Mercedes par un Polonais prénommé Jerzy qui m'annonça qu'il serait mon chauffeur pendant toute la durée de mon séjour. Après m'avoir déposé, me dit-il, il retournerait à l'aéroport chercher ma fille Jane.

Avant même le début du tournage, Spielberg avait dû surmonter un certain nombre d'obstacles. Alors qu'il préparait les cinq scènes qu'il devait filmer à Auschwitz-Birkenau, il avait reçu une première approbation du Congrès juif mondial. Mais un de ses vice-présidents s'opposa à cette décision, et dès la mi-janvier 1993 le bruit avait couru qu'ils allaient finalement tout faire pour l'empêcher de tourner à l'intérieur du camp. Branko Lustig, qui avait été prisonnier à Auschwitz, fut profondément meurtri de voir mises en doute ses intentions et celles de Spielberg, mais désormais le Conseil international du musée d'État d'Auschwitz-Birkenau s'était rallié à l'avis négatif du Congrès juif mondial. Spielberg se rendit à New York pour plaider sa cause auprès de ces deux instances et pour travailler sur les détails du tournage, mais au bout du compte il renonça à filmer à l'intérieur même d'Auschwitz et décida de faire construire juste à côté des répliques des baraquements. Seuls les trains pénétreraient réellement dans le camp, de sorte qu'on puisse les voir franchir la fameuse grille. Il neigea énormément et il fit un froid terrible pendant ces jours de tournage, ce qui ajouta à l'expression de désespoir des figurants, des gardiens et des acteurs qui jouaient des prisonniers.

Dans les premiers temps du tournage, Steve Zaillian travaillait souvent jusqu'à tard dans la nuit pour veiller aux développements et aux modifications de son scénario. Au moment de mon arrivée, Spielberg avait déjà filmé certaines des scènes dans le bureau de Schindler, dans le bâtiment même de l'ancienne usine DEF, ou Emalia, désormais occupé par la Telpod Corporation. Telpod était en difficulté financière à l'époque, et ses dirigeants étaient sans doute ravis de laisser Spielberg utiliser les lieux contre rémunération.

Poldek était venu sur le plateau la semaine précédente. Il avait maintenant quatre-vingts ans (il avait fêté son anniversaire quelques jours avant de s'envoler pour Cracovie). En arrivant dans sa ville natale, il avait déposé ses bagages à l'hôtel pour filer aussitôt à Kazimierz, qui servait de décor au ghetto nazi du film. Misia et lui avaient apporté un tableau polonais qu'ils voulaient offrir à Spielberg, comme une sorte de porte-bonheur à mi-parcours. Il existe une photo de Poldek, aussi fringant que lorsque nous avions arpenté ces rues ensemble en 1981, entre Ralph Fiennes et Ben Kingsley alors que l'équipe s'apprêtait à filmer la liquidation du ghetto. Poldek semblait contempler la scène avec une légère incrédulité : les foules de figurants, la reconstitution des prisonniers et des gardes SS. Bien qu'à l'origine de tout ça, il paraissait maintenant un peu dépassé par les événements. Il se teignait les cheveux et ne ressemblait pas à un vieillard, ayant l'air aussi jeune que lors de notre première rencontre. À voir l'animation sur son visage, on aurait juré que c'était un homme sur qui la mort n'avait aucun dessein.

Trente mille figurants furent utilisés dans cette séquence de la liquidation du ghetto et, pour des raisons d'anachronisme, il avait fallu retirer des toits de nombreuses antennes de télé. Poldek avait dû être progressivement submergé par ses souvenirs. Pourtant cela ne se voyait pas du tout quand il rencontra l'acteur israélien Jonathan Sagall, qui jouait son rôle dans le film. « Jonathan, lui dit-il, je t'adore. Tu es un très beau garçon, mais tu es loin d'être aussi beau que je l'étais à ton âge. » Il serait tout de même gêné lorsque le film, prenant quelques libertés artistiques, montrerait le jeune Poldek faire du marché noir à l'intérieur même de la basilique Sainte-Marie sur la Grand-Place de Cracovie. Il assura à un certain nombre de ses amis gentils, dont moi, Judy, Kathy Kennedy et le producteur Gerry Molen : « Vous savez, je n'aurais jamais fait du marché noir dans cette magnifique église. »

Lors de son premier jour sur le tournage, Poldek vit la toute jeune Polonaise de quatre ans, Oliwia Dąbrowska, jouer Genia, la petite fille au manteau rouge. Elle devait déambuler dans les rues avec détermination et courage tandis que, tout autour, les figurants réagissaient aux ordres de Spielberg pour créer une mêlée de panique et de barbarie. Spielberg avait expliqué lors d'une réunion qu'elle serait l'une des rares notes de couleur dans le film. Je n'ai jamais eu l'occasion de lui demander pourquoi il voulait cette touche vive au centre du récit, mais j'imaginais qu'il voyait ça comme un point de bascule dans la motivation d'Oskar, car, dans le film, il assistait à la scène depuis une colline à l'extérieur du ghetto. J'imaginais aussi qu'il souhaitait rendre hommage aux enfants pleins d'espoir et pourtant massacrés qui avaient péri dans les diverses hystéries ethniques du sanglant XXe siècle.

Le directeur de la photographie était un charmant et talentueux Polonais, Janusz Kamiński, qui, pour filmer ces scènes, utilisa une caméra sur pied et une caméra à l'épaule, puisque Spielberg voulait du « cinéma vérité ». Plus tard, il emploierait la même technique pour tourner la fameuse séquence d'ouverture d'*Il faut sauver le soldat Ryan*.

Misia, qui ce jour-là avait préféré rester à l'hôtel pour se reposer et rassembler son courage, accompagna Poldek sur le plateau le lendemain. À son arrivée, Spielberg lui présenta la jeune actrice israélienne Adi Nitzan, qui jouait son rôle, et elle s'écria en la voyant : « Comme vous êtes belle ! »

Ce à quoi Poldek rétorqua : « Mais Misia, toi aussi tu es très belle ! Tu crois que j'aurais renoncé à toutes ces étudiantes qui étaient amoureuses de moi pour une femme quelconque ? »

Ce matin-là, le tournage se déroulait sur la colline de Bednarskiego où Schindler, lors d'une promenade à cheval en 1942, avait assisté à une *aktion* nazie dans le ghetto. Pendant une pause, Poldek prit la peine de montrer à Steven le toit du Kościuszko Gymnasium, le lycée où il avait été un jeune et sémillant professeur. Misia et lui avaient été cantonnés dans le ghetto au 2 de la rue Jósefińska, et Poldek le lui montra aussi.

Après plusieurs heures d'essais techniques assez répétitifs, Misa et Poldek furent obligés de fuir le froid humide et pénétrant de la colline depuis laquelle Liam Neeson et l'actrice italienne Beatrice Macola, tous les deux magnifiques à dos de cheval et rayonnants de bien-être, contemplaient, stupéfaits, la sauvagerie qui se déchaînait sous leurs yeux.

Le temps que j'arrive en Pologne et que je m'installe à l'hôtel, Poldek était reparti. Il devait rejoindre Steven à Jérusalem un peu plus tard, où il était prévu que les survivants aillent déposer des cailloux sur la tombe d'Oskar. L'hôtel me parut calme jusqu'à ce que l'équipe commence à rentrer de sa journée de tournage. Je craignais de ne connaître personne, mais Bonnie Curtis, la courtoise assistante de Steven que j'avais déjà rencontrée à maintes reprises, vint toquer à ma porte pour m'accueillir, et m'informa que – le temps de prendre une douche – les gens se retrouvaient ensuite au bar du rez-de-chaussée, où j'étais le bienvenu pour prendre un verre avec eux. Elle me montra aussi une suite au même étage que ma chambre, où un premier bout-à-bout rudimentaire était réalisé tous les soirs ; apparemment, Steven utilisait des salles de montage un peu partout dans Cracovie, et je ne comprenais pas bien à quelle étape du processus correspondait chacune. Plus tard dans la soirée, m'expliqua Bonnie, on projetterait les rushes, ou plutôt une sélection montée des prises tournées la veille.

Au bar de l'hôtel, on distinguait aisément les gens de l'équipe des hommes d'affaires est-européens à leurs manières et à leur degré élevé de beauté ou de charisme. Je pris place à une longue table autour de laquelle se trouvaient des acteurs et des techniciens polonais, anglais et américains. Bonnie me désigna le jeune Ralph Fiennes, assis tout seul au comptoir, en me suggérant d'aller le voir, de lui dédicacer un de mes livres qu'il trimballait partout et de l'inviter à se joindre à nous. Elle me dit que son interprétation d'Amon Goeth était si criante de vérité que, même lorsqu'il quittait son uniforme SS et desserrait ses yeux fabuleux, les gens appréhendaient encore de l'approcher.

Je m'avançai donc et me présentai d'un air hésitant. Je m'aperçus vite qu'il ne pouvait y avoir plus réservé que Fiennes, avec son aura d'enfant perdu. C'était un Anglo-Irlandais à la fantaisie discrète, passionné par quelques écrivains et le rugby. La façon étrange et ensorceleuse qu'avait son sourire d'éclairer brusquement son visage est désormais célèbre dans le monde entier. Il sortit un livre de son sac, un récit de voyage que j'avais écrit sur le sud-ouest des États-Unis, une région que j'affectionnais particulièrement, et qui avait en son temps reçu une critique impitoyable de la *New York Times Book Review*. Comme les gens autour de moi prononçaient tous *Ralph* à l'anglaise – *Rayfe* –, je crus entendre « Ray » et lui fis une dédicace en écorchant son prénom, mais il eut l'élégance de ne pas me corriger. Plus tard, j'aurais l'occasion de m'excuser platement de ma bévue.

Quand ma fille Jane arriva de Francfort un peu plus tard dans la soirée, elle fut aussi sociable et bavarde qu'à son habitude, bien plus à l'aise que son père dans ce genre de circonstances. Nous suivîmes Bonnie au sous-sol pour regarder les rushes. Liam Neeson lui-même nous rejoignit avec Natasha Richardson. Il avait apporté une bouteille de vin rouge et deux verres. Il y

avait quelques autres spectateurs. Les lumières s'éteignirent. Il
ne faisait sans doute pas chaud le jour où la scène qu'on voyait
à l'écran avait été tournée, pourtant elle donnait l'impression
d'une chaleur accablante. C'était un train à quai avec à l'intérieur
des personnes du camp de Płaszów. Des mains dépassaient entre
les barreaux des wagons à bestiaux et Oskar, en costume blanc,
arrivait et échangeait des plaisanteries avec les responsables SS,
qui se plaignaient de la canicule en attendant que la locomotive
démarre. Oskar suggérait qu'on asperge les wagons au jet d'eau,
une idée qui avait l'air d'amuser Goeth et ses acolytes. Comme
les tuyaux du camp n'étaient pas assez longs, il proposait d'en
apporter d'autres de son usine. Suivaient de nombreuses prises
où l'on voyait l'eau ruisseler à travers les grilles des wagons
sous les instructions d'Oskar en bras de chemise. La scène était
éclairée de telle manière que l'on ressentait physiquement le
soulagement de la chaleur et de la soif, pendant que Goeth se
demandait pourquoi Oskar se donnait tant de mal puisque de
toute façon les gens dans ce train allaient mourir.

En fait, le noir et blanc permettait de rendre les scènes plus
chaudes ou, selon la volonté du réalisateur, plus froides, en jouant
sur le grain et les polarités de couleur. Plus tard, lors d'une pause
sur le tournage, Spielberg me demanda ce que j'avais pensé des
rushes, et je dus reconnaître que le choix du noir et blanc était
justifié.

Après la projection, Bonnie me présenta à Liam Neeson et à
Natasha Richardson. Neeson s'amusait toujours à parodier mon
accent australien, que ce soit cette fois-là ou les suivantes. Il me
demandait si je mangeais du kangourou, si j'étais venu avec ma
planche de surf, etc. Je lui fis remarquer que, pour peu qu'un
logeur peu scrupuleux du XIXe siècle ait décidé de recouvrer
ses impayés de loyer en expédiant ses ancêtres en Australie –
une combine qui n'était pas rare chez les logeurs irlandais de
l'époque –, à l'heure actuelle il serait sans doute flic à Brisbane.
Tout en étant de bonne compagnie, Neeson n'avait rien d'un

homme fougueux, il était plutôt sobre et bien élevé. L'important était qu'à l'écran il ait l'air fougueux; qu'il donne la même impression qu'Oskar à ses prisonniers, à savoir qu'il était toujours à deux doigts de perdre le contrôle de lui-même, que son exubérance risquait de finir par tous les mener à la mort.

Le lendemain matin, mon infatigable fille toqua à ma porte. Le chauffeur, Jerzy, nous attendait pour nous amener sur le plateau. En l'occurrence, il s'agissait d'un entrepôt et d'un quai de marchandises désaffectés, où était stationnée une splendide locomotive à l'ancienne, tirant derrière elle, bien entendu, un chapelet de wagons à bestiaux. Spielberg arriva en pleine forme et nous assura que, jusque-là, tout se passait à merveille. « Quand il nous fallait de la neige, on en a eu, et quand il nous fallait du soleil aussi », nous dit-il. Il n'alla pas jusqu'à évoquer une intercession divine, mais d'autres après lui – Branko Lustig, Gerry Molen – nous confièrent la même chose avec la stupéfaction d'hommes habitués à gérer les catastrophes sur les tournages.

Spielberg nous raconta que Ralph Fiennes, dans son uniforme d'Amon Goeth, s'était trouvé extrêmement gêné quand une des rescapées invitées sur le plateau s'était mise à trembler en le voyant. Il était capable de supprimer la lueur normale, avenante et même fantasque dans ses yeux qui le caractériserait dans d'autres films par la suite tels que *Quiz Show*, pour ne laisser subsister qu'une froideur bleue meurtrière.

Sur les conseils de Spielberg, Jane et moi fîmes un petit tour dans l'entrepôt, où une quantité extraordinaire d'accessoires d'époque avaient été brillamment réunis par Allan Starski et son équipe. Il y avait des pyramides de valises en tout genre, des piles de chaussures, de bijoux, d'argenterie et de photos de famille qui témoignaient du mode de vie disparu des Juifs de Galicie : les pique-niques sur le tertre Kościuszko, les excursions à la campagne, les filles sur de très larges skis à Zakopane, sourire aux lèvres ou tombées dans la neige. S'entassaient aussi des vêtements d'époque, des jouets ou des lunettes. Tandis que nous contemplions tout ça, Ben Kingsley vint se présenter à nous. C'était un acteur qui adorait son métier, un homme raffiné et poli qui, à la fin d'une scène ou d'une journée de travail, énonçait souvent une maxime en rapport avec la situation, que les gens gardaient ensuite en mémoire : une sorte de slogan rassembleur. J'apprendrais qu'un soir à l'hôtel Forum un businessman ivre s'était approché d'un des acteurs juifs en lui disant que c'était bien dommage que Hitler ne les ait pas tous eus. Kingsley s'était interposé calmement et avait fait taire le braillard dans une élégante démonstration de menace, de force et d'insistance. C'était un dur à cuire sous son masque du discret Itzhak Stern.

Alors que nous discutions avec lui, des centaines de figurants qui jouaient des déportés juifs arrivèrent sur le quai. On leur disait de mettre leur nom sur leurs bagages pour qu'on puisse les leur faire suivre. Puis ils montaient à bord des wagons en s'aidant les uns les autres, et le train s'ébranlait. Cela prit un certain temps à filmer, après quoi, dans le silence qui suivit le départ de la locomotive, la caméra (et nous avec) pénétra dans l'entrepôt voisin, où des hommes s'appliquaient sans un mot à trier des affaires sous la supervision d'un SS, séparant et empilant l'argenterie, les bijoux et les vêtements tandis que les valises laissées sur le quai venaient s'ajouter aux autres en attendant d'être vidées à leur tour. Il fallut plusieurs prises, mais Spielberg savait parfaitement l'effet qu'il voulait tirer de ces tristes monceaux de reliques et comment éviter qu'ils n'apparaissent que comme un bric-à-brac répétitif.

Je remarquai que Spielberg avait sur son moniteur, où il pouvait voir en direct les images filmées par la caméra de Janusz Kamiński, non seulement les pages du scénario mais aussi celles de mon livre. Je me demandai s'il l'avait fait ce jour-là par courtoisie, mais il semblait peu probable qu'au milieu de toute cette activité créatrice il ait pris le temps de se donner cette peine. J'apprendrais plus tard en lisant le récit de Franciszek Palowski sur le tournage du film que c'était toujours le cas : les pages de Steve

Zaillian et celles du livre étaient invariablement épinglées côte à côte sous le moniteur. Naturellement, j'étais enchanté de voir mes pages ici, certains passages surlignés au feutre de couleur ; cela conférait à ma présence sur le plateau quelque légitimité, que j'étais soulagé de posséder.

Pour finir, nous avons assisté au tournage d'une troisième scène : un expert juif devait vider un sac de ce qu'il pensait être des bijoux et se révélait en réalité être des dents humaines. Spielberg donna au comédien une série de mouvements complexes à effectuer : baisser les yeux et découvrir le contenu du sac avec un choc incrédule ; se ressaisir rapidement en se souvenant qu'une telle réaction pouvait lui valoir des ennuis ; regarder à gauche et à droite ; puis contempler de nouveau, d'une façon plus posée et désespérée, et avec une tristesse infinie, les dents en or.

Ainsi s'acheva cette matinée de tournage, et nous déjeunâmes avec l'équipe sous la tente des acteurs et des techniciens, où Spielberg s'asseyait à la même place tous les jours. C'était merveilleux de voir parmi eux des Polonais bien nourris, alors qu'ils étaient si chétifs en 1981 et que tout le monde savait que, malgré le nouveau système démocratique, l'accès à la nourriture était encore irrégulier.

Même durant les repas, Spielberg continuait à poser des questions. Il aimait avoir autour de lui des gens avec qui discuter, y compris pendant que les techniciens changeaient les lumières ou que l'équipe caméra installait un nouveau plan. Beaucoup des anciens prisonniers qui passèrent sur le tournage furent étonnés du nombre de questions que Spielberg leur posait. Une bonne part de son talent de réalisateur, expliquait Palowski, tenait à sa volonté d'écouter tout ce qu'avait à dire chacune des personnes ayant un lien avec l'histoire.

Spielberg me parla des divers rescapés qu'il avait rencontrés sur le plateau et qu'il reverrait bientôt à Jérusalem. Il les avait chacun longuement interrogés. Quand il leur avait demandé leur avis sur le tournage, tous lui avaient répondu que les acteurs jouant des prisonniers avaient l'air trop bien habillés et trop bien nourris, mais que, de toute façon, s'il reproduisait exactement la réalité du camp, les spectateurs risquaient d'être tellement choqués qu'ils se détourneraient du film. Et puis, ce qu'il ne pourrait jamais reproduire, c'était la puanteur du camp, de leurs propres corps affamés, des latrines, et des cadavres en décomposition juste sous la surface du sol à Hujowa Górka.

L'après-midi, dans un petit bâtiment près de la carrière de craie, devait se tourner la scène où Schindler allait voir la famille juive avec laquelle il était associé et qui l'accusait d'avoir pris trop de marchandises. Seuls Kamiński, son équipe et les acteurs pouvaient tenir dans la pièce. Tous les autres, y compris Spielberg, regardaient la scène dehors sur des moniteurs. Elle était censée illustrer finement l'ambivalence du personnage de Schindler au début de la guerre, mais au bout du compte, pour des besoins de brièveté, elle serait coupée du montage définitif.

Puis nous allâmes jusqu'à la carrière au bord de laquelle Starski avait reconstitué la villa d'Amon Goeth. De là, on pouvait descendre par des escaliers dans le cratère transformé en camp de Płaszów. Pendant la guerre, cette carrière de craie avait elle-même été un camp de travaux forcés, et cela se sentait encore. De vieux wagons et d'autres machines étaient restés abandonnés sur place. C'était, en quelque sorte, un merveilleux décor naturel.

Je me rendis compte que j'avais pris trop de photos et que j'allais bientôt être à court de pellicules, mais le photographe de plateau, David James, un Anglais qui avait travaillé sur de nombreux tournages, me donna une bobine de noir et blanc pour que je puisse avoir des images qui rendent exactement ce que Janusz Kamiński était en train de filmer. Et, en effet, la plupart des scènes auxquelles Jane et moi allions assister se déroulaient là, dans cette reconstitution incroyablement réaliste de Płaszów. Nous vîmes par exemple une réunion entre Amon Goeth et Itzhak Stern, ainsi qu'une violente altercation entre Goeth et

Lisiek, le jeune domestique et garçon d'écurie que Goeth accusait d'avoir mal positionné sa selle. Nous vîmes Lisiek se faire tuer, comme cela s'était produit dans le vrai Płaszów, par une balle de fusil que Goeth avait tirée depuis son balcon, torse nu, cigarette aux lèvres. La scène ressemblait trait pour trait à un portrait de Goeth qu'avait fait le directeur d'usine autrichien Raimund Titsch et que Poldek lui avait acheté en 1963. La mère du jeune Wojciech Klata, l'acteur qui jouait Lisiek, était très inquiète car son fils avait reçu un éclat de gravier dans l'œil à la suite d'une explosion déclenchée sur le sol de la mine, mais heureusement la blessure allait s'avérer bénigne.

La mère du premier assistant caméra arriva de Boston, rayonnante de fierté devant la réussite de son fils, enthousiasmée qu'il fasse ce film.

Il y avait un car de luxe qui servait en quelque sorte de salon privé dans lequel les producteurs, le producteur exécutif, le réalisateur, Bonnie Curtis et d'autres pouvaient se reposer, à l'abri de l'agitation extérieure. Encore un peu sous l'emprise du décalage horaire, j'y trouvai refuge dans l'après-midi et cela me donna l'occasion d'une conversation avec Jerry Molen, un homme cordial qui me faisait penser au vieil oncle sage des westerns. Molen, avec toute son expérience, sa douceur et sa fermeté à la fois, était l'ange gardien de Steven. Il ne mentait pas, pas plus qu'il ne rechignait à ce rôle. À ses yeux, il était important que Steven se concentre sur son travail.

18

Parmi les acteurs dont ma fille Jane et moi fîmes la connaissance, il y avait la très talentueuse Caroline Goodall, qui jouait Emilie Schindler. Caroline et son mari étaient par ailleurs d'une compagnie fort agréable. Nous prîmes nos habitudes dans un restaurant de la rue Slawkawska, juste un peu à l'écart du centre-ville et visiblement installé dans une ancienne maison noble. Ce restaurant offrait une excellente nourriture et de bons vins bulgares. Ben Kingsley et sa petite amie anglaise se joignaient souvent à nous. Ni Kingsley ni Goodall ne prenaient de grands airs de comédiens, et Kingsley adorait la conversation et le débat d'idées. Lors d'une de nos visites dans ce vieux « palais » qui abritait le restaurant, des étudiants du conservatoire de Cracovie vinrent jouer la musique du ghetto désormais disparu de Kazimierz.

J'essayais de regarder les rushes tous les jours avant de sortir dîner. Ralph Fiennes, qui nous accompagnait un soir, nous raconta que Spielberg lui avait donné la permission de se rendre à New York – pour la première fois de sa vie – lors d'un week-end prolongé, où il devait passer une audition pour le rôle du jeune Charles Van Doren dans *Quiz Show*, un film sur les scandales des jeux télévisés qui ruinèrent la réputation de Van Doren à la fin des années 1950.

À vrai dire, ce serait le seul week-end prolongé pendant toute la durée du tournage, et les acteurs comme les techniciens commençaient à s'organiser pour en profiter. Le Croate qui tenait la cantine du tournage me confia qu'il comptait rentrer chez lui à Zagreb, et je m'extasiai une fois de plus sur le fait que les distances en Europe soient si courtes. Si je roulais vers l'ouest depuis Sydney pendant le même temps qu'il lui faudrait pour faire la route de nuit depuis Cracovie, je ne quitterais même pas l'État de Nouvelle-Galles du Sud. Le vendredi, veille du fameux week-end, je fis part de cette remarque à Spielberg : quel choc c'était de découvrir que ça valait le coup de faire l'aller-retour en voiture de Cracovie à Zagreb pour un simple week-end de trois jours, comme le cuisinier en avait l'intention.

Les Balkans faisaient alors la une des journaux ; un nouvel exemple européen de déploiement de haine dans un si petit espace. Spielberg disait que c'était le bon moment pour faire ce film ; c'était la première fois depuis la Seconde Guerre mondiale que le terme de «nettoyage ethnique» était employé sans scrupules, entre autres par Slobodan Milošević, alors président de la Serbie. Les écrivains et les cinéastes aiment parfois auréoler ce qu'ils font de ce genre d'intentions nobles et sincères. En réalité, il a été prouvé depuis à maintes reprises que, même si l'humanité parvient à prendre conscience des injustices passées, elle ne réussit pas toujours à s'extraire, dans le présent, de la frénésie raciale, et c'est là toute la tragédie humaine.

Ma fille Jane et moi décidâmes d'employer ce long week-end pour nous rendre à Auschwitz, où elle n'était jamais allée. Jerzy était d'accord pour nous y amener avec la voiture que les producteurs avaient gentiment mise à notre disposition. Ma fille s'était particulièrement liée d'amitié avec Geno Lechner, la jeune Allemande au visage anguleux qui jouait le rôle de la maîtresse de Goeth, Majola. Il y avait dans la villa un décor de chambre à coucher où, au cours d'une scène, on les voyait Goeth et elle langoureusement allongés, avant que Goeth ne se lève, en caleçon, pour exécuter sommairement une pauvre créature du camp depuis son balcon. Geno aussi voulait venir à Auschwitz. Par une belle journée de printemps, Jerzy nous conduisit, à travers champs et forêts, jusqu'à la petite ville de Katowice, puis jusqu'à la ville encore plus petite – mais d'apparence tout aussi normale – d'Oświęcim. J'avais déjà fait cette route, mais pour Jane et Geno c'était la première fois. Elles contemplaient le paysage avec grand intérêt tandis que, par une journée si agréable, la conversation avec Jerzy était légère et joviale. Puis, au beau milieu des bois et des fleurs des champs, nous nous trouvâmes devant la sinistre grille du camp d'Auschwitz I, qui proclamait que le travail rendrait ses prisonniers libres.

J'éprouvai autant de mal à y pénétrer en cette belle journée printanière que lors de ma précédente visite avec Poldek au plus froid de l'hiver. Le contraste entre l'air vif de la saison et la morbidité du lieu nous choqua profondément. À Auschwitz I, on pendait et on battait les gens, on enfermait les prisonniers dans des boîtes et des cages tout juste assez grandes pour pouvoir y respirer, on pratiquait des expériences sur les détenus. C'est devant une des cellules de compression, où le prisonnier avait à peine assez de place pour bouger et d'air pour respirer, que Geno fondit en larmes.

Malgré tout, elle insista pour voir la totalité du lieu, si bien que nous continuâmes notre visite par Auschwitz II, Auschwitz-Birkenau, le camp d'extermination proprement dit. Là, entre les fines parois en bois des baraquements, on se sentait soudain pénétré par l'air mordant du dehors, malgré la douceur du printemps. Nous poursuivîmes ensuite par les chambres à gaz, une épreuve que j'avais trouvée plus pénible la première fois. Enfin, nous franchîmes à nouveau la grille tristement célèbre par laquelle arrivaient les trains, gravée dans l'iconographie des horreurs du XXᵉ siècle, montâmes dans la voiture de Jerzy et reprîmes la route, pensifs, entre les vertes prairies, en essayant de distraire Geno qui paraissait hagarde.

La météo ne souriait pas toujours à Spielberg. Le printemps étant désormais bien avancé, il dut faire appel aux pompiers de Cracovie pour simuler la neige avec de la mousse. Le décor était censé représenter Brněnec, le site du second camp de Schindler. C'était une scène dans laquelle Oskar se rendait à l'église paroissiale, située juste devant une magnifique église de l'Empire austro-hongrois avec un retable et un dôme élégant, pour demander au prêtre de lui vendre son terrain afin que les morts des carrières de Goleszów puissent y être enterrés en tant que Juifs. Je visitai l'église avec Jane et allumai une bougie pour mes parents, qui trouvaient du réconfort à l'idée qu'on allume des bougies pour eux dans n'importe quel endroit improbable et lointain. Mais cette scène aussi serait coupée du montage définitif. C'était une des bonnes actions les plus discrètes d'Oskar, et au bout du compte elle serait considérée comme secondaire par rapport à la ligne directrice générale du personnage.

Après deux semaines sur le tournage et un dernier dîner avec le merveilleux Ben Kingsley et sa petite amie, Jane et moi nous apprêtâmes à quitter Cracovie. J'étais reconnaissant qu'on nous ait fait un si bon accueil et qu'on nous ait traités comme des membres à part entière de cette aventure cinématographique, grâce à l'affabilité habituelle de Spielberg, Bonnie Curtis et Jerry Molen. Depuis Londres, je m'envolai pour la Californie, vers une nouvelle conférence, un nouvel atelier. Mais très vite arriva la fin de l'année universitaire, et nous dûmes à nouveau faire nos bagages, une routine qui commençait à s'avérer fastidieuse. De retour à Sydney après toute cette excitation, j'emportais avec moi un mélange plutôt surprenant de photos d'isoloirs en Érythrée et de décors de cinéma à Kazimierz et Płaszów.

Je travaillais toujours à mon roman sur l'Australie au début du XXe siècle, l'époque où mon grand-père gringalet et rêveur et ma petite grand-mère potelée s'étaient installés dans une vallée au nord de la côte de Nouvelle-Galles du Sud. J'étais aussi plongé dans mes recherches sur les prisonniers irlandais et leur monde, un monde de crimes que les autorités britanniques occupantes ne voyaient que comme des atteintes à la propriété mais qui étaient en fait, bien qu'encore mal définis, des crimes politiques.

Ces deux histoires occupaient désormais mes journées car j'avais peu de nouvelles du film ni de la façon dont il avait été monté. Poldek me téléphona pour m'annoncer d'un ton outré qu'il avait entendu dire par Sid Sheinberg qu'Universal avait l'intention de le sortir dans vingt-neuf salles à travers les États-Unis. « Je lui ai fait : "Sid, sérieusement, *vingt-neuf salles*?" Et il m'a répondu : "Les films sur la Shoah sont difficiles à vendre, alors on mise sur le bouche-à-oreille, voilà tout." Je lui ai dit : "Le bouche-à-oreille ? Pour un film de Steven Spielberg ?" » Mais Sheinberg avait expliqué à Poldek que c'était le sort des films sur la Shoah, que ça avait toujours été comme ça, qu'ils n'étaient pas populaires. Poldek lui rétorqua : « Et *Le Journal d'Anne Frank*, ce n'est pas populaire ? *Jugement à Nuremberg*, c'est Donald Duck ? J'ai dit à Sid, poursuivit Poldek, que c'était la plus grande histoire d'humanité d'homme à homme, et que le monde était prêt à l'entendre et à la voir. Mais il m'a répondu : "Eh bien dans ce cas, Poldek, les gens sauront la trouver." Drôle de façon de faire des affaires ! »

Je dois dire qu'étant conscient de la qualité du film j'étais déçu par cette nouvelle. Dans tous les multiplexes du Maine à la Louisiane, de l'État de Washington à la côte Est, il n'aurait pas sa place. Et même dans toutes les petites salles de province qui passaient des « films d'auteur », un terme généralement réservé aux productions anglaises, européennes et australiennes, à des films américains ésotériques ou encore à la dernière coqueluche du cinéma tchèque ou hongrois, il n'aurait qu'une voix limitée.

Quand l'hiver australien toucha à sa fin et que je retournai en Californie, je me rendis compte sitôt arrivé que les inquiétudes de Poldek sur une sortie confidentielle s'étaient largement dissipées. Le bruit courait dans le milieu du cinéma et des médias que *La Liste de Schindler* était un film époustouflant. Je fus interviewé pour le magazine d'actualités *20/20* de la chaîne ABC, un baromètre en soi de l'intense intérêt que suscitait le film avant même sa sortie, tout comme l'histoire de ma rencontre avec

Poldek et la façon dont il avait vaillamment porté le projet à bout de bras depuis le début. « Alors comme ça, me demandaient toujours les journalistes, vous n'aviez jamais entendu parler de Schindler jusque-là ? » Une nouvelle édition du livre vit le jour qui, pour le plus grand bonheur des Keneally, s'installa durablement sur la liste des meilleures ventes en poche de la *New York Times Book Review*.

Ma mère allait bientôt avoir quatre-vingts ans et, pour l'occasion, nous fîmes un aller-retour en Australie au mois de novembre 1993, pour nous rendre à la petite fête que mon frère Johnny organisait chez lui à Gladesville, dans la banlieue de Sydney. Ma mère avait joué un rôle très important dans nos vies, elle avait toujours eu de l'ambition pour nous, sans jamais se décourager les années où mon père était au loin en Afrique. À la date de son anniversaire, je n'avais toujours pas eu l'occasion de voir le film monté, seulement la formidable bande-annonce, sans aucun commentaire, qui avait l'air de beaucoup frapper ceux qui l'avaient vue, moi compris, tout en m'emplissant de la crainte obscure de ne pas être tout à fait capable d'encaisser, de digérer et d'appréhender l'ampleur de la chose.

La veille de la fête, je reçus un coup de fil amusé de Bonnie Curtis, l'assistante de Spielberg : « Où est-ce que vous êtes passés, Judy et toi ? me demanda-t-elle. On vous a cherchés partout en Californie. On voudrait vous prendre des billets d'avion pour l'avant-première à Washington lundi soir. Le Président sera là. »

La fête en l'honneur de ma mère devait avoir lieu le dimanche après-midi et se prolonger jusqu'en début de soirée. Voilà ce qui fut mis au point : si Judy et moi – ainsi que notre fille Jane, qui avait insisté pour venir avec nous – prenions un vol le dimanche soir, grâce au miracle du décalage horaire qui jouait en notre faveur, nous arriverions à Washington dans la soirée du même dimanche. Nous devrions peut-être quitter la fête un peu avant la fin – le penchant de notre famille pour l'alcool et la conversation faisait que les fêtes duraient souvent plus tard que prévu –, mais après le cérémonial et les hommages auxquels ma mère aurait droit. Il faudrait juste qu'on apporte nos valises à la fête.

En ce dimanche exceptionnel, Universal nous envoya donc une voiture pour nous conduire à la fête chez mon frère puis à l'aéroport, et comme mes parents vivaient également sur une plage au nord de Sydney, nous passâmes les prendre en chemin. Ma mère arriva donc à son anniversaire dans une limousine extralongue, un mode de transport improbable pour elle, qui se considérait encore comme une fille de bush. Il y avait une foule d'invités massés dans le jardin de Johnny et les pièces alentour en cet après-midi nuageux. En fin de journée, une fois le gâteau mangé et les cadeaux distribués, nous prîmes congé de tout le monde et remontâmes dans notre luxueuse limousine.

Je me disais que tout ça, les trois billets d'avion en première classe et le reste, était une nouvelle preuve de la générosité de Steven. Rien n'obligeait notre présence à cette avant-première à Washington. Avec ma manie habituelle de bourreau de travail, je me revois encore rédiger des notes pendant le vol pour mon grand projet de livre sur les prisonniers irlandais. Mais il fallait bien dormir un peu, car parmi tous les trajets en avion, il n'y a sans doute pas plus déboussolant que celui entre Sydney et la côte Est des États-Unis. Les heures des différents fuseaux horaires traversés se télescopent tellement que le matin devient soudain la nuit, et la nuit le matin.

Pourtant, notre arrivée à l'hôtel Four Seasons du quartier de Georgetown à la tombée du jour donna lieu à de joyeuses retrouvailles. Liam Neeson était là, Janusz Kamiński avait mis un costume. Jerry Molen, Branko Lustig, le timide et désormais célèbre Ralph Fiennes, ainsi que Poldek et Misia : tous étaient arrivés plus tôt dans la journée. Nous prîmes un dîner léger avec Poldek et Misia au restaurant de l'hôtel. Poldek, ce qui peut se comprendre, arborait une mine triomphale. « Il m'avait dit vingt-neuf salles, en fait c'est mille fois plus ! »

« C'est grâce à vous deux, dit Misia. Avant les acteurs, avant Steven, c'est vous deux qui étiez là. »

Le compliment de Misia était pour moi trop lourd à porter. Je n'avais pas vu le film. Je ne savais même pas quelle heure il était. J'étais à la fois ravi et encore très inquiet. Quant à Poldek, il répondit par un grognement d'approbation. Certains dans sa propre communauté prétendaient qu'il faisait ça pour l'argent depuis le début, mais en réalité les bénéfices qu'il en avait tirés étaient modestes, et toute cette aventure l'avait tenu éloigné de son commerce, qui avait plusieurs fois frôlé la faillite. Quelque dose de vanité qu'il y ait eu dans sa loyauté envers Schindler – et il y en a forcément dans n'importe quelle bonne action –, son obstination acharnée à ne pas laisser cette histoire mourir paraissait véritablement héroïque. Il avait maintenant accompli la mission qui avait peut-être été son objectif numéro un depuis qu'il s'était installé à Beverly Hills quarante ans plus tôt. Ce qu'on pouvait affirmer, c'est que tout ça tenait surtout à la détermination de Poldek. À quoi il rétorqua : « D'accord, Thomas, mais la détermination à elle seule ne suffit pas. » Voilà le genre d'échange animé que nous eûmes en cette merveilleuse et anxieuse veille d'avant-première. Misia se réjouissait affectueusement de notre rôle à tous les deux, et déclara, de son ton posé mais autoritaire : « C'est un très, très bon film, Tom. » Ce n'est que bien plus tard que je songeai : elle sait de quoi elle parle. C'était, après tout, une femme qui avait vécu ces horreurs aux premières loges dans sa jeunesse, avec pour paroxysme les six à huit cents calories par jour de la nourriture des camps, et l'intimité de la mort. Elle savait de quoi elle parlait.

L'avant-première devait avoir lieu le lendemain soir dans un cinéma de Georgetown. Personne ne serait en smoking, il n'y aurait pas de rayons laser illuminant le ciel ni d'arrivées sur tapis rouge. Le président Clinton et sa formidable épouse, autant admirée que critiquée, seraient présents, mais pas la brochette habituelle de stars ni les hordes de groupies qui vont avec.

Le matin du jour J, un lundi, une projection spéciale avait été organisée pour Judy, Jane, moi et un journaliste du magazine *Time*. Nous nous retrouvâmes dans le hall du cinéma désert avant d'aller nous asseoir dans la salle non moins déserte, au milieu d'un océan de sièges vides. Ces conditions me mettaient un peu mal à l'aise, tout comme les questions qu'allait sans doute me poser le journaliste du *Time*. Cela faisait longtemps que j'avais écrit le livre, et donc longtemps que je l'avais lu, et en termes d'images et de brutalité, ces événements m'étaient à la fois familiers et lointains.

Pendant la projection, j'eus quasiment le souffle coupé au moment de la scène de la liquidation du ghetto. Les gens que je voyais à l'écran étaient pris dans le flot terrible de l'histoire, sous un rouleau compresseur qui déchiquetait les rêves et les relations humaines. Et en plein milieu du massacre nocturne de ceux qui avaient réussi à se cacher pendant l'évacuation, un officier trouvait un vieux piano et se mettait à jouer du Bach. La question était toujours la même : pourquoi cette barbarie avait-elle été perpétrée par les représentants de la culture la plus raffinée d'Europe ? Pourquoi les *Einsatzgruppen* SS étaient-ils pleins de diplômés en philosophie et en théologie ? À première vue, la brutalité des SS semblait être un déni du triomphe culturel de l'Europe et de sa sophistication. Pourtant, plus une culture était sophistiquée, plus son identité était raffinée, et plus il lui devenait facile de nier toute valeur aux autres communautés culturelles. La Haute Europe avait toujours actionné le ressort du mépris ethnique parce que *c'était* la Haute Europe et qu'elle avait donc la force et l'autorité d'établir les règles raciales. Nous, la populace du bout du monde, jetés sur les côtes de nouveaux continents, bien que nous ayons peut-être eu nous-mêmes un comportement atroce envers les indigènes, étions stupéfaits par la détermination avec laquelle l'Europe revenait aux déchaînements originels de haine envers l'étranger. De gentils garçons et de moins gentils garçons reprenaient le flambeau, endossaient l'uniforme et abattaient le sale boulot.

Dans le film, la carrière de Schindler évoluait sans efforts, car l'intrigue principale ne pouvait pas s'attarder sur le bas-côté, le temps d'explorer en détail les motivations d'Emilie. Pour les besoins du montage, la seconde partie du film, dans laquelle était racontée l'histoire du second camp de Schindler à Brněnec, paraissait inévitablement compressée. Le fait que ce camp ne produisait pas de munitions ne pouvait, au cinéma, révéler que la moitié de l'histoire. L'autre moitié était que le camp tournait entièrement grâce au marché noir.

La Liste de Schindler était jusque-là le premier film sur la Shoah, à l'exception peut-être d'*Europa Europa*, à atteindre l'objectif visé. En comparaison, le film ultérieur de Roberto Benigni, *La vie est belle*, ne me semblerait rien d'autre qu'une longue blague de mauvais goût. Si l'on avait pu survivre aux nazis simplement en les regardant sous l'angle de la comédie, une communauté dotée d'un tel sens de l'humour l'aurait forcément fait et aurait survécu.

Le jeu des acteurs dans *La Liste de Schindler* était si impressionnant que j'en oubliai presque que j'avais par le passé cassé la croûte avec ces personnes autour de bouteilles de mauvais vin rouge bulgare. Je trouvais que le Schindler du début du film, avec sa compassion ambiguë, était exactement celui que Spielberg devait montrer, en soulignant fortement son opportunisme pour bien rappeler que cet homme n'était au départ certainement pas venu à Cracovie pour sauver qui que ce soit. Spielberg m'avait dit un jour que les films devaient tenir compte de la vessie des spectateurs. En l'occurrence ce n'était pas le cas, mais c'était comme si ce film avait le pouvoir de surseoir aux limites de la concentration humaine, le temps de sa durée.

Peu avant le générique, dans la scène où Schindler quitte ses prisonniers, il dit qu'il aurait pu en sauver davantage s'il avait pensé à vendre un insigne ou une Mercedes. La réalité, comme en témoignèrent nombre de ses anciens prisonniers, était qu'ils s'inquiétaient déjà que le camp ait atteint sa limite ; il avait recueilli les survivants de Goleszów, par exemple. Et même si cette scène d'adieu avait tout son sens au cinéma, elle paraissait affaiblir la cohérence du personnage, comme si l'idée de sauver plus de prisonniers venait tout juste de lui effleurer l'esprit, dans les dernières heures de la guerre. Je fis part de cette réserve au journaliste du *Time* lorsqu'il me demanda ce que je pensais du film, et il en fit tout un plat. Dans l'ensemble, il était surtout évident que ce film était d'une maestria extraordinaire et qu'il amenait les gens aussi près de la réalité du racisme enrégimenté et de ses conséquences qu'il était possible de le faire sans s'aliéner le grand public. D'ailleurs, ce fut seulement quand les lumières se rallumèrent que je me rappelai où j'étais, à savoir dans un cinéma de Washington aux alentours de midi par un lundi couvert, avec ma fille qui murmurait : « C'était super, non ? » J'avais oublié que j'avais un jour écrit cette histoire sous forme de livre. Le temps écoulé m'avait fait prendre de la distance, en avait effacé une grande partie. Maintenant, tout me revenait.

J'avais apprécié d'une manière toute particulière, très personnelle, de voir les gens que j'avais interviewés des années plus tôt défiler devant la tombe de Schindler en y déposant des cailloux, ainsi que Mme Schindler avec l'actrice qui jouait son rôle, mon amie Caroline Goodall. Les survivants qui étaient jeunes à l'époque où j'avais écrit le livre étaient maintenant d'âge mûr, et ceux qui étaient d'âge mûr à l'époque étaient devenus des personnes âgées ; pour une raison inexplicable, je trouvais le passage du temps, et la façon dont il les avait affectés, touchant et triomphal malgré tout le sang et toutes les spoliations de la Seconde Guerre mondiale. Ce matin-là, j'étais en même temps découragé et excité à l'idée de revoir le film une seconde fois dans la même journée.

Mais finalement, le fait que l'avant-première ait lieu le soir même me semblait être le symbole de la générosité décontractée de Spielberg. Car, après tout, j'aurais pu dénoncer le film sur-le-champ et créer un mini-scandale, ce qui n'aurait nullement influencé sa carrière dans un sens ou dans l'autre sur le long terme, mais aurait pu s'avérer bêtement blessant à court terme. Quoi qu'il en soit, je ne pouvais que me réjouir du fait qu'il savait que ça n'arriverait pas.

19

Ce lundi soir, nous étions de retour au cinéma, en costumes ordinaires. Nos tenues sobres étaient une manière de rappeler les morts effroyables et les années de terreur évoquées par le film. J'étais toujours dans le même état d'euphorie et d'appréhension mêlées. Je reproduisis néanmoins avec Branko Lustig la scène du début du film dans laquelle Liam Neeson lui tend une liasse de billets, et Judy nous prit en photo. Le Président et son épouse vinrent serrer la main de tout le monde, parlant à voix basse. Assez peu apprécié aux États-Unis, il était très admiré dans le reste du monde, et extrêmement populaire en Australie. Hillary Clinton mentionna un livre que mon éditrice new-yorkaise, Nan Talese, lui avait envoyé – *Femme en mer intérieure* –, affirmant qu'il l'avait enthousiasmée. Les Clinton étaient visiblement de bons amis de Spielberg, qui soutenait ardemment leur ligne politique. À la fin de la projection, les gens ne savaient pas s'ils devaient applaudir ou se taire, mais, une fois que les applaudissements démarrèrent, ce fut une explosion.

Il fallait l'aplomb de Judy, arrière-petite-fille d'un prisonnier politique irlandais, pour s'approcher du directeur du cinéma, planté au milieu du foyer afin de saluer le Président qui partait, et lui demander ce qu'il comptait faire de l'affiche du film dans la devanture. À quoi il répondit calmement : « Pour l'instant je vais l'enlever. Vous la voulez ? » Ainsi les Keneally héritèrent-ils, sans l'avoir prémédité, de l'affiche de cette avant-première.

Nous rentrâmes ensuite à l'hôtel, où nous restâmes un moment à siroter pensivement des verres de vin. Nulles festivités grandiloquentes n'étaient prévues. Steven Spielberg me dédicaça un exemplaire de mon livre. Jerry Molen parlait à voix basse. Il avait assisté à de nombreuses soirées comme celle-là. Dans un murmure révérencieux, nous revécûmes les polarités noir et blanc de la terreur et de la délivrance, et les nuances de gris sordides du ghetto et des camps. Même à ce stade, à minuit le 26 novembre 1993, le film était déjà un triomphe.

Bien qu'il soit parvenu à traduire les mécanismes de la Shoah sous une forme accessible, il y avait toujours quelque chose en moi qui disait : « Le cinéma est quand même tellement limité...» J'étais évidemment ravi que, dans les codes du cinéma populaire, Spielberg ait si bien transposé le récit que les survivants m'avaient autrefois raconté, mais il y avait toujours une part de moi qui restait, et qui d'ailleurs reste encore, fondamentalement sceptique quant au cinéma par rapport à l'écriture. Inutile de dire que c'est davantage mon problème que celui du cinéma.

Il était clair que, même si le film était destiné à être loué unanimement par la critique, il soulevait également des débats passionnés. Comment la Shoah pouvait-elle être dépeinte de façon adéquate dans un film hollywoodien ? demandaient certains historiens et critiques de cinéma. Était-il seulement décent de s'y essayer ? La Shoah n'était-elle pas intraduisible dans les codes du cinéma conventionnel ? Certains trouvaient que c'était l'équivalent d'un film de gangsters nazis, de loin surpassé par le documentaire de 1985 de Claude Lanzmann, *Shoah*. La réaction d'élèves noirs du lycée Castlemont d'Oakland, qui s'esclaffèrent en voyant l'exécution d'une femme ingénieur – ils pensaient qu'un corps fusillé de cette façon tomberait autrement que dans le film –, fut allègrement relayée. Dans ces premiers jours, on aurait dit que le monde tergiversait encore pour savoir si vraiment il couvrirait *Schindler* de tous les lauriers.

Lors d'une conférence retranscrite dans *The Village Voice*, à laquelle participaient Art Spiegelman, le créateur de la brillante bande dessinée *Maus*, le cinéaste Ken Jacobs et l'admirable Philip

Gourevitch, qui raconterait plus tard l'histoire de l'hécatombe rwandaise, il y eut de nombreuses critiques – et pas tendres – proférées à l'encontre du film, y compris par ceux qui défendaient le projet de Spielberg. Il est sans doute intéressant de citer l'opinion à la fois extrême et contradictoire de Spiegelman :

Ces Juifs sont la version légèrement embourgeoisée des caricatures du *Der Stürmer* de Julius Streicher : le comptable juif austère, la séductrice juive et, encore plus flagrant, les Juifs faisant des affaires et du marchandage à l'intérieur d'une église. C'est l'une des rares scènes qui n'est même pas tirée du roman. Spielberg a toujours eu un problème juif. Les « esprits » juifs qui jaillissaient de l'Arche perdue à la fin de son premier *Indiana Jones* étaient toute la colère de Dieu qui anéantissait les méchants par une bombe atomique surnaturelle. *La Liste de Schindler* reflète la Shoah à travers l'image centrale d'un vertueux gentil dans un monde de figurants et de seconds couteaux juifs. Les Juifs agissent comme une occasion de rédemption chrétienne.

Un critique affirma que mettre de la musique sur la scène des corps qui brûlaient à Hujowa Górka était une forme de manipulation. C'était comme si Spielberg était le premier cinéaste à faire appel à un compositeur et qu'on le condamnait pour ça. D'autres demandaient, plus justement, pourquoi il n'y aurait pas de musique. Il y a toujours de la musique dans les films, alors pourquoi, dans cette scène en particulier, était-ce manipulateur ? Comme le disait un autre critique : « Tout est fait selon les codes du cinéma... C'est saturé de codes... Ça paraît un peu étrange de l'attaquer parce qu'il remplit cette fonction, alors que s'il faisait autre chose, vous l'ignoreriez. »

Le lendemain matin de l'avant-première, nous allâmes visiter tous ensemble le musée national de l'Holocauste, qui avait récemment ouvert à Washington. Mme Schindler, que j'avais vue uniquement à l'écran et avec laquelle je n'avais jusqu'alors communiqué que par courrier, faisait partie du groupe, assise dans un fauteuil roulant et accompagnée de son amie, l'Argentine Erika Rosenberg. Elle paraissait fragile mais avait gardé son joli visage. Elle avait un demi-sourire de grand-mère et des yeux pétillants. Je m'approchai d'elle et la félicitai dans un allemand rudimentaire d'être venue jusque-là, dans ce musée qui commémorait les événements considérables dans lesquels elle avait joué un rôle héroïque. La vitalité de son regard pouvait être attribuée en partie au fait qu'elle tenait encore à défendre sa position dans son désastreux mariage avec Oskar. Le nouveau renom que ce scélérat avait acquis lui était difficile à accepter, c'était visible. Dans une certaine mesure, et de façon compréhensible, elle ne cesserait jamais d'en vouloir à Poldek d'avoir porté cette histoire, à moi de l'avoir écrite, et à Spielberg de l'avoir exaltée à l'écran.

Nous visitâmes le musée, regardant les photos, les objets exposés et les vidéos dans lesquelles des survivants évoquaient Sobibor, Mauthausen, Treblinka et Auschwitz. Des installations reconstituaient des intérieurs juifs d'Europe de l'Est, et une autre retraçait l'histoire d'un enfant juif à travers la Shoah, racontée d'une façon, nous dit un gardien, qui avait été validée par trois pédopsychiatres.

Il y avait également un wagon à bestiaux, et je fus fasciné de voir des gens qui étaient tous familiers de ce mode de transport brutal jeter des coups d'œil dedans en fronçant les sourcils. Emilie elle-même savait par les hommes de Goleszów à quoi ressemblait l'intérieur d'un tel wagon. Poldek et Misia aussi, et Misia nous épargna gracieusement l'information selon laquelle les expériences vécues au bord de la tombe ne peuvent être que partiellement restituées dans un musée de Washington.

À peu près au même moment, Spielberg eut l'idée de mettre sur pied une équipe de bénévoles à travers le monde pour aller interviewer tous les survivants de la Shoah et enregistrer leurs récits dans une base de données. Ce serait une collection d'archives extraordinaire, où l'on pourrait à la fois écouter et regarder les témoignages de rescapés, mais aussi les recouper pour dresser le tableau le plus complet possible de la vie dans le ghetto ou dans les camps, depuis la police du ghetto jusqu'aux rations alimentaires en passant par les officiers SS. Ce serait une mine d'informations pour les générations futures. La valeur d'une telle base de données pour les chercheurs serait prodigieuse. Je ne pouvais m'empêcher de me demander ce que ça aurait été de posséder de telles archives pour les survivants de la Grande Famine irlandaise ou les victimes de l'esclavage en Amérique du Nord et aux Antilles. Mais si Spielberg voulait préserver ces témoignages, c'était aussi parce que ces événements étaient arrivés à ce qu'il considérait désormais comme son peuple.

Il comptait baptiser cette opération la Shoah Foundation, et elle commença très vite ses activités dans des bureaux en préfabriqué tout près d'Amblin et du parking d'Universal.

Poldek et moi nous y rendîmes plusieurs fois, à mesure que le projet grandissait et revêtait une apparence plus formelle.

Grâce à la base de données, on pouvait non seulement avoir accès à l'histoire de n'importe quel rescapé, mais si on voulait connaître, par exemple, la densité de rats dans le ghetto de Łódź, il suffisait de taper sa demande et le moteur de recherche vous ressortait tout ce que les survivants avaient dit sur l'insalubrité du ghetto.

Le lendemain de l'avant-première à Washington, une autre projection avait lieu à New York pour lever des fonds au profit de la Fondation Schindler de Glovin. C'était une des conditions qu'avait exigées Glovin avant de signer son contrat des années plus tôt. Toute l'équipe de *Schindler*, y compris les acteurs principaux, étaient de la partie. Emilie aussi fit le voyage jusqu'à New York, et fut invitée à plusieurs émissions de télé. La ravissante et encore jeune Erika Rosenberg insistait toujours pour dire qu'Emilie était la véritable source de l'altruisme d'Oskar, mais que pourtant elle avait été tenue à l'écart de tout le processus et n'avait jamais touché le moindre centime. Rosenberg racontait partout : « Emilie a été évincée du livre comme du film de façon humiliante et choquante.» Dans la mesure où Spielberg avait toujours exprimé une grande admiration pour Emilie, je savais qu'elle n'avait pas été traitée de manière humiliante. Elle donnait d'ailleurs une impression de tranquillité, tandis que Rosenberg s'agitait autour d'elle, assénant des affirmations qui finiraient, dans les mois à venir, par trouver un écho dans la presse.

L'après-midi avant la projection à New York, Judy et moi passâmes chez Simon & Schuster, qui étaient si contents du livre qu'ils avaient l'intention de publier une nouvelle édition cartonnée à l'occasion de la sortie du film. Pour fêter ça, tel un explorateur de la ruée vers l'or australienne qui aurait soudain trouvé un filon, j'achetai à Judy un bracelet en or gravé de l'inscription *Amor Vincit Omnia*.

Irving Glovin, dans un magnifique smoking qui épousait à merveille sa musculature de tennisman, et Jeannie, avec son bronzage californien et sa robe de cocktail, firent sensation ce soir-là dans le foyer du cinéma, où ils nous accueillirent chaleureusement. Ils nous annoncèrent après la projection qu'ils donnaient une réception dans leur suite au Waldorf Astoria, mais nous déclinâmes en disant – assez sincèrement – que nous étions trop fatigués. J'avais démissionné depuis un moment déjà du conseil d'administration de la Fondation Schindler, mis mal à l'aise par l'intention de Glovin de financer des recherches sur la vie de Schindler qui permettraient de trouver un remède à la haine entre les communautés. Les Glovin parurent très déçus, et je leur promis de venir prendre un verre avec eux le lendemain. Je ne fus pas surpris d'apprendre par la suite que la Fondation Schindler ne réussit jamais à développer son projet de recherche. Peut-être les présidents d'université étaient-ils aussi gênés que moi par les idées fixes de Glovin.

Quelque temps plus tard, à l'invitation de Steven, nous nous envolâmes pour l'avant-première à Londres. Elle ressemblait davantage à ce qu'on attend de ce genre d'événement, avec un tapis rouge à l'entrée du cinéma sur Leicester Square et un grand cocktail avant la projection. Je reconnus parmi la foule la joyeuse Australienne Kathy Lette et son extraordinaire mari, lui aussi australien, le défenseur des droits de l'homme et brillant avocat Geoffrey Robertson, un homme remarquable, érudit et d'une logique rationnelle à toute épreuve. Il y avait également notre ami Salman Rushdie, que Judy et moi avions rencontré alors que nous assistions à la remise du Booker Prize l'année qui avait suivi le couronnement de *La Liste de Schindler*.

Spielberg nous avait aussi invités, Judy, Jane et moi, à l'avant-première viennoise ; et d'ailleurs à celles de Francfort et de Tel-Aviv si nous souhaitions l'accompagner. Mais mes engagements de conférencier et d'enseignant nous limitèrent à Vienne.

Un climat d'anxiété régnait autour de cette avant-première. Un colis piégé néonazi avait récemment blessé le maire de Vienne à la main. Et lorsque Judy, Jane et moi arrivâmes à l'hôtel Sacher un peu après le reste du groupe et nous présentâmes spontanément à la réception, la sécurité d'Universal s'abattit sur nous, nous entourant comme des chiens de garde et nous pressant de les suivre et de ne pas traîner dans le hall. On nous remit des badges pour nous identifier (en l'occurrence, des badges portant le sceau de l'État de Californie). Nous étions censés les avoir toujours sur nous. Toute personne qui ne serait pas munie de son badge serait tenue à l'écart du reste du groupe par les agents de la sécurité. Le troisième étage de l'hôtel était entièrement réservé à l'équipe de Spielberg, et un garde armé d'un semi-automatique se tenait en permanence devant les deux ascenseurs qui desservaient ce couloir.

Dans l'après-midi, on nous rassembla pour nous conduire par les ascenseurs de service jusqu'aux cuisines en sous-sol, et de là dans un couloir qui menait à un escalier par lequel nous remontâmes dans un salon ornementé qui avait été aménagé pour une conférence de presse. Parmi nous se trouvait Simon Wiesenthal, le chasseur de nazis, qui vint nous rejoindre à la tribune et avec lequel j'eus le temps de bavarder un peu, avec une admiration légitime. À l'époque, Wiesenthal était déjà âgé mais pas du tout voûté, et il paraissait bien plus jeune que son âge. Je savais qu'il connaissait l'histoire de Schindler, et il me dit qu'il avait rencontré à la fois Poldek et Oskar par le passé.

Sur l'estrade, j'étais assis aux côtés de Spielberg, Branko Lustig et Simon Wiesenthal. Pendant la conférence de presse, un journaliste autrichien courroucé demanda à Spielberg pourquoi il avait appelé son film *La Liste de Schindler* plutôt que *L'Arche de Schindler*. « Parce que *La Liste de Schindler* est le titre que j'ai acheté », répondit-il avec une perplexité justifiée. Quand on lui posa des questions sur Oskar, Wiesenthal confirma qu'il l'avait rencontré, qu'il admirait son travail, et regretta que la résistance au processus d'extermination n'ait pas été plus répandue. Il approuvait qu'Oskar ait été nommé parmi les Justes.

Jane et Judy assistaient à la conférence depuis le fond de la salle. Quand, après un temps interminable, elle fut déclarée close, une meute de journalistes se rua vers l'estrade pour obtenir des interviews, dans une cohue inhabituelle pour des Autrichiens. Une unité d'agents de sécurité américains et autrichiens – eux-mêmes ornés du fameux badge aux couleurs de la Californie – repoussa violemment cet assaut pour permettre aux membres de notre groupe qui se trouvaient au fond de la salle de venir nous rejoindre devant. C'était une démonstration de force impressionnante, qui me rappelait un maul déroulant au rugby. Tout le monde fut ensuite exfiltré par une porte latérale, puis nous empruntâmes des couloirs de service, traversâmes des bureaux et d'autres cuisines pour finalement déboucher dans une ruelle derrière le Sacher, où trois Mercedes et d'autres véhicules nous attendaient pour former un convoi.

On nous fit grimper dans les Mercedes qui démarrèrent en trombe... pas d'accélération progressive. Les agents de sécurité à bord de chaque véhicule communiquaient entre eux par des radios cachées dans leur manche tandis que nous filions sous le soleil blafard en direction de la chancellerie autrichienne. Nous nous arrêtâmes sous un porche baroque où l'on nous fit descendre précipitamment des voitures. Je m'engouffrai derrière ma fille, Jane, dans un escalier de pierre en colimaçon, le genre qu'empruntaient sans doute autrefois les domestiques du prince de Metternich ou de Talleyrand : l'entrée de service. Le garde du corps baraqué juste devant ma fille fit tomber de sa poche un énorme pistolet semi-automatique, qui atterrit sur une marche dans un fracas métallique et resta posé là comme un animal brusquement enhardi. « *Entschuldigung* », fit l'homme avant de le ramasser et de le cacher à nouveau sous sa veste en un geste fluide puis de reprendre son ascension.

Dans l'angle d'un immense bureau, sous d'abondantes moulures et peintures ornementales, nous fûmes accueillis par le chancelier Franz Vranitzky, un bel homme brun d'une cinquantaine d'années. Il nous conduisit jusqu'à une table basse autour de laquelle tout le monde prit place. Il nous parla de l'après-guerre, de la façon dont la Shoah avait été considérée comme une entreprise exclusivement allemande, et comment la question de la participation autrichienne avait été étouffée : l'évoquer serait revenu à diviser les citoyens. Il avait rédigé une thèse sur ce sujet, au grand dam de certains de ses professeurs.

Nous fûmes ensuite encouragés à nous exprimer, et quand vint mon tour, je racontai comment j'avais établi des schémas à partir des témoignages des *Schindlerjuden* que j'avais recueillis. Je fis également remarquer qu'il était saisissant que l'attitude de Schindler n'ait pas été davantage influencée par le conditionnement auquel était soumise l'opinion publique allemande. L'incitation à la haine était présente partout, et on aurait pu attendre de quelqu'un comme Schindler, qui n'avait rien d'un philosophe, qu'il l'adopte sans réserve. Des hommes plus éduqués, plus intellectuels que lui l'avaient fait. Otto Ohlendorf, qui commandait un des *Einsatzgruppen*, avait étudié le droit et l'économie à Leipzig, Göttingen et Pavie. Ernst Biberstein, un autre officier, était pasteur. On trouvait aussi un médecin et un chanteur d'opéra. J'avais l'impression de m'empêtrer un peu dans mes remarques – mon emploi du temps récent n'avait guère été propice à la réflexion –, et je craignais de décevoir Spielberg en n'ayant rien de très original à dire. Tout ce que j'exprimais là était déjà soit dans le livre, soit dans des articles que j'avais écrits.

Après nous avoir tous écoutés, le sympathique chancelier raconta sa propre histoire sur la montée du néonazisme en Autriche, nous assura que nous étions en sécurité, puis proposa : «Vous voulez voir la salle où a eu lieu le congrès de Vienne?» Et par un tout petit couloir, nous accédâmes à une pièce somptueuse tapissée de miroirs et de brocarts. Là, après les guerres napoléoniennes, avait été signée une paix prudente, qui avait régné sur l'Europe pendant un peu plus d'un demi-siècle et était connue sous le nom de *Pax Britannica*, la «paix britannique», période pendant laquelle il n'y avait pas eu de guerres sur le sol européen bien qu'ailleurs aient été livrées de nombreuses batailles pour l'acquisition et la préservation des colonies.

L'après-midi était désormais bien avancé, et nous eûmes droit à une nouvelle course-poursuite en voiture jusqu'à l'ambassade américaine. La splendeur de ce bâtiment du début du XXe siècle paraissait comme le prolongement plus chaleureusement décoré de la chancellerie. Nous rencontrâmes Swanee Grace Hunt, l'ambassadrice américaine de l'époque, membre de la célèbre famille Hunt du Texas, qui à un moment – du moins dans mon souvenir – avait accaparé le marché mondial de l'argent et n'avait par conséquent, contrairement aux Keneally, jamais été sans le sou. Spielberg s'approcha de moi quand nous fûmes dans la salle où les cocktails étaient servis, et me dit : «Tu ne voudrais pas me rendre un service? Tu étais très bon à la chancellerie. Tu ne veux pas faire le discours à ma place?» L'idée me faisait moins peur que mon topo improvisé à la chancellerie. Une fois à la tribune, je me contentai de raconter notre histoire, l'histoire de toutes les personnes à l'origine du film, y compris Poldek. Grâce à des générations de Keneally bavards, je réussis à m'acquitter de ce discours et pus enfin boire un scotch. Je me retrouvai ensuite à discuter avec Mme Bankier et sa fille. M. Bankier, à présent décédé, était l'homme qui avait dirigé la fabrique Rekord avant qu'elle ne soit rachetée par Schindler et ne devienne Emalia. Abraham Bankier était soit l'un des copropriétaires, soit de la famille des propriétaires, et c'était un héros aussi universellement admiré qu'Itzhak Stern ou Mietek Pemper. Mais dans le film, ces trois personnages avaient été réunis dans celui de Stern, et Mme Bankier en concevait un certain regret – je ne dirais pas ressentiment – alors qu'elle et sa fille évoquaient les possibilités de faire un geste opportun en mémoire de son défunt mari. Je lui dis qu'elle pouvait citer des extraits de mon livre autant qu'elle le voulait. « Je me rends compte que c'est toujours comme ça, avec les films », conclut la fille.

Quand nous arrivâmes au cinéma pour l'avant-première, il régnait un chaos indescriptible. Judy, Jane et moi fûmes escortés jusqu'à nos places de façon assez sportive par une femme musclée agent de sécurité qui hurlait : « *Der Buchautor !* » Spielberg prit brièvement la parole sur scène, puis Wiesenthal, et lorsque le film commença, nous nous éclipsâmes discrètement du dernier rang de la salle – nous connaissions suffisamment bien le film, désormais –, empruntant de nouveau un couloir obscur, pour aller dîner dans un délicieux restaurant autrichien traditionnel. D'autres personnes nous accompagnaient, dont Beatrice Macola, qui jouait la petite amie de Schindler, Ingrid, dans le film. Spielberg, qui n'était pas un grand buveur, demanda à Jane, Beatrice et moi-même de l'aider à choisir le vin : un fils de la barbare Sydney aidant un fils de Cincinnati à choisir parmi des grands crus d'Europe.

Pour nous, c'était un dîner d'adieu. L'équipe de Spielberg partait pour Francfort le lendemain. Spielberg étreignit Jane alors que nous arrivions devant l'ascenseur de service au sous-sol de l'hôtel Sacher, et à ma grande stupéfaction Judy aussi réclama le même traitement : il était rare qu'elle ait envie de serrer dans ses bras des gens du cinéma. Je dis à Spielberg qu'il pouvait le prendre comme un honneur.

Alors que nous prenions le petit déjeuner dans notre chambre le lendemain matin, tout l'étage nous paraissait étrangement calme, plongé dans un silence lugubre maintenant que le cirque officiel était parti. Nous étions toujours en possession de nos badges devenus désormais obsolètes. Sans gardes du corps équipés de semi-automatiques, je dus m'aventurer une dernière fois dans cette ville réputée truffée de néonazis pour une séance de signature prévue ce matin-là. Je demandai à la réception le chemin de la librairie où nous étions attendus, et nous sortîmes donc à pied par un froid mordant dans des rues raffinées bordées de boutiques fascinantes, passant devant la gigantesque colonne de la Peste. La librairie ressemblait à un magnifique décor de cinéma de *Bibliothek*, baigné par la lumière ambrée de fenêtres étincelantes. Les tranches sobres et ingénieuses de livres européens formaient un étalage des plus élégants. Le propriétaire et moi discutâmes un moment de l'écrivain australien préféré des Européens, Patrick White, le grand romancier nobélisé.

Quelques personnes arrivèrent, d'abord intimidées, puis se mirent à former une file d'attente qui s'allongea rapidement. Quand je commençai mes dédicaces, je me rendis compte que je n'avais pas affaire à des néonazis agressifs, mais à de jeunes Viennois, des étudiants et des couples, qui, à ma grande surprise, pleuraient en me regardant signer. Je mentionnai ces larmes au propriétaire de la librairie. « C'est la première fois qu'ils entendent parler de ça de façon aussi accessible, me dit-il. Leurs parents n'en ont jamais parlé. »

Je lui fis remarquer que, à l'évidence, ces jeunes lecteurs n'avaient rien à se reprocher.

« C'est le choc de savoir qu'on a été mêlés à ça nous aussi. Jusque-là on avait tendance à tout mettre sur le dos des Allemands. »

Ayant involontairement déclenché de telles réactions parmi la jeunesse autrichienne, je me félicitais de ne pas avoir à affronter l'épreuve de Francfort.

Dans les mois suivants, ma crainte de voir l'histoire du film occulter celle du livre fut dissipée – du moins en partie –, notamment grâce à tous ces jeunes qui voulaient que je leur dédicace le livre. Je m'aperçus que les Latinos, les Chinois, les Philippins, les Coréens et les Japonais de Californie s'identifiaient fortement au livre. Ils avaient le souvenir d'avoir été mis à part dans leur enfance, tout comme la communauté indienne vivant aux États-Unis, et venaient se faire dédicacer le livre lors de telle ou telle séance de signature en librairie, de Thousand Oaks à la frontière mexicaine.

Il y a très peu de mérite dans les honneurs que vient à recevoir un écrivain uniquement du fait qu'un bon film a été tiré d'un livre qu'il a écrit, mais je m'en rappelle un avec une affection particulière. C'était une remise de prix, le Scripter Award, à la bibliothèque de l'université de Californie du Sud, où Zaillian et moi fûmes récompensés conjointement, en présence de Spielberg et des autres producteurs. Je me souviens de l'apparition de Poldek dans l'émission de Larry King. Poldek montra qu'il avait appris des choses sur la télévision depuis notre expérience avec Jane Pauley. Je me souviens également d'une réception pré-oscars donnée par Joe Segal, un magnat de Century City, et Kaye Kimberly-Clark, son épouse d'origine australienne à la beauté légendaire. Ils voulaient que le clou de la soirée soit un gigantesque gâteau en forme d'oscar. Toute l'équipe de *Schindler* était présente à cette fête, ainsi que Jane Campion, nominée aux oscars cette année-là pour son film *La Leçon de piano*, l'actrice Toni Collette de *Muriel*, et d'autres Australiens. L'œuvre d'art qui nous époustoufla tous ne fut pas le fameux gâteau, mais les tableaux aux murs de Joe Segal : les Léger, les Picasso et, comme disait Liam Neeson, « les putains de Cézanne, mec ! Tu as vu les putains de Cézanne ? » Liam apprécia également la cuvette des toilettes, le lavabo et les robinets plaqués or. Quant à moi, ce qui m'étonna le plus fut de croiser une voisine des Segal, Rhonda Fleming, star de mon enfance dans *Deux mains, la nuit* et dans *La Maison du Dr Edwardes* d'Alfred Hitchcock. Elle était encore d'une telle beauté intemporelle à soixante-dix ans que la question de savoir si elle le devait en partie à un bistouri paraissait parfaitement déplacée. Poldek et moi emportâmes les oscars en chocolat qu'on nous offrit pour les mettre au frigo chez nous, et j'ai d'ailleurs toujours le mien en Australie.

Mais alors, parmi les honneurs contingents les plus mémorables de la saison, arriva une invitation pour un dîner à la Maison Blanche. Judy fit la route jusqu'au centre commercial de Newport Beach pour m'acheter un smoking Armani chez Neiman Marcus : comme ça j'aurais l'air chic, disait-elle. Judy et Jane prirent ensuite un vol pour Washington et arrivèrent avant moi au Willard Hotel, l'hôtel le plus célèbre de Washington, où avait toujours séjourné Thomas Francis Meagher, un des prisonniers australiens sur lesquels j'avais entrepris des recherches.

Pendant ce temps, je donnai mon cours de l'après-midi avant de retourner en vitesse à la maison faire mes valises et de filer à l'aéroport. Je finis par arriver à la tombée du jour dans cet hôtel de Washington qu'on associait généralement aux présidents, généraux, écrivains et autre racaille du même acabit. Je sortis de sa housse ce que je pensais être le smoking Armani en disant à ma fille Jane : « Que penses-tu de mon nouveau costume tape-à-l'œil ? » Hélas, je suis daltonien. Le bleu marine et le noir ont toujours été indifférentiables à mes yeux, et j'avais emporté non pas mon nouvel Armani mais un costume bleu marine lambda. Dans sa longue histoire, longue de plus de cent cinquante ans pour être exact, le Willard a eu son lot d'étourdis dans mon genre, et je me rendis à la Maison Blanche dans un costume de location rapidement obtenu. L'Armani fut réservé à des événements plus ordinaires en Amérique comme à Sydney, tels que les réceptions officielles du Manly-Warringah Rugby League Club. Malgré ça, ce fut pour nous une soirée incroyable. Le Président, mis en cause dans un scandale immobilier dans l'Arkansas, avait ce calme étonnant et la même acuité dans le regard que lors de l'avant-première. Mais son épouse et lui paraissaient cette fois moins pressés. La Première Dame discuta à nouveau avec moi de mon roman *Femme en mer intérieure*. Le Président possédait avant tout cette capacité de politicien professionnel à vous fixer dans les yeux et à s'adresser à vous – même en présence de certains de ses vieux amis, dont Paul Newman et Joanne Woodward – comme si vous étiez en quelque sorte le centre d'attention de la pièce. Il possédait la capacité, en somme, de vous convaincre de la relation unique qu'il avait avec vous. J'avais vu ça chez d'autres hommes avant lui. Bob Hawke, le Premier ministre australien, avait le même talent.

Au cours de la soirée, j'eus le temps de me souvenir qu'un autre Australien, ou du moins devenu australien par sentence judiciaire, le général Thomas Francis Meagher, s'était tenu ici comme membre de la garde d'honneur devant la dépouille de Lincoln. Mais les scandales contemporains venaient perturber ces évocations du passé. Pendant le dîner, George Stephanopoulos fit de fréquents allers-retours dans la salle à manger pour parler à l'oreille du président. C'était le seul signe pouvant laisser penser que le président Clinton et son élégante épouse avaient des ennemis sur cette terre.

Les films, à part donner lieu à de très chics invitations, peuvent aussi provoquer une tempête d'accusations. La rumeur selon laquelle Emilie avait été roulée tout au long de ce processus, court-circuitée et négligée, courait encore. Il se trouva qu'un des discours que j'eus à prononcer avait lieu lors d'un gala de charité dans le comté de Miami, où Emilie Schindler était également présente. Avant l'événement lui-même, nous fûmes tous invités à déjeuner par les organisateurs. Je me retrouvai assis à côté d'Erika Rosenberg, et je lui demandai si elle avait réellement affirmé qu'Emilie n'avait pas été consultée pour le livre ni le film et n'avait jamais rien touché. Avec une évidente sincérité, elle me répondit : « Pas un centime. »

Je lui demandai encore si elle en était bien sûre, si elle connaissait un avocat du nom de Juan Carlos. Elle connaissait M. Carlos mais ne cessait d'insister : « Pas un centime. »

« Et pas un centime non plus pour le film ? »

Mme Schindler, qui observait notre conversation, s'approcha de nous d'un air furieux dans son fauteuil roulant et dit à Erika Rosenberg de laisser tomber.

Le lendemain matin, dans l'avion qui me ramenait en Californie, j'utilisai le téléphone encastré dans le siège devant moi pour appeler le bureau de Spielberg et les informer que Rosenberg et, de façon passive, Emilie elle-même étaient toujours sur la ligne « pas un centime ». Je dis à l'assistant de Spielberg, Chris Kelly, que je savais que Rosenberg avait tort, notamment parce que j'avais moi-même récemment envoyé un chèque à Emilie. Chris m'apprit qu'eux aussi lui avaient versé de l'argent dernièrement, et quand je demandai, tout en admettant que ça ne me regardait pas, si c'était une somme en milliers ou en dizaines de milliers de dollars, il choisit la seconde option. Après quoi, toujours dans l'avion, j'appelai la vieille amie d'Emilie et ancienne maîtresse de Schindler, Ingrid, et son mari à Long Island. Ils étaient amusés par Rosenberg. « Emilie va très bien », me dirent-ils.

Je leur demandai s'il fallait que j'envoie un autre chèque.

« Non. Rosenberg ne sait pas tout. Il y a certaines choses dont on s'occupe ici. »

Apparemment, Mme Schindler avait un compte en banque à New York qui, sans être très gros, était tout à fait correct. Si tel était le cas, ce n'était que justice pour cette femme splendide qui s'acharnait à maintenir aux yeux du monde sa rage à l'encontre de son scélérat de mari.

Spielberg se contentait d'ignorer Rosenberg, malgré la portée médiatique qu'elle avait. Après tout, il allait bientôt avoir à se protéger contre les menaces autrement plus dangereuses d'un criminel qui le harcelait. Mais j'ai toujours été outré par la légèreté avec laquelle on affirmait qu'Emilie avait été injustement traitée. On affirma aussi, peut-être sans fondement, que lorsque Emilie mourut en Allemagne en 2001, une année à la résonance particulière dans ce récit, elle était dans la plus grande pauvreté.

20

Invités par Spielberg, Poldek, Misia, Judy et moi assistâmes ensemble à la cérémonie des oscars. Poldek reçut un formidable hommage de Spielberg, cependant il continuait, comme un vieil oncle, à reprocher à Spielberg le temps qu'il lui avait fallu pour « se secouer » et faire le film. Alors que Spielberg arrivait au Governors Ball, la traditionnelle réception après la cérémonie, Poldek lui chipa une des deux statuettes qu'il avait remportées pour le meilleur film et la meilleure réalisation, des objets d'un poids étonnant, et fit mine de vouloir l'assommer avec. « Qu'est-ce que je t'avais dit ? s'exclama Poldek. Qu'est-ce que je t'avais dit ? Un oscar pour Oskar. »

J'étais beaucoup plus à l'aise, bien sûr, lors des avant-premières en Australie. En particulier celle de Sydney, à laquelle participa Ben Kingsley. Une conférence de presse eut lieu au Sydney Jewish Museum, un musée régional de très grande qualité. Il commémorait le premier Séder de Pessah à s'être déroulé en Australie, en 1788, lorsqu'une prisonnière juive cockney nommée Esther Abrahams avait reçu une ration spéciale de vin et de pain pour permettre aux prisonniers juifs de célébrer cette fête.

Le troisième intervenant de la conférence de presse était mon vieil ami Leo Rosner, l'accordéoniste qui, avec son frère Henry, avait été jadis forcé de divertir Amon Goeth jour après jour. Ce soir-là, il y avait une réception au Hilton de Sydney, à laquelle Leo apporta son accordéon. Il n'avait jamais entendu la splendide bande originale de John Williams auparavant, mais il retint instantanément le thème principal et le joua avec l'orchestre de l'hôtel. Nous avions là un Juif dans une contrée reculée – je ne pense pas que Hitler ait beaucoup pensé à Sydney au cours de sa carrière –, et ce Juif jouait de l'accordéon dans la nuit de Sydney, affirmant sa survie.

Mon père était désormais très âgé, et il lui était difficile de marcher du Hilton au cinéma sur Pitt Street. Mais, jusqu'à la toute fin de son existence, il resta trop orgueilleux pour avoir recours à un fauteuil roulant, si bien que, péniblement, nous fîmes le chemin à pied, conscients de sa douleur tandis qu'il demandait : « C'est encore loin, bordel ? » Ainsi mon père s'approcha-t-il à petits pas de la remarquable interprétation qu'avait livrée Steven Spielberg du régime nazi, contre lequel le vieux bougre avait certainement « fait sa part ». Assis à côté de lui dans la salle, je pus constater que, bien qu'il ait des problèmes de vue et une vessie fragile, il resta captivé pendant trois heures et quart.

Lors de l'avant-première à Melbourne, pendant son discours de présentation du film, Ben Kingsley, ce merveilleux compagnon de voyage, s'en prit au Melbourne Club, foyer de l'establishment local, qui n'avait toujours pas admis un seul Juif parmi ses membres. Et c'est dans cette ville que le lendemain, avec la gueule de bois, nous nous dîmes au revoir.

La dernière fois que je vis Poldek, c'était au printemps 2000, dans son salon, où Misia avait toujours organisé nos thés de l'après-midi, avec force gâteaux et pâtisseries. Poldek avait brusquement du mal à marcher, et j'en fus choqué. Il avait toujours été un marcheur enthousiaste, et se retrouver privé de sa capacité de locomotion lui ôtait une partie de sa détermination. « L'ordinateur va bien, me dit-il en se tapotant la tête. Mais la machine... il faut la changer. »

Je ne m'étais pas attendu à ce que Poldek décline si jeune ; il avait quatre-vingt-sept ans, mais pour lui c'était jeune. Je me demandai si le fait d'avoir été prisonnier avait pu avoir quelque impact sur sa santé. En tout cas il recevait toujours une pension du gouvernement allemand en compensation de la blessure au dos que lui avait causée l'*Oberscharführer* qui le battait régulièrement à Płaszów. Un psychologue dit des survivants de la Shoah qu'à mesure qu'ils vieillissent et que s'accroît leur mémoire à long terme, leur impuissance avec l'âge se met à refléter leur ancienne impuissance dans les camps. Poldek semblait avoir toujours gardé son éternel optimisme, mais que le stress, la peur, la faim éprouvés dans le passé aient pu affecter la grande chaudière de son cœur était une question que, lorsqu'il était vivant et en pleine forme, beaucoup de ses amis avaient oublié de se poser.

Et puis, à quel point était-il hanté ? A-t-il, dans les bouffées délirantes du trépas, pensé ne serait-ce qu'un instant qu'il était aux mains d'Amon Goeth et qu'il apportait de l'eau au moulin des lois cruelles qui avaient autrefois cherché à le priver d'oxygène ? Le bon sens aurait tendance à dire que même Poldek ne pouvait avoir échappé à certains dégâts permanents, à une constante érosion. Alors peut-être que sa plus grande réussite, plus grande encore que d'avoir réussi à faire de Schindler une légende moderne, fut de pouvoir mener une vie normale dans des rues normales, comme par exemple South Elm Drive à Beverly Hills.

Pendant cette année au cours de laquelle la santé de Poldek déclinait, celle de mon père, âgé de quatre-vingt-douze ans, se détériorait également, un lent délabrement des diverses fonctions du corps. Mais là encore, il était impossible de croire que ce patriarche du bush, avec son amusant langage fleuri, puisse un jour arrêter de respirer.

Mon père, comme à son habitude, donna du fil à retordre à la mort. Il lutta pendant des semaines. Un jeune prêtre vint lui donner la communion et ils récitèrent le *Notre* Père ensemble. Quelle tristesse de voir un enfant du bush, un vrai trublion, prononcer humblement ces anciens sentiments à l'égard de la déité ! Le mot « amen » était à peine sorti de sa bouche qu'il ajouta : « Cette fois, mon père, je crois que je suis bel et bien foutu. » Ce fut son *Nunc dimittis* australien, sa version du « Maintenant, laisse partir Ton serviteur en paix... »

Il mourut par une glaciale journée d'août. À son enterrement, un homme de la Returned Services League le décrivit comme un « bon sergent », et la consonance entre cette formule et la façon dont Shakespeare utilisait l'expression de « bon sergent » comme une métaphore de la mort provoqua des hurlements de chagrin dans l'esprit de son Monsieur Je-sais-tout de fils, après quoi vinrent les larmes, qui furent bien difficilement étanchées.

Les Jeux olympiques de Sydney se déroulèrent en septembre, alors que j'étais vidé et lessivé, aussi bien physiquement que mentalement. Quelques années plus tôt, un commentateur d'un magazine littéraire et politique avait prématurément écrit un article intitulé : « Thomas Keneally, mon rôle dans sa chute. » Mais il avait fallu des facteurs plus universels et plus violents qu'une méchante critique pour me faire croire que j'étais bel et bien fini.

Alors que je traversais cette crise, je ne savais pas que Poldek en vivait une de son côté. Il avait en commun avec mon père de ne pas juger utile d'embêter les gens avec ses problèmes de santé. Il était entré, pleinement confiant, à l'hôpital Cedars-Sinaï de Beverly Hills, mais là son déclin fut rapide. En mars 2001, je reçus un e-mail de la fille de Poldek, Marie, m'annonçant qu'il s'était éteint à l'hôpital, apparemment de façon assez soudaine. Aussi improbable que ce soit, les deux vieux héros étaient morts ! Mon propre état de santé et la rapidité des enterrements juifs m'empêchèrent d'assister aux funérailles de Poldek. J'envoyai un message de profond regret dans lequel j'évoquais aussi son caractère indomptable et le souvenir de notre voyage en Pologne sous la protection de son badge Orbis. Il fut lu dans la chapelle du Hillside Memorial Park, où Poldek fut enterré. En signe de résignation, Misia déposa un caillou sur la tombe de son mari. À l'heure où j'écris ces lignes, elle est encore en vie, soixante-dix ans après avoir vu – alors qu'elle était étudiante en médecine à Vienne – Hitler entrer triomphalement dans la ville. Une de ses camarades à Auschwitz et Brněnec, Leosia Korn de Sydney (Leosia l'optimiste dans *La Liste de Schindler*), est morte récemment.

Ces temps-ci, ayant repris des forces et m'étant remis à écrire, je me pardonne difficilement de ne pas avoir accompagné Poldek à sa tombe, jusqu'au bord de laquelle, m'avait-il promis, nous serions frères. Il mourut sans ennemis, et en sachant que ses prédictions pourtant faciles à railler s'étaient réalisées presque uniquement grâce à sa force de caractère. La Righteous Persons Foundation[1] ne tarda pas à financer, avec l'aide de Steven Spielberg, un cycle de conférences en hommage à Poldek à l'université Chapman. La plupart de ses documents et photographies sont conservés au musée national de l'Holocauste à Washington. Le *Los Angeles Times* lui fit l'honneur d'une notice nécrologique en tant qu'initiateur de tout le processus dont ce récit fait l'objet.

Qu'est-ce que je t'avais dit ? se serait-il exclamé. Qu'est-ce que je t'avais dit ?

---

1. La Righteous Persons Foundation a été créée par Steven Spielberg et aide au rayonnement de la culture juive. *(N.d.T.)*

NOTE DE L'AUTEUR

L'auteur tient à remercier Steven Spielberg de l'avoir autorisé à utiliser des photographies prises sur le tournage de *La Liste de Schindler,* et Mme Misia Page pour ses commentaires et corrections sur le manuscrit.

Ouvrage réalisé par Cursives à Paris
Imprimé en France par Normadie Roto Impression à Lonrai
Dépôt légal : juillet 2015
N° d'impression : 1502168
ISBN 978-2-35584-317-4